Новая книга!

Дарья Донцова

Кулинарная книга ЛЕНТЯЙКИ-3

Праздник по жизни

ПОДАРОК для всех читателей:

раздел
«ВЕСЕЛЫЕ ПРАЗДНИКИ»

www.eksmo.ru

Читайте романы
примадонны иронического детектива
Дарьи Донцовой

Сериал «Виола Тараканова. В мире преступных страстей»:

1. Черт из табакерки
2. Три мешка хитростей
3. Чудовище без красавицы
4. Урожай ядовитых ягодок
5. Чудеса в кастрюльке
6. Скелет из пробирки
7. Микстура от косоглазия
8. Филе из Золотого Петушка
9. Главбух и полцарства в придачу
10. Концерт для Колобка с оркестром
11. Фокус—покус от Василисы Ужасной
12. Любимые забавы папы Карло
13. Муха в самолете
14. Кекс в большом городе
15. Билет на ковер—вертолет
16. Монстры из хорошей семьи
17. Каникулы в Простофилино
18. Зимнее лето весны
19. Хеппи—энд для Дездемоны
20. Стриптиз Жар—птицы
21. Муму с аквалангом
22. Горячая любовь снеговика

Сериал «Джентльмен сыска Иван Подушкин»:

1. Букет прекрасных дам
2. Бриллиант мутной воды
3. Инстинкт Бабы—Яги
4. 13 несчастий Геракла
5. Али—Баба и сорок разбойниц
6. Надувная женщина для Казановы
7. Тушканчик в бигудях
8. Рыбка по имени Зайка
9. Две невесты на одно место
10. Сафари на черепашку
11. Яблоко Монте—Кристо
12. Пикник на острове сокровищ
13. Мачо чужой мечты
14. Верхом на «Титанике»
15. Ангел на метле
16. Продюсер козьей морды

Сериал «Татьяна Сергеева. Детектив на диете»:

1. Старуха Кристи – отдыхает!
2. Диета для трех поросят
3. Инь, янь и всякая дрянь
4. Микроб без комплексов

А также:

Кулинарная книга лентяйки
Кулинарная книга лентяйки—2. Вкусное путешествие
Кулинарная книга лентяйки—3. Праздник по жизни
Простые и вкусные рецепты Дарьи Донцовой
Записки безумной оптимистки. Три года спустя. Автобиография

Дарья Донцова

*М*икроб без комплексов

роман

ЭКСМО

Москва

2009

ИРОНИЧЕСКИЙ ДЕТЕКТИВ

Дарья Донцова

Кулинарная книга лентяйки

Есть в заначке у каждой хозяйки
"Кулинарная книга лентяйки"!
Нет, готовить им вовсе не лень –
Но зачем "убивать" целый день!

ПРОДАНО БОЛЕЕ 1 500 000 ЭКЗЕМПЛЯРОВ!

www.eksmo.ru

Любимая книга в новой обложке!
Быстрые, вкусные, полюбившиеся рецепты!
+ НОВЫЙ РАЗДЕЛ: "Диетическое питание"!

Глава 1

У меня есть замечательный совет для хозяек: от грязных чашек в мойке можно мигом избавиться, если уронить на них сковородку...

Я застыла над осколками. С одной стороны — жаль денег, ведь придется покупать новый сервиз, с другой — набор уже был не полным, в нем отсутствовали два салатника, блюдо и супница. В случившейся незадаче есть и приятный момент — не придется тратить утро на мытье посуды, у меня непредвиденно образовалось свободное время.

Вчера мой муж Гри отмечал день рождения, небольшая компания засиделась в нашей квартире глубоко за полночь, я устала и решила навести порядок в кухне утром. А вот сегодня, подойдя к мойке, поняла, что совершила огромную ошибку, сложив в нее весь фарфор и не вымыв его сразу. На праздничный ужин я подала баранью ногу с гарниром.

Вы когда-нибудь отскребали от тарелок засохшие куски картошки, «приклеенные» холодным жиром? Если нет, то и не пробуйте, результат эксперимента вам определенно не понравится! Когда я увидела жуткое состояние посуды, мозг в ужасе отдал приказ рукам, вот пальцы, державшие сковородку, и разжались, избавив меня от нудного и нелегкого занятия. Кстати, мясо получилось не ахти, слишком жесткое, а картошку я ухитрилась, обжарив сверху до почти горелого состояния, оставить сырой. Не понимаю, как у меня это вышло?

Внезапно к глазам подступили слезы. Я села на табуретку, машинально схватила один эклер из оставшихся после вчерашнего застолья и, пытаясь успокоиться, проглотила его. Сладкое для меня служит лучшим антидепрессантом, но на сей раз оно не сработало. Кислое настроение перешло в горькое, и я принялась себя пилить: «Мадам Сергеева, вы совершенно не умеете готовить! Танюша, ты отвратительная хозяйка! Не способна даже нормально помыть посуду, расколотила ее! Ты рискуешь остаться без мужа, Гри бросит жену-неумеху...»

Я сцапала второе пирожное, но многократно проверенное лекарство опять не помогло, мысли стали совсем черными: «Косорукая баба с внешностью слонихи никому не нужна. Сегодня весы показали на четыре килограмма больше!» В понедельник я так радовалась потере трехсот граммов веса, так гордилась собой, что наградила себя крохотной порцией мороженого. И вот вам результат! Как же верить после этого диетологам, которые в один голос заявляют, что не стоит употреблять только пломбир, а замороженный фруктовый сок даже полезен. Лично мне вышеупомянутое полезное лакомство принесло ненавистные килограммы, прилипшие к бедрам. Я останусь без мужа, Гри уйдет от меня! И ведь я совсем ничего не ем, питаюсь водой и воздухом, так почему же увеличиваюсь в объеме, словно хорошо замешанное дрожжевое тесто?

В полном отчаянии я слопала кусок творожного торта, запила его кофе со сливками и решила, что прямо сейчас сяду на новую диету. Месяц назад Наташа Рындина, наша соседка по лестничной клетке, притащила мне книгу под названием «Тысяча способов стать Дюймовочкой» и сказала:

— Здесь уж точно найдется совет, который поможет нам стать тростинками.

Но пока мы с Наткой не преуспели в борьбе с лишним весом. На данном этапе Рындина использует так называемую английскую диету, а я попробовала португальскую и потерпела неудачу. Единственное утешение, что Наташка на два кило тяжелее меня. Вернее, так обстояло дело в понедельник, но сегодня...

Из глаз потекли слезы. Пытаясь обрести спокойствие, я быстро проглотила безе, встала и вскрикнула. В правом ухе что-то щелкнуло, на секунду мне стало очень больно, потом возникло ощущение, что в мое ухо воткнули полено. Я вновь обвалилась на табуретку. Вот только отита мне сейчас не хватало!

В детстве я была довольно болезненным ребенком. Внешне-то казалась здоровячкой: крупная девочка с румянцем во всю щеку, но... Кто из детей больше других пропускал занятия из-за разных недомоганий? Правильно, ученица Сергеева. Ко мне прилипала любая зараза! Насморк не покидал меня с сентября до июня, а ларингит и бронхит давно стали моими верными друзьями. И стоило мне в очередной раз улечься в постель, как начинали болеть уши. Я мастер спорта по отиту!

К счастью, годам к восемнадцати мой организм научился сопротивляться напастям, и я забыла о водочных компрессах, борном спирте и носках с сухой горчицей. Ну с какой стати мерзкая болячка сегодня решила вернуться? Неужели я опять начну непрерывно болеть? Ой, тогда точно останусь без мужа.

Похоронные мысли прервал звонок в дверь. Боясь лишний раз шевельнуть головой, я дотащилась до прихожей, глянула на экран домофона, увидела Рындину, распахнула дверь и, старательно пряча уныние под кривой улыбкой, сказала:

— Натуся, привет. Извини, я очень тороплюсь — вызвали на работу. Как всегда форс-мажор, надо убегать!

— Я тоже когда-то хотела шмотками торговать... — покачала головой соседка, — а теперь понимаю: хорошо быть просто домашней хозяйкой. Уж больно тебя заездили на работе.

Я развела руками:

— Ничего не поделаешь, нынче такое время, либо крутись, либо уходи, полно желающих устроиться на хороший оклад. Прости, сейчас не получится с тобой поболтать.

— И мне недосуг трепаться, — отмахнулась Натка.

— Зачем ты тогда явилась? — весьма невежливо спросила я.

— У тебя есть куртка, — затараторила Наташка, — рыжая, лохматая, из искусственной собаки!

— Да, — кивнула я, — отличная вещь, выглядит,

будто из натурального меха, теплая, с капюшоном, очень мне идет.

— Можешь дать куртенку на денек? — перебила Рындина хвалебную оду полушубку.

— Кому? — растерялась я.

— Мне, — удивилась моей непонятливости Наташка. — Не беспокойся, верну прикид в наилучшем состоянии, в целости и сохранности.

Я повернулась к стенному шкафу и отодвинула в сторону дверцу.

— Пожалуйста, бери. Но учти, куртка невероятно теплая, я хожу в ней лишь во время самых трескучих морозов, а сейчас начало марта. Конечно, еще холодно, но, по-моему, ты в ней запаришься.

— Ничего, — пробормотала Рындина, хватая полушубок, — Ванька ее на голое тело натянет.

— Кто? — оторопела я. — Твой сын?

— Ага, — подтвердила Натка.

Я заморгала и, пытаясь найти разумное объяснение услышанному, спросила:

— Ты по-прежнему сидишь на диете, полностью исключающей все продукты, содержащие холестерин?

— Ну да, — кивнула Наташка. — Только при чем здесь жрачка?

— Мозг гибнет без хорошего питания, — ядовито ответила я. — Пойди и срочно съешь яичницу.

— Зачем? — оторопела Рындина.

— Твоему Ване восемь лет, — напомнила я, — и он худее цыпленка. Мальчик просто утонет в моей куртке!

— Понимаешь, Ваняшка совсем забыл про маскарад, — зачастила Наташка. — Не ребенок, а черная дыра! Учительница сделает объявление, все ребята запомнят, а у моего из башки все мигом выдувает! Сегодня проснулся и заявил: «Мама, у нас после уроков будет карнавал, и я должен изображать чудовище страхолюдское. Сделай мне костюм по-быстрому». Нет, ты представляешь? Оказывается, классу неделю назад велели подготовиться, а мой отпрыск опомнился за пару часов до начала праздника. Ясно?

Я покачала головой:

— Пока не очень.

Рындина прислонилась к косяку и объяснила:

— Ну где я ему возьму маскарадный костюм? Вот и сказала, пусть изображает чудовище в школьной форме. Ванька заревел, мне его жалко стало, я пораскинула мозгами и велела: «Прекрати сопли лить! Пойду к тете Тане, у нее есть куртка с капюшоном, ты наденешь ее — чудище готово. Больше ничего не понадобится, этот полушубок кого хочешь в урода превратит. Не вещь, а жуть!»

Я лишилась дара речи, а Рындина как ни в чем не бывало частила дальше:

— Спасибо тебе, выручила! Не сомневайся, Ванька аккуратный, ничего с твоим полушубком не случится. Слушай, а почему ты все время, когда голову поворачиваешь, морщишься?

— Кажется, у меня отит начинается, — вздохнула я.

— Ой, бедненькая! — посочувствовала Натка.

Я посмотрела на свою искусственную «собачку», которую крепко держала в руках соседка, и решила побыстрее завершить беседу:

— Ты уж извини, но я очень спешу на службу. Если опоздаю, управляющий премии лишит.

— Мне самой недосуг ля-ля разводить, — опомнилась Наташа и убежала.

Я захлопнула дверь и привалилась к ней спиной. Значит, моя милая, пушистая курточка отлично подходит для костюма чудища? Да уж, такого «комплимента» я еще отродясь не слышала. Самое же неприятное, что Натка не собиралась меня обижать. Рындина хорошо воспитана, ей и в голову не придет говорить гадости. Встречаются женщины, которые, увидев на подруге красивое новое платье, принимаются охать и заявляют: «Слушай, оно тебе не идет. Полнит, и цвет лица делается желтым». Но Рындина не принадлежит к племени злобных завистниц, и сейчас она сгоряча брякнула то, что думает: моя куртка, которая так мне нравится, идеально подходит для превращения любого человека в урода.

Ну и денек! Сначала я разбила сервиз, потом заполучила отит, а на десерт узнала правду о любимом полушубке. Может, мне использовать сегодняшний свободный день для поисков нового пальто, а курточку давать напрокат тем, кто решит напугать окружающих?

Не успела я снова утонуть в океане тоски, как ожил мобильный. На дисплее появилась надпись «Абонент неизвестен». Ну вот, выходной завершился, не успев начаться.

— Алло, — бойко сказала я в трубку и услышала приказ Чеслава:

— Сбор через час, не опаздывай.

— Есть, босс! — отчеканила я и бросилась одеваться.

Чеслав мой начальник, его приказы не обсуждаются. Я вовсе не торгую шмотками, это версия для посторонних людей и любопытных соседей. Мы с мужем ни в коем случае не должны выделяться из общей массы и привлекать к себе внимание, поэтому все вокруг абсолютно уверены в том, что Гри неудачливый актер, который безуспешно пытается сделать карьеру и пока зарабатывает на жизнь съемками в рекламе, а я работаю в торговом центре.

А на самом деле мы члены группы Чеслава и занимаемся раскрытием преступлений. Каким ветром меня занесло в бригаду, я сейчас рассказывать не стану[1], главное, мне нравится служба, я потихоньку приобретаю опыт, имею возможность пересекаться с Гри во время выполнения заданий и чувствую себя почти счастливой. Почему «почти»? В любой бочке меда найдется ложка дегтя, в группе Чеслава для меня ею является капризная и богатая Марта Карц, но...

Почти оглохшая, я все же услышала звонок в дверь. Я открыла, вновь увидела Рындину с моей курткой в руках и решила не скрывать неудовольствия:

— Еще раз здравствуй... Ни минуты нет в запасе! Улетаю!

— Танечка, плиз, дай еще свои духи! — заныла Наташка. — Всего разок попшикаться!

---

[1] Подробно биография Татьяны рассказана в книгах Дарьи Донцовой «Старуха Кристи — отдыхает!», «Диета для трех поросят», «Инь, янь и всякая дрянь», издательство «Эксмо».

— Ладно, — смилостивилась я и поспешила в ванную.

Перед Новым годом я сделала сама себе подарок — купила духи с замечательным ароматом. Имя производителя ни о чем мне не говорило, но консультант заверила, что очень скоро фамилия этого парфюмера прогремит на весь мир. К сожалению, у Гри на мое приобретение началась аллергия, он стал судорожно кашлять, поэтому я пользуюсь духами лишь в те моменты, когда любимый супруг отправляется в командировку.

— Ой, спасибо! — обрадовалась Ната, заполучив флакон. — Кстати, вот!

— Что это? — поинтересовалась я, уставившись на крохотный узелок из марли, от которого тянулась нитка.

— Самое лучшее на свете средство от отита, — торжественно объявила Натка. — Рецепт передается в нашей семье из поколения в поколение. Тертый чеснок в смеси с облепиховым маслом, соком подорожника и грибным уксусом[1]. Мне рецепт сообщила прабабушка. Теперь я всегда держу дома заготовку. Положи турунду в ухо и ходи с ней до обеда, потом вытащи и заткни слуховой проход ватой. Воспаление как рукой снимет, проверено на Ваньке и всех знакомых. Впрочем, лучше я сама тебе лекарство впихну...

Натка цепко схватила меня за ухо, я взвизгнула от резкой боли.

— Экая ты нежная. Всего секундочку потерпеть

---

[1] Убедительная просьба: никогда не использовать данный рецепт! Наташа советует Татьяне невероятную глупость. — *Прим. автора.*

не можешь, — осуждающе заметила Рындина. — Ну, и как ощущения?

Я попыталась честно оценить свое состояние:

— Кажется, что ты мне в мозг ввинтила шариковую ручку.

— Не бойся, под череп тампон пропихнуть не получится, — захихикала соседка. — Просто лечебную смесь нужно засунуть поглубже.

Меня охватило беспокойство.

— А как я потом ее вытащу?

— Элементарно — дернешь за ниточку, — объяснила Натка. — Мои предки отлично все продумали. Кстати, они были князьями, владели огромными богатствами, собирали бриллианты.

— Пахнет противно, — отметила я, игнорируя идиотское заявление соседки об ее аристократических корнях.

— Там чеснок, — пожала плечами Рындина, — обычный запах едкого овоща, ты его через пару минут ощущать перестанешь. Погоди-ка!

Наташка направила флакон с духами на полученную от меня куртку и, несколько раз нажав на дозатор, щедро ее побрызгала.

— Думала, ты сама хочешь подушиться, — изумилась я.

— Это последний штрих для завершения образа, — улыбнулась Рындина, возвращая флакон. — Чудовище должно выглядеть жутко и вонять отвратительно, вот тогда получится жизненно. Теперь Станиславский отдыхает.

Глава 2

В офис я прилетела последней и была вынуждена извиниться перед коллегами и начальством.

— Сядь и замолчи, — приказал Чеслав.

Я устроилась в свободном кресле между Мартой и Коробковым. Наша светская львица моментально наморщила хорошенький носик. Звякая бесчисленными браслетами и сверкая бриллиантовыми кольцами, она вытащила из сумочки стоимостью в авианосец клочок кружев, изображавший носовой платок, поднесла его к лицу и капризно протянула:

— Фу! Некоторые люди никогда не слышали о дезодорантах!

Я обозлилась:

— Если это намек в мой адрес, то я принимаю душ два раза в день!

— Тучным женщинам необходимы не только омовения, но и специальные средства от пота, — не успокаивалась Марта. — Ты отвратительно воняешь! Луком! И дерьмом!

— Чесноком, — вздохнула я. — У меня ухо болит, вот я и положила туда специальную мазь. Извини, придется потерпеть.

Карц оттопырила губу:

— Омерзительный запах!

— Ты тоже можешь заболеть, — парировала я.

— Марта, Татьяна, немедленно прекратите! — пресек набирающий обороты скандал Чеслав. — Внимание! У нас дело Эдиты Звонаревой. Кто-нибудь слышал имя этой женщины?

Дима Коробков, я и Гри покачали головой, Марта задрала подбородок, покосилась на нас и стала с пулеметной скоростью вываливать информацию:

— Эдита Звонарева была актрисой. Возраст точно неизвестен, хотя всем окружающим Дита нагло врала, что ей нет и тридцати. Это очень глупо, если учесть, что она имела дочь-подростка. Справедливости ради отмечу: Звонарева выглядела прекрасно, ее внешность наглядно демонстрировала победу ботокса и фитнеса над возрастом и разумом. Десять лет назад об Эдите знали лишь те, кто водил своих детей в крохотный театрик, расположенный в спальном и весьма затрапезном районе Москвы. Звонаревой там доставались «престижные» роли: дворняжки Аввы, пуделя Артамона, голубого, сказочного пса Маркиза. В ее репертуаре явно преобладала собачья направленность.

Дмитрий Коробков кашлянул, Марта стрельнула глазами в нашего хакера, как всегда обвешанного фенечками, украшенного пирсингом и с ярко-оранжевым хаером на макушке, но не перестала исходить ядом:

— Мир бы так и не узнал о великой актрисе, но тут, на ее счастье, в театр заглянул продюсер Каримов, наш звездозажигатель, способный поднять со дна жизни абсолютно любого, ну просто никому не нужного актеришку. Что занесло Фазиля в детский театр? Вероятно, у него забарахлил любимый

«Роллс-Ройс», и, пока водитель с охраной решали проблему с машиной, Каримов зашел в здание, около которого случилась поломка. Думаю, он и не предполагал, что попадет в театр, там есть еще вывеска «Ресторан «Сказочный лес», вот Фазиль и решил посетить местный туалет.

— Говори по делу, — велел Марте Чеслав.

Но Карц нелегко сбить с толку.

— Ни одного лишнего слова я не произнесла, — возразила она. — Информация про сортир нужна, поскольку в заштатном театрике на два унитаза у администрации денег не нашлось! Так сказать, сортир-«унисекс» для девочек и мальчиков. Фазиль вошел в «предбанник» туалета, а из кабинки вышла Эдита, вся в слезах. Ей опять не дали хорошую роль. Ну прямо Голливуд отдыхает! Звонарева оказалась в нужном месте в нужный час. Одним словом, если счастье должно свалиться тебе в руки, оно и в сортире тебя настигнет! Каримов запускал сериал и тщетно пытался найти актрису на главную роль бедной, вечно всеми обижаемой Марии. Продюсер увидел зареванную Диту, и из клозета главная собачка детского театра ушла с Фазилем. Так она стала звездой. Каримов носил Диту на руках, снимал везде где мог. Его не смущало, что все роли у Звонаревой получались одинаковыми, та привычно изображала несчастную, третируемую людьми дворняжку. Но самое интересное: зрители обожали Диту. Фото актриски украшало обложки журналов, корреспонденты выстраивались к ней в очередь. «Эдитомания» охватила огромное количество любителей сериалов. Звонарева везде успевала: участвовала в телешоу, ее лицо украшало с рекламные щиты, голос звучал из радиоприемников, Дита посещала вечеринки и неизменно собирала вокруг себя всех репортеров. Стоило стройной фигурке в невероятно коротком и декольтированном платье появиться на тусовке, как фотографы, позабыв про остальных гостей, кидались к ней. Сами понимаете, как «любили» Эдиту коллеги по ремеслу.

Марта не удержалась и хихикнула. Затем продолжила:

— Несмотря на пристальное внимание прессы, никаких шокирующих фактов в биографии Звонаревой не нашлось. Ее можно было лишь упрекнуть в рождении дочери вне брака, но в наш век это перестало считаться чем-то постыдным. Ранее Дита жила вместе с матерью и ребенком в крохотной однушке. Став знаменитой и богатой, она купила просторную квартиру в Китай-городе — многокомнатные апартаменты в старинном доме, сделала там дорогой ремонт и обзавелась машиной. Внезапно свалившиеся деньги Эдита тратила на родственников, а не на мужиков и бриллианты, за что ее еще больше полюбил простой народ. Эдита без устали повторяла в интервью: «Я такая же, как все! Обожаю готовить и шить, люблю маму и дочку, хочу их обеспечить. Но мне не везет в личной жизни, не могу найти свою любовь».

Рассказ Марты все слушали внимательно, не перебивая.

— Звонарева никогда никуда не опаздывала. Попав в автомобильную пробку, она легко могла вылезти из машины и спуститься в метро. Если пассажиры узнавали знаменитость и налетали на актрису с требованием автографа, та не отказыва-

лась написать пару слов в блокноте и соглашалась
сфотографироваться с ошалевшими от радости по-
путчиками. Даже злые на язык, завистливые блогеры в Интернете признавали: Эдита — милый человек. Конечно, про нее писали гадости, называли ее
«рыдающей болонкой», «главной трэш-звездой»,
«королевой тупого сериала» и «лучшим развлече-
нием для домашних клуш», но и те, кто безжалост-
но топтал Звонареву-актрису, отмечали: Эдита никогда не растопыривает пальцы, всегда вежлива с
журналистами, ни разу не сказала ничего дурного
о коллегах, не замешана в скандалах и очень трудо-
любива. Пусть она далека от великого искусства,
но сниматься триста сорок дней в году очень тяжело, а Звонарева, завершив участие в одном проекте, моментально переходила в другой. Эдита не
спорила с режиссерами, улыбалась гримерам и
костюмерам, безропотно повторяла дубль за дуб-
лем, если партнеры не справлялись со своей задачей. Просто биоробот, а не женщина! Ни тени ус-
талости не мелькало на ее поразительно лице. Но
такая физическая и моральная нагрузка не могла
пройти даром. Полгода назад Эдита скончалась во
сне. Вечером легла, как обычно, спать, а утром не
встала. Газеты до сих пор нет-нет да и возвраща-
ются к теме смерти Звонаревой. Ей даже присвои-
ли титул «великая». Известно же — в нашей стране, чтобы тебя признали гением, надо умереть. Одно
время и пресса, и Интернет усиленно муссировали
слух об убийстве Эдиты, но следственные органы,
чтобы успокоить армию фанатов, сфабриковали
«утечку информации». Один из блогеров, якобы ра-
ботающий в судебном морге, выложил в своем

дневнике ужасные снимки вскрытия трупа актрисы и привел заключение эксперта, из которого явствовало: Звонарева скончалась от запущенного двустороннего воспаления легких. Гонясь за деньгами и славой, Дита наплевала на здоровье, не залечила очередную простуду, та перешла в бронхит, затем в пневмонию, а завершилось все отеком легких и безвременной смертью.

Марта остановилась, потом сухо добавила:

— Более мне сказать нечего, кроме того, что сейчас вышел первый фильм с Эдитой в главной роли в киноформате, и он бьет все рекорды сборов. Премьера слегка задержалась, потому что Эдита умерла сразу после окончания съемок и на озвучивание долго подыскивали другую актрису.

— Исчерпывающая информация, — довольно отметил Чеслав.

Я почему-то сразу разозлилась на Карц, а Коробков округлил глаза и спросил:

— Целую ночь справку готовила?

— Конечно, нет! — фыркнула Марта. — Просто я знаю все обо всех. Это моя работа.

— Молодца! — похвалил гордую светскую львицу Димон.

Я тихонечко пнула нашего плейдеда. Нечего захваливать Марту! Она лишь исполняет свои служебные обязанности, которые ну никак нельзя назвать обременительными. Девица шляется по тусовкам, ездит по ночным клубам, шикарно одевается, меняет по пять раз на дню обувь и дорогие сумки. Только не подумайте, что Карц сама зарабатывает на сладкую жизнь — у нее есть постоянно живущий в Америке папа-олигарх, он и оплачивает прихоти доченьки. Марта не стеснена в средствах и привыкла делить людей на две категории: обслуживающий персонал и хозяев. С первыми Карц груба и заносчива, со вторыми приторно любезна. Я не понимаю, зачем нашей красавице работать, да еще в группе у Чеслава, выполняя подчас опасные задания. Вероятно, гламурной девице не хватает адреналина. Многие богатые люди испытывают недостаток этого гормона и бодрят себя гонками без правил по шоссе, прыжками на мотоцикле из самолета и экстремальными пешими переходами через пустыню без воды и палатки. Но я была бы несправедлива, не сообщив и о достоинствах Карц. Ушлая Марта способна проникнуть в любое общество, она, по-моему, даже спокойненько прошмыгнет в спальню к английской королеве и в мгновение ока станет ее лучшей подругой. Карц — гений общения, перед нею распахиваются любые двери. Пожелай Марта узнать код запуска ядерной кнопки, она это сделает максимум за неделю. Лично я не понимаю, по какой причине люди столь охотно выворачиваются наизнанку перед не очень приятной особой, но факт остается фактом: оставьте Карц тет-а-тет с президентом Америки, и к вечеру красавица окажется в курсе всех государственных секретов. Может, она владеет гипнозом?

— Таня! — окликнул меня Чеслав.

Я вздрогнула.

— Что?

— Поняла? — нахмурился начальник.

— Что? — тупо повторила я.

Димон ухмыльнулся, Гри с укоризной посмотрел на меня, а Марта неожиданно выступила в мою защиту:

— У Танюшки болят ушки, она сегодня плохо слышит.

— Отдельно повторяю для глухих: занимаемся убийством Звонаревой, — сдержанно сказал Чеслав. — Вот папка, изучи материал.

— Она же умерла естественной смертью, — напомнила я.

— Кое-кто сомневается в версии с пневмонией, — мирно пояснил начальник.

Я уставилась в пол. Бесполезно спрашивать, кто дал нашей группе задание, Чеслав никогда не расскажет об этом человеке.

— Необходимо тщательно осмотреть квартиру Эдиты и постараться разговорить мать и дочь покойной. Вероятно, они смогут вспомнить интересные детали, — продолжил Чеслав.

— Каков мотив убийства, если оно, конечно, имело место? — задал вопрос Гри.

— Неизвестно, — ответил Чеслав.

— Есть ли подозреваемые? — заинтересовался Коробков.

— Нет, — сухо отрезал начальник.

— Супер! — хлопнул себя по колену дедушка российских хакеров. — Трень, брень через забор!

Мне стало смешно. Коробок постоянно пересыпает свою речь невероятными выражениями. «Трень, брень через забор» — новейшее его изобретение. Некоторое время назад он по всякому поводу и без оного повторял: «Инь, янь и всякая дрянь»[1].

---

[1] Эта история описана в книге Дарьи Донцовой «Инь, янь и всякая дрянь», издательство «Эксмо».

— Есть идеи, как попасть в квартиру Звонаревой? — спросил Чеслав.

— Взять ордер на обыск, — вырвалось у меня.

Присутствующие засмеялись. А Коробков предложил:

— Когда бабушка и девочка уйдут, я могу войти и установить оборудование, будем следить за ними через Интернет.

— Разговаривать с родственниками тоже по ноутбуку предлагаешь? — вскинул брови Чеслав. — Нужен человек, который сумеет расположить к себе и подростка, и пожилого человека.

— Это работа для Марты, — сказала я.

— Ну уж нет! — возмутилась светская львица. — Терпеть не могу детей во всех их ипостасях. С тинейджером никогда не найду общего языка — утоплю деточку в ванне, лишь бы не слушать ее глупое вяканье. И со старухой контакта не налажу. Хотя с пожилыми нормально работаю, но тут не получится.

— Почему? — поинтересовалась я.

— Если замочу внучку, бабка точно не станет любезной, — захохотала Карц.

— Хорошо, — кивнул Чеслав. — Тогда, Татьяна, придется тебе.

— Мне? Но я тоже не умею общаться с ребятами переходного возраста, — пригорюнилась я.

— И тем не менее была училкой? — тут же вонзила в меня когти Марта.

Я вдруг стала оправдываться:

— Поэтому я недолго занималась преподаванием, быстро бросила работу в школе. Чеслав, можно мне...

— Это приказ! — заявил начальник. — Зоя Владимировна Звонарева, мать покойной Эдиты, ищет помощницу по хозяйству. Вот и наймешься к ней домработницей.

Гри крякнул. А я покраснела, потому что поняла, о чем он подумал: жена такая отвратительная хозяйка, что ее мгновенно вытурят вон.

— Прямо сейчас и поедешь, — продолжал Чеслав. — Представишься Татьяной Сергеевой. Нет никакого смысла менять имя, покажешь настоящий паспорт. Да, вот еще рекомендательное письмо. Ты служила десять лет экономкой у академика Вонге, ученый умер, вот ты и ищешь новое место.

— А отзыв о ее замечательной работе он накропал на смертном одре? Очень заботливый был дядечка, — развеселилась Марта. — Кстати, Тань, ты нас на дне рождения Гри угостила ну очень оригинальным блюдом! Мясо сверху сгорело, но внутри осталось сырым, а картошка была похожа на куски размокшего и потом обжаренного картона. Суперделикатес! Рецептик не дашь? Вонге умер, да? Если Танюша приготовит для семьи Звонаревых ужин, Зоя Владимировна подумает, что академик уехал на тот свет от инфаркта желудка!

Карц сходит с рук поведение, за которое любой другой член группы схлопотал бы от Чеслава выговор. Вот и сейчас он не среагировал на Мартино ехидство, а посмотрел на меня и пояснил:

— Тебя хвалит близкая родственница Вонге. Можешь отправляться, держи адрес. И внимательно изучи свою характеристику.

Я взяла бумагу, кивнув:

— Хорошо. Но мне надо заехать домой.

— Зачем? — удивился Чеслав.

— Нужно соответствующим образом одеться, принять облик домашней прислуги, — пояснила я.

Начальник окинул меня цепким взглядом и совершенно искренне сказал:

— По-моему, ты великолепно выглядишь, настоящая экономка академика.

Марта прыснула в кулак, Гри уперся взглядом в пол, Димон выпучил глаза, а я совсем поникла. Ну что за день сегодня! Прибавила четыре кило, разбила сервиз, поняла, что мои духи и куртка из любого человека сделают чудище болотное, заполучила отит, а теперь еще в качестве бонуса выяснила, что похожа на поломойку...

— Татьяна! — окликнул меня Чеслав и напомнил: — Вот папка. Полистай документы.

Я кивнула и взяла бумаги, остальные члены бригады ушли.

Спустя четверть часа начальник спросил:

— Нашла что-нибудь интересное?

— Нет, — ответила я, разглядывая фотографию ночной рубашки, в которой была актриса в день смерти. — Могу лишь сказать, что Звонарева не тратила прорву денег на белье. Сорочка самая обычная, не шелковая и российского производства. Тут ярлык хорошо виден, на нем написано «Московская фабрика «Луч». Хлопок 100%». Честно говоря, я полагала, что звезды пользуются пафосными комплектами из дорогих бутиков.

— У каждого человека свои причуды, — философски заметил Чеслав, забирая у меня папку.

Я вышла из кабинета, зарулила в туалет, посмотрела в зеркало и неожиданно громко сказала, глядя на свое отражение:

— Надо купить самый дорогой крем! Прямо сегодня!

Послышался скрип, из кабинки вышла Марта. Я насторожилась, ожидая услышать от нашей красавицы очередную гадость, но Карц неожиданно мирно сказала:

— В жизни каждой женщины рано или поздно наступает момент, когда отражение в зеркале перестает ее радовать. Сначала думаешь, что вчера легла поздно спать, слопала на ночь бутерброд с селедкой, от того и отекла. Потом грешишь на плохой тональный крем, из-за которого у глаз образовались морщинки, затем выбрасываешь румяна, которые вдруг перестали освежать щеки, но в конце концов приходится признать неприятную истину: да, мне уже не восемнадцать! Большинство моих подруг, порыдав у зеркала, вытерли глаза и ринулись покупать кремы, производители которых обещали «кожу, сияющую здоровьем» и «уменьшение морщин на семьдесят пять процентов». Я не исключение, испробовала огромное количество средств, но так и осталась с «гусиными лапками» и «очками» вокруг глаз. В тот самый момент, когда ко мне стало подкрадываться настоящее отчаяние, вдруг позвонила Катька Филина...

— Слушай, — радостно зачирикала она, — я нашла суперкрем! Производят его в Японии! Знаешь, какие там технологии!

— Нет, — честно призналась Марта. — Вообще-то я мало что слышала про Страну восходящего солнца, знаю только, что там есть гейши, чайная церемония и кимоно.

— Потрясающее средство! — ликовала Катюха. — Попользуешься недельку, и цвет лица станет восхитительным! Короче, я купила тебе банку. Вообще-то хотела его на день рождения вручить, но, знай мою доброту, забирай сейчас.

Став обладательницей довольно большой упаковки (похоже, в пластиковой банке было граммов двести драгоценной субстанции нежно-оранжевого цвета), Марта поинтересовалась у Кати, как кремом пользоваться.

— Обычно, — ответила подруга. — Умоешься и мажься.

— Пахнет странно, — засомневалась Марта, — чем-то знакомым.

— Если не нравится, верни подарочек, я его на себя истрачу, — обиделась Катька.

Карц охватила простая человеческая жадность:

— Ну уж нет! Я тоже хочу стать красивой.

Неделю она кропотливо наносила нежную, тающую в руках субстанцию на бледное лицо и в понедельник была поражена эффектом. Лоб, щеки, шея, приняли приятный, чуть смуглый оттенок, морщин стало значительно меньше. Следовало признать: японцы произвели косметическое средство экстра-класса. К сожалению, все в этом мире заканчивается, пришел к концу и замечательный крем, пустую банку Марта не выбросила, стала хранить в ней пуговицы. А спустя какое-то время ее бойфренду предложили прочитать курс лекций в Токийском университете. Перед отъездом Карц вручила ему тару из-под чудо-крема и велела:

— Не вези мне ничего, кроме этого!

Александр человек аккуратный и внимальный, он, естественно, выполнил просьбу любимой женщины. Вернувшись, вручил ей подарок, и счастливая обладательница новой порции волшебной эмульсии тут же понеслась в ванную. Через пять минут любовник, сидевший в кухне, обиженно спросил:

— А меня разве не угостишь?

— Чем? — удивилась Марта.

— Морковным маслом, — последовало в ответ. — Я же привез целых четыре банки!

— Это крем от морщин! — возмутилась Карц.

— Вовсе нет, — уперся Александр и стал рассказывать: — Я попросил коллегу из Токийского университета помочь мне с покупкой, и он объяснил, что сей продукт надо искать в супермаркетах. Твоя коробочка была из-под сливочного масла с морковным соком. Японцы почти не едят животного жира, а если уж употребляют его, то с разными добавками.

Марта уставилась на банку. Понятно теперь, почему ее лицо приобрело приятный оттенок легкого загара — от морковного сока. А в сливочном масле много витамина «А», он замечательно действует на кожу.

— Так где морковное масло? — потер руки любовник.

Карц, поставив банку на стол, пробормотала:

— Ешь на здоровье! — и ушла в спальню...

— С тех пор меня преследуют сомнения: может, не стоит выбрасывать кучу денег на мировые бренды? — завершила рассказ Марта. — Вдруг составляющие для лучшего крема просто лежат в холодильнике, а?

Она подмигнула мне и ушла. Я осталась с раскрытым ртом у зеркала. Какая муха укусила дочь олигарха? Мало того, что она разговаривала со мной, как с подружкой, поведала историю, в которой выглядела полной идиоткой, так еще и открыто посоветовала не тратить деньги на омолаживающие средства! Что случилось с Мартой? По какой причине она стала любезной?

Глава 3

— Слышь, Таняшка, — заговорил Димон, когда мы вместе вышли на улицу, — я насчет не очень мягкого мяса, которое ты подала на праздничный стол... Ей-богу, не стоит расстраиваться, в жизни случаются неудачи.

— Спасибо, — язвительно ответила я, — крайне благодарна тебе за сочувствие. Как ты только что абсолютно справедливо выразился: в жизни действительно случаются неудачи. Вот только интеллигентный человек никогда не станет вслух упрекать хозяйку, если у той не очень хорошо прожарилось мясо.

— Я за столом анекдоты рассказывал, — быстро напомнил Димон.

— Не о тебе речь! — надулась я.

— Чеслав показывал, как из салфетки журавля сложить, — продолжал Коробков, — а Марта жевала листья салата.

— Верно, — скривилась я. — Только она села к столу, как сразу заявила: «Вау! Я не ем ничего с майонезом! Не стану и пробовать «Оливье», он слишком калорийный. Сырная закуска тоже не для меня, там яйца и чеснок. Принеси, Таня, зелень. Без масла и сметаны!» Пришлось ей петрушку с кинзой подать, которую наследница миллиардов демонстративно ела!

— Просто Марта не хочет растолстеть, — не подумав, брякнул Димон.

Мои глаза помимо воли наполнились слезами.

— Давным-давно был я женат, — быстро защебетал хакер. — Да-да, совершил такую глупость в молодости и более на эти грабли никогда не наступал. Меня извиняет лишь то, что я был юн, и моей второй половине, Оле Лесниковой, едва исполнилось восемнадцать лет...

Прямо от любимой мамы девушка переехала в квартиру свекрови. Жизнь молодой жены ничем не отличалась от той, которую она вела, будучи невестой. Свекровь Лесниковой досталась замечательная. Нина Ефимовна готовила, убирала, стирала и каждый день повторяла невестке и сыну:

— Дети! Учитесь, получайте дипломы, а я всегда вам помогу.

Мысли о домашнем хозяйстве не омрачали Оле настроение. Холодильник, казалось, обладал функцией автозагрузки: когда бы Олечка ни распахивала дверцу, на полках обнаруживались продукты и непременно кастрюля с кашей. Димон очень любил поужинать гречкой или геркулесом.

Беззаботное счастье длилось год. Потом Нина Ефимовна затеяла ремонт в своей комнате, содрала обои и упала со стремянки. Когда рыдающая Олечка везла свекровь в больницу, та ее утешала:

— Ерунда, солнышко! Заживет как на собаке. Через месяц буду краковяк плясать. А вы переезжайте к твоим родителям, чтобы не остаться без присмотра.

— Конечно, — всхлипывала Оля, решив ни за что не говорить Нине Ефимовне, что ее мама и папа как раз сегодня улетели на отдых в Крым. В конце концов, они с Димой взрослые люди, сами чудесно справятся с хозяйством.

Сначала в холодильнике закончилась любовно приготовленная свекровью еда, затем иссякли и прочие продукты. Коробков начал недовольно бурчать, и в конце концов у молодых случился первый семейный скандал. Обозвав любимую косорукой лентяйкой, Димон унесся из дома. Олечка побежала за ним, не догнала и разрыдалась прямо на лестнице.

Тут из своей двери высунулась соседка Настя.

— Чего случилось-то? — поинтересовалась она.

Оля, всхлипывая, рассказала о возникших проблемах. Настя засмеялась и прочитала неумехе курс молодого бойца. Лесникова помчалась в магазин, накупила продуктов и сварила геркулесовую кашу. Правда, юная хозяюшка забыла положить в нее сахар, а еще кашка получилась слишком крутой и подгорела, но ведь с первого раза ничего хорошо не выходит. Кроме того, Олечка надумала закончить начатый пострадавшей Ниной Ефимовной ремонт и приготовила из муки и воды клейстер для обоев (рецепт простого клея подсказала все та же Настя). Решив немного отдохнуть, Олечка оставила обе кастрюли на плите, а сама прилегла.

И тут вернулся Димон. Он сразу направился в кухню.

— Я сварила геркулес, — крикнула Оля, — ужинай на здоровье.

Спустя четверть часа Коробков вошел в спальню и протянул жене шоколадку.

— Прости, я был не прав.

— Это ты меня извини, — шмыгнула носом Олечка, — мне надо учиться вести домашнее хозяйство. Вкусная каша?

— Замечательная! — похвалил муж. — Но немного пресная.

— Ой, в следующий раз я не забуду сахар положить! — воскликнула Оля. — Пошли обои клеить.

— Только переоденусь, — пообещал Димон.

— А я пока клейстер в комнату принесу, — засуетилась Ольга и пошла в кухню.

На плите она нашла пустую эмалированную посудину из-под клейстера и полную кастрюлю овсянки...

Коробков на секунду примолк, потом спросил:

— Танюш, сообразила? Я слопал клей для обоев!

— И что, правда было вкусно? — не выдержала я.

— Отвратительно, — засмеялся хакер. — Я тогда подумал: жена первый раз к плите встала, вот бурду и сварила, но ничего, потом научится. Так что со всеми казусы в жизни случались! И не комплексуй по поводу одежды. Мне, например, очень нравится твой стиль: простые вещи, без идиотских стразов и вырезов до пупа. Знаешь, в женщине должна быть тайна, лучше длинная юбка с разрезом, чем суперсткровенное мини-премини. Мужчина должен иметь простор для фантазии.

— Спасибо, можешь не стараться, — буркнула я.

— Нет, честное слово! — не успокаивался Коробков. — Еще раз повторяю: мне нравится твой стиль.

— Спасибо, — оттаяла я. — К сожалению, нам, крупным женщинам, нелегко подобрать достойный наряд.

— Ты элегантна как рояль, — отпустил новый комплимент хакер. — Единственное... прости, конечно, за вопрос, я бы его не задал, но ты же едешь на задание и...

— Не мямли! — приказала я. — Что не так в моей внешности?

— Еще раз извини за бестактность, но за фигом ты в ухо тампакс засунула?

Я судорожно закашлялась, еле справилась с приступом и с изумлением повторила:

— Тампакс?

Димон смутился и забубнил:

— Ну... который бабы... э... рекламу еще по телику показывают... Короче, Таняшка, то, что ты по незнанию впихнула в ухо, на самом деле предназначено совсем для иных целей. Вот! Мне, конечно, все равно, хоть презерватив на нос натяни, но... Придешь к матери Звонаревой, она удивится и не захочет иметь дело с тетенькой, которая...

— Я великолепно знаю, как применяют тампакс! — накинулась я на примолкшего Димона. — И смею заверить, в моих ушах его нет! Если ты решил похохмить, то более глупой шутки я отродясь не слышала!

— У тебя нитка из уха свисает! — не сдавался Коробков. — Вид офигенно кретинский!

Я вынула из сумочки зеркальце и разозлилась на хакера еще больше.

— Это лекарство! От отита!

— Оторви бечевку или лучше вытащи зелье, а то ведь и запах к тому же сногсшибающий, — не успокаивался Димон. — Бабушка Звонарева вдохнет сей аромат и потеряет сознание. Я и то дышу через раз! Провалишь задание, Чеслав за это не похвалит.

Я испепелила Коробкова взглядом.

— Огромное спасибо за заботу, но я сама знаю, как мне поступить. Ты куда собрался?

— На Волоколамское шоссе, — без тени обиды ответил хакер, — подбросить?

— Вот и отправляйся туда, а мне нужно в диаметрально противоположную сторону, — гордо ответила я и, задрав подбородок, пошагала по проспекту.

Метров через триста я увидела большое кафе с вывеской «Гамбургер без границ». Я вошла внутрь, отыскала туалет, вытащила из уха марлевый комок, тщательно протерла ушную раковину и часть шеи бумажной салфеткой, вымыла руки, спустилась на первый этаж и, мужественно игнорируя меню у касс, двинулась на выход. Но потом все же поддалась искушению и купила небольшой пирожок с вареньем. Наступает время обеда, а все диетологи в один голос заявляют: «Ешьте часто и маленькими порциями, как кошка, и тогда быстро превратитесь из мастодонта в стройную лань». Поэтому выпечка с джемом для меня отнюдь не обжорство, а необходимая мера, направленная на шлифование фигуры.

Ощущая, как каждый шаг отдается болью в ухе, я добралась до метро, подремала сидя в полупустом вагоне и к Зое Владимировне Звонаревой прибыла в бодром расположении духа.

Хозяйка оказалась дамой невысокого роста, с вполне стройной, учитывая ее возраст, фигурой. Хотя Зоя выглядела моложаво, сколько ей лет, сразу и не определить. Если бы не абсолютно седые волосы со старомодными кудряшками да легкое дребезжание в голосе, ей можно было дать от силы годков пятьдесят.

— Чудесно, что вы решили к нам прийти, — причитала Звонарева, пока я снимала сапоги и устраивала на вешалке пальто. — Марьяна Вонге, моя старинная приятельница, мне сказала: «Танечка истинное чудо! Не пройдет и месяца, как ты не узнаешь свою квартиру — воцарится идеальный порядок! Одна беда: она не хочет готовить». Но нам и не требуется повариха, я сама способна сварить супчик.

Продолжая трещать, Зоя Владимировна потащила меня по квартире, приговаривая:

— Сейчас покажу наши хоромы. Слева — малая зеленая гостиная, справа — желтая столовая. Мы ими практически не пользуемся, стоят закрытыми. Там убирать нет необходимости, можете забыть об этих комнатах, в них вообще лучше не заходить. Стеклянная дверь ведет в кальянную, но мы из нее после смерти Диточки сделали буфетную. Две темно-коричневые створки — вход в детские. Розовая занавеска скрывает коридор в кухню и кладовую. За зеленой драпировкой — туалет и ванная для гостей...

У меня закружилась голова. Надеюсь, хозяйка имеет план квартиры и даст его мне, без него я рискую тут заблудиться. Сколько здесь комнат?

Десять? Пятнадцать? Какое время мне понадобится, чтобы освоиться?

— Давайте обсудим наши отношения за чашечкой кофе, — предложила Зоя Владимировна и пригласила меня в необъятную кухню.

Никогда до сих пор я не видела столь огромного, помпезного и захламленного пищеблока! Хозяева потратили целое состояние на мебель: шкафчики были выполнены из светлого дерева, их щедро разукрасили резьбой и позолотой. Плита пряталась в нише, обрамленной колоннами из мрамора, огромный холодильник выглядывал из портала, усыпанного кристаллами от Сваровски, с потолка свисали люстры, смахивающие на свадебные торты, многометровая столешница полнилась электроприборами, назначение большей части которых мне было неизвестно.

Сначала я, придавленная роскошью, лишь моргала от удивления, но потом стала объективно оценивать интерьер. В раковине груда грязной посуды, варочная поверхность плиты покрыта слоем пригоревшего жира, на рабочих столиках громоздятся горы вещей: скомканные колготки, книги, тетради, расчески, куски мыла, DVD-диски, аппарат для измерения давления, игрушечное пластиковое ведерко с формочками, губная помада, пудреница, большое махровое полотенце, подушка-думка и много прочего. Добавьте сюда неисчислимое количество фантиков от шоколадных конфет, шкурок от мандаринов и апельсинов, пустые бутылочки из-под дорогой минеральной воды, и вы поймете: бардак у Зои Владимировны царил неописуемый.

— Садитесь за стол, — засуетилась хозяйка, — сейчас сварю кофеек. Где же джезва? Куда она подевалась? А, нашла! Вот она, стоит на подоконнике. А теперь запропастилась банка с кофе... Почему у меня все исчезает?

— В туалете посмотри, — пропищал дискант.

— Полагаешь? — обернулась Зоя Владимировна и живо выбежала в коридор.

Я попыталась определить, откуда прозвучал голос, еще раз внимательно оглядела кухню и увидела за барной стойкой ребенка, упоенно собиравшего пазл. Судя по тому, что на голове его красовался ярко-розовый платочек, это была девочка. Она сидела, болтая ногами, на высоком стуле, а ее левая рука была загипсована.

— Привет, — скрыв удивление, сказала я.

Насколько мне помнилось, у Эдиты Звонаревой была дочь-подросток лет четырнадцати-пятнадцати, но школьнице, составлявшей картинку, похоже, едва исполнилось десять.

— Привет, — эхом отозвалась девочка.

— Давай познакомимся. Меня зовут Таня, — улыбнулась я.

— Веня, — пропищал ребенок.

Я поразилась еще больше.

— Ты мальчик?

— Ага, — охотно подтвердил он.

— А зачем ты повязал косыночку?

— Ухи болят, — вздохнул Веня. — Вечно мне не везет! Сначала на катке упал, руку сломал, потом пирожком в буфете отравился, теперь вот простыл!

— Бедняжка, — искренне пожалела я ребенка. — Отит неприятная вещь, у меня тоже ухо простужено.

— Мое к вечеру пройдет, — оптимистично пообещал Веня, — я знаю суперсредство.

— Какое? — заинтересовалась я.

— Вон там, на подоконнике, цветок стоит, видите? Надо от него лист отломать, пожамкать и в ухо засунуть. Утром сунешь — вечером здоров. Меня мама научила! — сказал мальчик. И радушно добавил: — Хотите печенюшку?

Не дождавшись моего ответа, мальчик начал слезать со стула, зацепился ногой за никелированную дугу, на которую положено ставить ступни, и беззвучно рухнул на пол. Барная табуретка упала на парнишку сверху. Я кинулась к нему, помогла подняться и испуганно спросила:

— Ты не ушибся?

— Нормалек, — отмахнулся Веня. — Я привык уже, по пять раз на дню с нее чебурахаюсь.

— Кто додумался поставить кофе на бачок унитаза? — гневно закричала Зоя Владимировна. — Да еще в открытой банке! Веня, ты опять шлепнулся? Подними табурет! Ну неужели нельзя вести себя осторожнее? От тебя с ума сойти можно!

— Кофе в туалет отнесла Ляля. Вместо дезодоранта, он там как раз закончился, — наябедничал Веня и выскочил из кухни.

Зоя Владимировна насыпала кофе в машину для варки эспрессо и спросила:

— Любите крепкий?

— На ваш вкус, — вежливо ответила я, зная, что не притронусь к напитку, приготовленному из содержимого банки, исполнявшей роль освежителя воздуха в сортире.

— Веня у нас — ходячее несчастье, — вздохнула Звонарева. — Он постоянно падает, вечно весь в ушибах и порезах. Однажды попал ногой в унитаз, так пришлось его разбивать, затем застрял головой между прутьями лестницы, свалился со ступеньки автобуса, обжегся холодцом... Всего не перечислить!

— Обжегся холодцом? — изумленно переспросила я. — Но блюдо так называется, потому что оно холодное.

— Это после того, как оно застыло, — пояснила хозяйка. — Веня хлебнул горячего бульона и так обжег язык, что чуть не неделю потом молчал, мог только жидкость через трубочку тянуть. Ну да вы с ним скоро поближе познакомитесь... Условия работы у нас божеские: приходите к восьми утра, в десять вечера свободны. Уборка, стирка, глажка, поход в магазины за продуктами — вот, собственно говоря, и все. Без выходных. Еда за наш счет. Я работаю, поэтому не могу вас контролировать, так что все остается под вашу ответственность. Дети ходят в школу, вечером у них либо дополнительные занятия, либо они дома сидят. Ляле исполнилось пятнадцать, но по внешнему виду и уму ей больше двенадцати не дать. Веню вы видели. Может, мои внуки не самые умные, да и не особо послушные, но они правильно воспитаны, не курят, не ругаются, со взрослыми не спорят, подарков не требуют. Ляля целыми вечерами сидит в комнате, читает книги, Веня собирает пазлы.

— Отчего-то я считала, что у актрисы Звонаревой есть только дочка, — пробормотала я, предвкушая, как настучу Чеславу на Марту. Зря она хватается, что все про всех знает, — о мальчике наша светская львица даже словом не обмолвилась.

— Вы любили Эдиту? — слегка сдвинула брови Зоя Владимировна.

— Да, — закивала я, — обожаю сериалы.

— Дита была святая, — грустно заметила мать артистки. — Вот уж кого не испортили ни слава, ни деньги! Знаете, люди говорили о моей дочери много гадостей, ругали ее талант.

— Это из зависти, — поспешила я утешить пожилую даму.

— Наверное, — согласилась старшая Звонарева, — но Эдите от того легче не было, она очень расстраивалась. Один раз дочь позвали в телешоу к критику Вирофееву. Очень желчный ведущий! Смотрели когда-нибудь его программу? Она, правда, идет по малопопулярному каналу, но вдруг натыкались?

— Увы, ни разу, — призналась я.

— Там все как всегда: на сцене ведущий и гость, в зале зрители, которых, как правило, подбирают в тему тому, кого пригласили в передачу. Если, скажем, речь идет о кино, то в студии сидят артисты пятой руки, почти не реализованные и оттого злые на всех, кто добился успеха, — стала вводить меня в курс дела Зоя Владимировна. — Сначала Вирофеев, как обычно, сообщил о собственной гениальности, прорекламировал свой старый, написанный десять лет назад роман, а потом налетел на Эдиту. Боже, что он ей наговорил! И зрители не подкачали: «Бездарная актриса», «Героиня шаблонных сериалов», «Смотреть на экран невозможно»... Публика буквально бесновалась, и хозяин студии ее подзуживал, а потом решил дать слово Дите. Моя девочка абсолютно спокойно заявила: «Если вам не нравится фильм, можно переключиться на другой канал или купить DVD-диск с любимой лентой. Зачем же мучить себя сериалом? Я играю не для вас, а для своих поклонников, нажали на пульт и убрали раздражитель с глаз долой. Вас никто не заставляет смотреть многосерийное кино, не вижу повода для обсуждения. Кому поп, кому попадья, а кому свиной хрящик».

— Похоже, Эдита умела держать эмоции под контролем, — подхватила я, — вы прекрасно воспитали дочь.

— Она приносила радость миллионам людей и помогала всем близким и знакомым, — кивнула Зоя Владимировна. — Вот мы заговорили о Вене, а он ведь неродной Дите.

— Ваша дочь усыновила мальчика? — уточнила я.

— Нет, просто взяла его на воспитание. Веня — сын Анюты и моего сына Владимира. Анюта прожила с Володей недолго, родила от него Веню, потом брак распался. Между нами говоря, Володя поступил некрасиво: Нюта бы никогда не подала на развод, но она застукала его с любовницей прямо в постели. Знаете, Нюта могла стерпеть безденежье, заносчивый характер Володи, его пьянство. Она носила старое пальто, а муж купил шубу... себе. Мужчина в норке, представляете? Жуткая безвкусица! Но Нюта любила Владимира, вот только измену ему простить не смогла. Взяла крошечного Веню и ушла из хорошей квартиры, которая, кстати, была куплена в период брака, в крохотную однушку, которую снимала на краю города. Она ничего не взяла из дома, убежала буквально голой, вернула Владимиру его подарки и не заикнулась о разделе жилплощади. Думаете, он оценил ее благородство? Как бы не так! Он Нюте алименты не платил и налево-направо говорил о ней гадости. Потом женился снова и поутих. Когда Нюта умерла, Веня остался сиротой. Знаете, как поступил мой сын? Он позвонил Дите и зарыдал: «Помоги, не знаю, куда ребенка пристроить, как его воспитывать! Забери к себе племянника! Ты обязана мне помочь! Моя жена не может справиться с Вениамином!»

— Сильное предложение, — усмехнулась я. — Неужели Эдита согласилась?

— Да, — покраснела Зоя Владимировна, — она забрала Веню к себе. Я тогда продала хороший дом в Екатеринбурге и переехала в Москву к дочери. Денег нам едва хватило на однокомнатную квартирку. Там мы и жили в тесноте, пока Фазиль талант Диты не открыл. Увы, мой сын неприятный человек, законченный алкоголик, я с ним не общаюсь. Надеюсь, Веня вырастет похожим на Нюту, ничего от отца не унаследует.

Глава 4

— Заболталась я с вами, — внезапно спохватилась Зоя Владимировна. — так и на службу опоздать можно! Объем работы вам понятен?

Я кивнула.

— Великолепно! — оживилась хозяйка. — Теперь еще одна очень важная информация. Не применяйте никаких средств с хлоркой. У Ляли на нее аллергия, кашель начинается. Ваш оклад двести долларов.

Мне стало смешно. Учитывая невероятный беспорядок в кухне, можно предположить, что комнаты выглядят не лучше. А если вспомнить, что трудовой день длится двенадцать часов и работнице не положен выходной, то такая зарплата просто насмешка. Но я ведь явилась сюда не деньги зарабатывать...

— Замечательно, — кивнула я.

— Значит, по рукам? — обрадовалась Зоя Владимировна.

— Есть только одно «но», — быстро добавила я.

— Какое же? — мигом погасила радость хозяйка.

— Первый месяц я не смогу у вас работать полный день, это связано с личными делами. Мне придется приходить и уходить в разное время.

— Да? — кисло протянула Зоя. — Ну тогда...

— Давайте считать этот период испытательным сроком, нам надо привыкнуть друг к другу. Естественно, никаких денег вам платить не придется, — предложила я.

— Отлично! — подпрыгнула старшая Звонарева, мигом оценив свою выгоду. Потом дама устыдилась собственной жадности и дала задний ход: — Но я не могу пользоваться плодами вашего труда без всякого вознаграждения.

— Речь идет всего о месяце, — напомнила я.

Зоя Владимировна решительно рубанула воздух ладонью.

— Ну уж нет! Давайте договоримся о справедливой плате на этот срок. Двадцать долларов!

— Годится, — в ту же секунду согласилась я.

— Можете начать прямо сейчас? — втянув голову в плечи, осведомилась нанимательница.

Я изобразила восторг:

— С огромным удовольствием!

— Приступайте, голубушка! — напутствовала меня хозяйка. — А я помчалась на работу. Сегодня ученый совет, на который я, кажется, уже благополучно опоздала.

Быстро повернувшись и продемонстрировав отнюдь не старческую прыть, Зоя Владимировна скрылась в бесконечно длинном коридоре. Я окинула взглядом бардак в кухне и решила для начала найти комнату Эдиты.

Первая дверь, которую я распахнула, вела в гардеробную. В не очень просторной комнате было не так уж много вещей. Несколько платьев и юбок, считаное количество блузок и свитеров. То ли Зоя Владимировна раздала основную часть гардероба покойной, то ли Дита предпочитала быстро избавляться от «засвеченных» в прессе и на тусовках нарядов. Я внимательно осмотрела то, что висело на вешалках. Со всех предметов одежды были срезаны ярлыки, очевидно, они царапали нежную кожу актрисы. Я, кстати, тоже вооружаюсь ножницами, купив обновку. Но внезапно я испытала удивление: что-то здесь было не так. Почему же меня обеспокоило отсутствие «опознавательных знаков»? Я опять подвигала «плечики», прогнала прочь праздные мысли и решила продолжить осмотр.

Одна из стен комнатушки частично была приспособлена для хранения обуви и аксессуаров. Я взяла со специальной подставки изящную черную лаковую лодочку на десятисантиметровой шпильке и поняла: у Эдиты вдобавок к изумительно стройной фигуре был тридцать пятый размер ноги, прямо как у китаянок, хотя в наши дни многие дамы носят обувь размера эдак сорокового.

Я вышла из гардеробной, осторожно затворила дверь и открыла следующую, ожидая увидеть прибранную спальню покойной (ведь обычно хранилище одежды соседствует с жилой комнатой ее владелицы). В нос ударил такой крепкий аромат тлеющего сена, что я сначала зажмурилась, а потом судорожно закашлялась. Когда в горле перестало першить, я открыла глаза и огляделась.

Посередине тридцатиметрового пространства, на небольшом подиуме громоздилась кровать с кучей скомканного постельного белья. Атласное покрывало сползло на пол, тут же на сером ковре лежала одежда: джинсы, футболка, трусики, лифчик, теплый свитер, золотые босоножки и черная бейсболка. Чуть поодаль валялась кожаная сумка, из которой высыпалась всякая дребедень. Кресло и диван, стоявшие у стены, были завалены шмотками, письменный стол напоминал свалку — куча пустых банок из-под колы, смятых оберток от шоколада и пакетов от чипсов. А в центре кучи тлело нечто, похожее на фонарь синего цвета, от него и несло сгнившей травой.

Я потрясла головой. Неужели Зоя Владимировна не убрала в спальне покойной? Мне знакомы люди, которые никак не могли вынести из дома вещи скончавшихся родителей или супругов, им казалось, что тогда их близкие окончательно покинут этот мир. Но оставить в таком виде постель... И зачем здесь жгут аромолампу?

Неожиданно по спине забегали мурашки. Из рассказа Марты Карц я поняла, что актриса скончалась дома, значит, смерть застигла ее тут, на этом белье. Надеюсь, Зоя Владимировна не ждет, что домработница кинется наводить лоск в спальне, где несчастная Эдита рассталась с жизнью?

Послышался щелчок, в стене приоткрылась маленькая, не замеченная мною ранее дверка, из нее вышла совершенно голая девушка, на голове был тюрбан из полотенца. Весело напевая, она сделала пару шагов, увидела меня, завизжала, схватила с пола покрывало, завернулась в него и зло проорала:

— Какого черта? Ты кто такая?

— Татьяна Сергеева, домработница, — представилась я, морщась от боли в ухе.

— Чего встала? — вознегодовала девчонка, не назвав свое имя.

— Вы, наверное, Ляля, — я решила завершить

формальности. — Извините, Зоя Владимировна велела мне ознакомиться с квартирой.

— Меня зовут Анастасия, — прошипела девушка, — и я похожа на Лялю, как роза на ночной горшок.

— Еще раз простите, — бормотнула я, — не хотела вас обидеть. А вы кем приходитесь госпоже Звонаревой-старшей?

— Внучкой, — слегка сбавила градус агрессии Настя, — теперь я здесь живу. Если допрос окончен, отправляйся мыть сортир.

Я выскочила в коридор.

— Эй-эй! — остановила меня Настя. — Ты че, меня не узнала?

— А должна? — удивилась я. — По-моему, мы никогда не встречались.

— Офигеть... — протянула Анастасия. — Я стю.

— Что вы делаете? — опешила я. — Никак не соображу, о чем речь.

— Я стю, — повторила девушка. — Стю я! Ты издеваешься?

— Нет-нет, — поспешила я заверить Настю, — и в мыслях ничего плохого не держу. Уж не обижайтесь на малограмотную дуру, что я знаю, кроме швабры с тряпкой... Даже пылесосом овладеть не удалось, стиральной машины пугаюсь, современную молодежь не понимаю. Вас ист дас «стю»?

Настя издала короткий смешок.

— Телевизор смотришь?

— Времени нет, — заныла я, — на жизнь зарабатываю, не до веселья тут.

— Шоу «Звездопад» ни разу не видела? — с изумлением заморгала девица.

— Не-а, — ответила я чистую правду.

— Так поинтересуйся, — гордо вскинула голову Настя. — И можешь перед знакомыми похвастаться, что имеешь честь работать у звезды. Я победительница проекта, Стю мой псевдоним. Интернетом пользуешься?

— Извините, нет.

Анастасия округлила глаза.

— А где новости узнаешь?

— Соседки рассказывают, — я прикинулась законченной кретинкой, — «желтуху» читаю.

— Жесть! — топнула ногой Настя. — Вали отсюда.

Я вытянулась в струнку.

— Есть!

— И запомни: я звезда! Стю мой псевдоним. Я обошла всех в шоу!

— Есть!

— Меня показывают по телику! Я круче всех! — перешла на крик истеричка.

— Есть! — талдычила я, изо всех сил стараясь не расхохотаться. Потом, думая, что Настя завершила церемонию своего представления, сделала разворот через левое плечо и услышала гневное:

— Стоять!

Я оглянулась.

— Куда отвалить решила? — негодовала «селебретис».

— Тороплюсь выполнить приказ о мойке сортира, — смиренно ответила я.

— Там такая грязища, что понадобится отбойный молоток, — схохмила Настя. — Я звезда, усекла? Значит, ты мне служишь. Слушай внимально: перестели белье, вымой пол, протри окно и собери шмотки. Выстирай их, погладь, верни на место. Да, еще почисть мои сапоги! Немедленно! Я тороплюсь! Знаешь, куда спешу?

— Простите, нет, — ответила я.

— Мы с Фазилем уезжаем! Продюсер Каримов самый звездный! Он везет меня на гастроли! За границу! Вот! Улетаем в Киев! Концерт на стадионе!

Я из последних сил пыталась не расхохотаться, но при этих словах веселье разом пропало:

— Каримова не будет в Москве?

— Да, он уже в аэропорту, на две недели отчаливаем, — по-человечески ответила Стю. И тут же вновь вошла в образ: — Какого черта ты интересуешься?

Пришлось навесить на лицо выражение новорожденного ослика. Не сообщать же девице правду: мне необходимо потолковать с Фазилем, очень жаль, что беседа в ближайшее время не состоится.

— Хочешь инфу о моих гастролях прессе продать? — вошла в раж Настя. — Марш шузы полировать!

— Кого? — не поняла я.

— Шузы! — гаркнула красотка.

Я переспросила:

— Что?

— Тапки! — заорала певунья. — Ты на русском языке спикаешь? Ботинки, лапти, чуни — шузы! Идиотка! Где только таких берут?

— В прихожей много обуви. Какая ваша? — прошептала я.

— Самая шикарная! — взвизгнула Настя. — Красные лаковые ботфорты с золотыми каблуками и стразами на голенище. Три тысячи евро пара! Настоящая звездная обувь! Давай ускоряйся!

Я «ускорилась». Зоя Владимировна весьма подробно рассказала мне про Веню, упомянула Лялю, но ни словом не обмолвилась о Насте. Кто еще обнаружится в необъятной квартире, и где расположена комната Эдиты? Мне необходимо обыскать ее, хотя, честное слово, не понимаю, что должна там найти. Чеслав лишь сказал: «Актриса Звонарева была убита. Ее смерть весьма удачно представили естественной, но сейчас мы уверены в том, что кончина актрисы была насильственной». Следовательно, от меня ждут улик, подтверждающих версию убийства. Однако я не знаю ни мотива преступления, ни кого в нем подозревают. Похоже, придется заниматься ловлей блох в тумане.

Коридор сделал резкий поворот, я автоматически шагнула вперед и врезалась лбом в дверь. «Бум», — отозвалась филенка.

— Войдите, — незамедлительно послышалось изнутри.

Потирая ушибленное место, я потянула створку и обалдела. Меня поразил армейский порядок, который царил в не очень большой, по меркам этой квартиры, спальне, примерно двадцати квадратных метров.

Кровать была покрыта пледом столь тщательно, что даже злобный сержант, командующий солдатами-первогодками, не смог бы придраться. На тумбочке возле лампы выстроились по росту три книги. На кресле лежала безукоризненно чистая накидка, за столом, уткнувшись носом в ноутбук, сидела девочка, ее блестящие каштановые волосы чуть прикрывали уши.

— Здрасте, — вежливо сказала она, подняв голову. — А вы кто?

— Новая домработница. Таня, — представилась я.

— Ляля, — улыбнулась школьница. — Я внучка Зои Владимировны.

— Сестра Насти?

Ляля откинулась на спинку кресла.

— У бабули было два мужа и от каждого по ребенку. Я дочка Эдиты, а Настя родилась от ее брата Володи.

— Выходит, вы двоюродные сестры?

— Пусть будет так, — не стала спорить Ляля. — А как ваше отчество?

— Зови меня просто Таней, — я решила сразу понравиться девочке.

— Неудобно, вы намного старше, — ответила она.

Я засмеялась.

— Кажусь тебе пенсионеркой?

— Ой, нет, вы замечательно выглядите, — вежливо ответила девочка. — Просто бабушка говорит, что панибратство унизительно для тех, кто на тебя работает.

— Можешь обходиться без отчества, мне так приятней, — разрешила я.

— Ладно, — согласилась Ляля. — Если вам понадобится помощь, обращайтесь.

— Я хотела немного узнать о членах семьи и их привычках. Не из любопытства, не подумай, а чтобы лучше исполнять свои служебные обязанности, — сказала я.

Ляля закрыла ноутбук.

— Понимаю. Нас здесь четверо: бабуля, Веня, Настя и я. Веня тоже мой двоюродный брат, мама его на воспитание взяла. Он хороший и очень умный, много читает, отлично учится. Вот только с ним вечно всякие беды приключаются. Недавно он руку сломал.

— Мальчик при мне с барной табуретки упал, — сообщила я.

Ляля хихикнула.

— Ну это не новость, Венька со стула постоянно летает. Неуклюжий он, как медведь на коньках, но с ним хорошо.

— Лучше, чем с Настей? — провокационно спросила я.

Девочка поправила сползавшие на кончик носа очки.

— Настя нормальная, только у нее башню от небольшой славы снесло. Когда умерла моя мама, актриса Эдита Звонарева, ее друг, продюсер Фазиль Каримов, спросил у бабушки, чем он ей может помочь. И бабуля сказала: «Говорят, вы хотите запускать на телевидении новый проект, в котором примут участие ребята — будущие певцы, возьмите туда мою внучку Анастасию, она очень музыкальна». Фазиль согласился. Он маму любил, говорил, что такие талантливые и добрые люди раз в сто лет рождаются. Поэтому и решил из Насти звезду сделать, он ей пообещал деньги, славу, но предупредил: «Таких, как ты, на каждом углу толпа. В принципе при современной технике я из любой табуретки певицу сделать могу. Благодари бабушку — по ее просьбе станешь звездой, но ты обязана будешь ей помогать, да еще Ляле и Вене, после смерти Диты они почти нищие. Начнешь брыкаться, вернешься в свой город Задов и там останешься». Каримов так хитро контракт с Настей составил, что бабушке хорошие отчисления идут, мы на них и живем.

— Наверное, Настя не очень этим довольна, — покачала я головой.

Ляля осторожно улыбнулась.

— Стю, такой у Насти псевдоним, умная. Она понимает, что Фазиль предоставил ей шанс и его следует использовать, поэтому в присутствии Каримова она тихоня. Ну а без него... Бабушке она не перечит, зато нас с Веней шпыняет. Позавчера зажала меня в ванной и зашептала: «Больно много ты, сирота, жрешь! Помни, что мой заработок в унитаз спускаешь! Хавай меньше, я не собираюсь на черную икру для тебя ломаться». Насчет икры она преувеличила, бабуля нас просто кормит. Основной расход — плата за квартиру и электричество, у нас же целый дворец. Но жилье продавать нельзя, это капитал.

— Ты можешь рассказать Фазилю про хамство Насти, — возмутилась я. — Она очень похожа на кукушонка, который выпихивает из гнезда родных птенчиков.

— И что хорошего получится? — по-взрослому отреагировала Ляля. — Каримов Настю вытурит, мы лишимся денег. Да и Стю жалко, она талантливая. Просто ей в детстве никто не объяснил правил хорошего поведения. Это не вина ее, а беда.

— Почему бабушка не захотела отправить на сцену тебя? — запоздало удивилась я.

Ляля подперла кулаком щеку.

— Вы садитесь в кресло, не стойте... Понимаете, мне с рождения повезло: я появилась на свет в замечательной семье. Сначала в детском театре лучше всех была, потом всенародной любимицей стала, мама с бабушкой никогда не ругались, не помню, чтобы слово плохое друг другу сказали. У меня всего полно было: и игрушек, и книжек, и одежды. А Настин папа, дядя Володя, алкоголик, он еще учась в школе пить начал, аттестат не получил, пошел работать на бойню. Правда, ужасно?

Я поежилась.

— Жуткая профессия.

— В общем, бедная Настя ничего хорошего в жизни не видела, — девочка понизила голос до шепота. — Вот бабуля и решила ее на свет вытащить.

— Ясно, — кивнула я.

— Настя талантливая, — повторила Ляля, — и трудолюбивая. У нее все получится! Веня почти гениальный ребенок, а я совершенно обычная, больше тройки по матишу получить не могу, часто ленюсь и не испытываю никакой радости от перспективы стать известной. Пока еще не выбрала свой путь, но он точно не будет связан со сценой. Ой, слышите, в дверь звонят! Сумеете с замком справиться?

— Ни разу его не открывала. Вдруг сломаю? — засомневалась я.

— Он очень простой, как у всех. Пойдемте покажу, — предложила Ляля и встала из кресла.

Глава 5

Ляля повертела никелированную бомбошку и, забыв спросить: «Кто там?», бесстрашно распахнула дверь и пробормотала:

— Валентина!

— Не о чем нам с тобой разговаривать! — заорала смуглая черноволосая женщина, похожая на растрепанную ворону. — Отойди! Где бабка?

— Зоя Владимировна уехала на работу, — испуганно ответила Ляля, — вернется очень поздно.

— Я подожду! — решительно заявила тетка и, отодвинув девочку в сторону, прошла в глубь квартиры.

— Сапоги снимите, пожалуйста, — пискнула Ляля.

— Прикажешь босыми ногами по вашей грязи топать? — ответила незваная гостья. — На улице чище, чем здесь!

Ляля в растерянности посмотрела на меня.

— Женщина, остановитесь, — сурово приказала я. — Вам по-человечески объяснили: Звонаревой нет дома. Немедленно покиньте чужую квартиру! Иначе...

— Что, милицию вызовешь? — завопила Валентина. — Валяй! Я давно хочу, чтобы убийство моей дочери расследовали! Они ее заразили! Отравили!

Теперь мне денег должны! Миллион долларов! Ты ваще кто?

Ляля дернула меня за руку и прошептала:

— Не отвечайте. Валентина больная, я сейчас бабушке на работу позвоню.

— Лучше обратись в милицию, — громко, чтобы мои слова услышала «ворона», предложила я.

Но Валентина обрадовалась, а не испугалась.

— Шикарно! Я им всю правду про эту семейку выложу. Зиночка от меня ничего не скрывала, я знаю все их тайны! О каждом! Может, моя дочь и не окончила десять классов, но глаза и уши у нее отменно работали! Давай звони!

Последние слова прозвучали уже из кухни, где скрылась Валентина.

— Это кто такая? — спросила я у Ляли.

Девочка ввела меня в курс дела.

— До вас здесь работала Зиночка. Бабушка одна с хозяйством не справляется, ей тяжело. Она хорошо готовит, очень вкусно, но убирать не успевает. Вы знаете, где бабуля служит?

— Нет, — ответила я, — но, судя по тому, что Зоя Владимировна опаздывала на ученый совет, наверное, она работает в научном учреждении.

— Правильно, — подтвердила Ляля. — Бабуля доктор наук, она раньше, когда жила в Баранске, заведовала лабораторией, а в Москве ее охотно взяли в НИИ. Ну где ей времени на мытье полов найти? Вы не подумайте плохого, мы не ленивые, просто все заняты.

Ляле явно было неудобно от того, что им приходится нанимать прислугу.

— Сейчас большинство активно работающих

людей предпочитает не носиться с пылесосом или веником, на то есть специально обученные люди, — улыбнулась я. — Очень хорошо, что вы меня наняли. Я нашла отличное место, а Зоя Владимировна сможет целиком посвятить себя научной деятельности и воспитанию внуков. Все довольны.

— Вы правда так считаете? — обрадовалась Ляля. — Здорово! К нам до вас два года Зина приходила. Она хорошая, но немного непонятливая, лишь с пятого раза соображала, чего от нее хотят, зато аккуратная и работящая.

— Почему же Зоя Владимировна уволила девушку?

Ляля быстро оглянулась.

— Не надо, чтобы Веня слышал, он нервный, еще испугается. Мы ему сказали, что Зина замуж вышла, но на самом деле она умерла.

Я кивнула.

— Понимаю. Сколько лет было девушке?

— Двадцать, — прошептала Ляля. — Жуть!

— Маловероятно, что в столь юном возрасте ее свалил инфаркт или инсульт, — предположила я.

— Зиночка подхватила воспаление легких, — по-прежнему тихо объяснила Ляля. — Все случилось так быстро! Началось с того, что мама заболела. Она довольно долго простуженной ходила, кашляла, даже похудела, но к врачу не обращалась.

— Почему?

Девочка сложила руки на груди.

— Так вроде ничего особенного. Плохая погода стояла, все вокруг кашляли и чихали. Температура у нее не поднималась, а съемки были в разгаре... Знаете сколько денег потеряется, если главная героиня в кровать заляжет? Вот мама и решила не обращать внимания на недомогание, на ногах болезнь перенесла, только жаловалась: «Вот привязалась простуда, никак не отлипнет». Бабушка велела ей срочно к врачу идти, а мамочка только отмахивалась, мол, само пройдет. В четверг вечером ей вдруг совсем плохо стало, температура подскочила. Мама чаю с малиной напилась и спать пошла, а бабуля сказала: «Завтра на студию не поедешь, я сама Фазилю позвоню». Только мама попросила подождать до утра, не нервировать Каримова зря, может, ей лучше станет. Она всегда о людях заботилась.

Ляля опустила голову, погрузившись в воспоминания. Я терпеливо ждала продолжения. Наконец девочка заговорила:

— Ну а утром я около восьми ушла в школу, а в час дня директриса в наш класс прибежала, велела мне домой спешить. Примчалась я сюда, но маму уже увезли. Бабуля, оказывается, в десять пошла ее будить... и... и...

— Почему же ни Зоя Владимировна, ни Эдита не обратились в четверг вечером к врачу? — поразилась я.

— Из-за простуды? — Ляля вздохнула. — Кто же знал, что мама умрет. Ну кашель, насморк, ну температура... Сто раз такое бывало. Известно, что делать надо: чай с медом и лимоном, аспирин, носки на ноги.

Ляля зашмыгала носом, а я еле подавила свое возмущение. Нельзя же быть такими безответственными! Эдита скончалась из-за того, что вовремя не вызвала специалиста. Пневмония в наш век не является смертельным заболеванием, человечество для борьбы с ней изобрело различные препараты, в том числе антибиотики. Обидно, когда молодая, талантливая женщина погибает в расцвете сил из-за собственной глупости.

— Так вот, мамули не стало в пятницу, — прошептала Ляля. — Зине бабушка велела комнату убрать и домой идти. На следующий день Зинаида не пришла, зато позвонила Валентина и заорала: «Дочь заболела, у нее воспаление легких, утром ее «Скорая» в больницу свезла!» Бабуля пожелала домработнице скорейшего выздоровления, но Зина к вечеру умерла.

— М-да... — крякнула я.

— И с тех пор Валентина словно с ума сошла. Она нам звонила, упрекала, что это мы Зину заразили. Бабушка ей сто раз повторяла: «Пневмония не грипп, она воздушно-капельным путем не передается. Зиночка ходила в легкой курточке, вот и застудилась». Да только Валентина слушать ее не желает. Правда, сюда она впервые заявилась. Я ее боюсь!

— Не волнуйся, иди в свою комнату, сейчас я разберусь с наглой теткой, — пообещала я и поспешила на кухню.

Незваная гостья сидела в кресле, положив ногу на ногу. Едва я переступила порог, как она по-хамски поинтересовалась:

— Ты кто такая?

— Татьяна, — коротко ответила я.

— Родственница? Или приживалка? — презрительно осведомилась нахалка.

Я разозлилась.

— Домработница. Вам лучше уйти, а то я на самом деле вызову милицию.

— Тебя Зойка за такой фортель по головке не погладит, — погрозила мне пальцем Валентина, — выпрет под зад коленом! Хотя, может, это и к лучшему! Беги отсюда, уноси ноги, пока цела!

Я сделала стойку, а то чуть не забыла, зачем нанялась на работу.

— Здесь так плохо?

Валентина всплеснула руками.

— Вертеп! Обитель зла и порока!

— А на мой взгляд, нормальная семья, — подначила я тетку.

— На грязь вокруг погляди!

— Встречаются неаккуратные люди, но это не преступление, — парировала я. — Зои Владимировны нет. Уходите, пожалуйста, не пугайте Лялю.

— Девчонка даже при виде трехметровой крысы не вздрогнет, — перекосилась Валя. — Она актриса, почище своей бесталанной матери. В их доме страшные дела творятся!

— Какие? — заинтересовалась я.

— Не скажу, — неожиданно осеклась противная баба.

— Хотите кофе? — решила я сменить тактику.

Валентина неожиданно засмеялась.

— За копейку информацию купить решила? Полагаешь, я дура? Ха! У тебя есть миллион долларов?

— Десять свободных лимонов в швейцарском банке лежат, — огрызнулась я, — только из любви к искусству у чужих людей унитазы мою.

Валя вытащила из сумочки пачку ментоловых пастилок.

— Ну и не задавай тогда глупых вопросов. Ответ бабок стоит.

— А мне показалось, что вы хотите узнать правду о смерти дочери, — заехала я с другой стороны.

Гостья сунула в рот конфетку и прошепелявила:

— Истина и без того лежит на поверхности. Они ее убили!

Я моментально ощутила себя охотничьей собакой.

— Кто?

— Зойка и остальные! — гаркнула мать Зинаиды.

Мой энтузиазм тут же иссяк.

— Подумайте, что вы говорите! Кроме пожилой дамы, в семье одни дети: Ляля, Веня и Настя.

— Ха! Одна притвора, второй себе на уме, третья хамло. Они все Зину прикончили!

Вот тут мне окончательно стало ясно: у Валентины беда с головой. Надо осторожно избавиться от сумасшедшей, психи легко впадают в агрессию, и они, как правило, обладают большой физической силой.

— Валечка, — ласково пропела я, — ну подумайте спокойно и поймете: ни Зоя Владимировна, ни ребята не виноваты в произошедшем. У вас горе, сочувствую от всей души, но семья Звонаревых тут ни при чем.

— Зину заразили! — попугаем повторяла незваная гостья.

Я попыталась воззвать к ее разуму.

— Пневмония не передается от больного к здоровому.

— А вот передалась! — стояла на своем безумная.

— Это абсолютно невозможно, — пробормотала я, — нонсенс.

— Раз я говорю «да», значит, да! — затопала ногами Валентина.

Я тут же включила заднюю скорость.

— Хорошо, хорошо! Вы, безусловно, правы. Зина подцепила болезнь от Эдиты. И что?

— Как что? — вскочила Валентина. — Дочь умерла, они обязаны мне заплатить!

Я изобразила сочувствие.

— Милая, сядьте...

Гостья неожиданно послушалась, и я, вдохновленная этим, продолжила:

— Ни один суд не накажет Зою Владимировну и тем более ее внучат. Разве можно посадить в тюрьму того, кто передал вам инфекцию? Зину жаль и...

— Вообще-то неудачная девчонка была, — отмахнулась Валя, — тупая, гордиться матери нечем. Но теперь я могу компенсацию за ущерб получить.

От столь откровенно алчного заявления я растерялась. В тот момент у Валентины в сумке зазвенел мобильный. Жадная баба приложила трубку к уху.

— Ну? А? Лады, через полчаса.

Валентина встала и ткнула мне в грудь пальцем.

— Слушай! Говорить красиво я не умею, но мозгами щелкаю быстро. Зинка была дура, да хорошо видела и мне про все рассказывала. Я много чего интересного знаю! Передай Зойке — с нее миллион долларов. Наличкой! Если через неделю не привезет... да, если не привезет, будет плохо. А сама уходи отсюда. И поживей. Запомнила?

— Да, конечно, — кивнула я и заверила психопатку: — Не волнуйтесь, выполню ваше поручение.

— И еще... — обернулась на пороге Валентина. — скажи суке Звонаревой: мишки спрятаны. Я долго не хотела этого сообщать, но, видно, пришла пора открыть карты.

Я удивилась:

— Кто?

— Мишки! — повторила ненормальная.

— Какие мишки? — уточнила я.

— Она поймет, не сомневайся! — загадочно улыбнулась Валентина.

Я довела безумную до выхода, выставила ее на лестницу и заперла дверь. А через пару минут опять раздался звонок.

В прихожую мы с Лялей вбежали вместе.

— Не открывай, — остановила я девочку. — Нельзя впускать в квартиру абы кого. Странно, что у вас нет видеофона.

— Он сломался, — сообщила Ляля.

— Отойди! — приказала я. Затем спросила, повернувшись к двери: — Кто там?

— Это я, — ответил голос Звонаревой, — ключи впопыхах забыла.

— Вы уже вернулись? — поразилась я, впуская хозяйку в дом.

— Ляля мне на работу позвонила, — отдуваясь, сообщила Зоя Владимировна, — да сразу с совета сбежать не удалось. Где Валентина?

— Ушла, — успокоила я Звонареву, — только что.

Пожилая дама села на стул.

— Фу... Слава богу! К сожалению, Валя безумна. Я очень испугалась, когда Лялечка о ее приходе сообщила. Ну и денек сегодня! Ладно, побегу назад.

Прямо ноги подкашиваются, так и инфаркт заработать недолго.

— Бабулечка, прости, — захныкала Ляля.

— Тебя никто не винит, — все еще тяжело дыша, ответила Зоя Владимировна.

— Зря тебя потревожила, — зарыдала девочка.

— Успокойся, ты ничего плохого не совершила, — недовольным тоном прервала внучку пожилая дама.

— Вот! — взвизгнула вдруг Ляля. — Я хочу как лучше, а получаюсь гадиной! Я самая плохая! Тупая! Меня никто не любит! У меня нет друзей! Как ни стараюсь, ничего не выходит! Пойду повешусь!

Громко плача, Ляля убежала, а Зоя Владимировна покачала головой.

— Трудный возраст... Не принимайте близко к сердцу, Ляля замечательная девочка, но в последнее время подвержена резкой смене настроения — то смеется, то слезы льет. Гормональный всплеск!

— Трудно ребенку превращаться во взрослого человека, — подхватила я, — сама в пятнадцать лет была невыносима.

— Лялечке пришлось много горя пережить, — с жалостью произнесла Зоя Владимировна. — Смерть матери — тяжелейший стресс. Ну да ладно, со всем справимся. Детей вырастим, на ноги поставим, выучим, выкормим, воспитаем из них хороших людей. Вас Валентина не напугала?

— Немножко, — улыбнулась я, — хотя, когда она про миллион долларов компенсации за смерть Зины потребовала, я сообразила, что по ней явно психушка плачет.

— О-хо-хо, грехи наши тяжкие, — выдохнула Зоя

Владимировна, поднимаясь. — Ладно, полечу обратно на ученый совет. Не пускайте в дом посторонних.

— Надо починить домофон, — предложила я.

— Верная мысль, — одобрила хозяйка. — Надеюсь, сегодня Валентина более не придет.

— Она дала вам неделю на то, чтобы собрать запрошенную сумму, — засмеялась я.

— Вот спасибо, — усмехнулась Звонарева, — прямо сейчас велю своему банкиру купюры отсчитывать. Ну что с психопатки взять!

— Еще она просила передать: мишки спрятаны.

— Кто? — изумилась мать актрисы.

— Мишки, — повторила я.

— Какие? — спросила Зоя Владимировна. — О чем вообще речь?

Я пожала плечами:

— Понятия не имею. Валентина произнесла такую фразу: «Мишки спрятаны».

Зоя Владимировна начала застегивать элегантное кашемировое пальто.

— Одному господу известно, что у сумасшедшей в голове. Мишки, говорите? Дочери поклонники часто дарили плюшевые игрушки, может, это какой-то из них? После кончины Эдиты я ее вещи не трогала. Мишки... Жаль Валю, страшно потерять ребенка, я ее понимаю, как никто другой, сама дочери лишилась. Но у меня остались внуки, а у Вали никого. Вот где горе, тут недолго и ум потерять...

Глава 6

Я тщательно заперла дверь за хозяйкой, потом, совершив прогулку по коридорам, поскреблась в комнату к Ляле.

— Нельзя! — сердито крикнула девочка.

— Хорошо, не буду входить, — мирно ответила я. — Хочешь какао?

— Терпеть его ненавижу, — со слезами в голосе ответила Ляля. — Отстаньте! Я уроки делаю, реферат пишу по истории. Не лезьте!

Понимая, что у нее сейчас начнется истерика, я решила не трогать девочку и отправилась в кухню, где обнаружила Веню, сосредоточенно потирающего нос.

— Ты упал? — испугалась я.

— Нет, споткнулся и стукнулся о плиту, — удрученно сообщил мальчик.

Я удивилась.

— Нелегко зацепиться за абсолютно ровную поверхность.

— Мне тапки велики, — пояснил Веня, — я шагнул, левая соскочила, хотел ее подцепить, ну и блямкнулся. Хорошо горелки не горячие.

— Хоть в чем-то тебе повезло, — вздохнула я, прикидывая, как разобрать бардак на столешнице и что из груды предметов может иметь отношение к смерти Эдиты. Начинать с кухни будет, наверное, неправильно, нужно найти комнату актрисы и там порыться. Однако мне до сих пор непонятно, что следует искать.

— Бабушка забыла, — вдруг сказал Веня.

— Ты о чем? — вынырнула я из размышлений.

Мальчик поднял сломанную руку.

— Доктор сегодня велел гипс снять, а баба Зоя запамятовала. Теперь она уже со мной в больницу не пойдет. Завтра тоже не получится, потому что она занята.

Мне стало жаль невезунчика.

— Ты знаешь, где находится травмпункт?

— Совсем рядом, — пояснил мальчик, — через дорогу перейти. Сам бы мог сбегать, но детей без взрослых врач не принимает. Я его хорошо знаю, он мне лоб зашивал, палец вправлял, шею воротником фиксировал.

— Одевайся, — приказала я, — отведу тебя к доктору.

— Здорово! — обрадовался Веня. — А то мне вторая рука очень нужна и спать неудобно. Вы не волнуйтесь, там быстро, тюкнут молоточком — и готово. Я уже третий гипс снимаю, знаю, как все делается.

— Отлично. Ну тогда поторопись, — велела я, резко повернула голову и вздрогнула от острой боли.

— В ухе стреляет? — с состраданием поинтересовался мальчик, вытаскивая из груды шмоток, наваленных на диванчике, темно-синие штаны из непромокаемой ткани.

— Словно гвоздь в голову вбивают, — пожаловалась я.

Веня живо влез в брючки и подошел к одному из цветочных горшков, стоявших на подоконнике, оторвал круглый зеленый лист, помял его и скомандовал:

— Дайте-ка мне ваше ухо...

Я присела и наклонила голову, нос уловил резкий аромат.

— Готово, через час про болезнь забудете, — довольно сказал мальчик, — теперь надо шапочку надеть, чтобы не надуло.

— У меня платок, — ответила я. — Видишь?

— Не пойдет, он дырчатый.

— Это так называемое шерстяное кружево, — снисходительно пояснила я. — Смотрится несерьезно, но на самом деле является самой теплой вещью на свете.

— Не годится, — уперся Веня. — Бабушка четко объяснила: жмакаешь листик, утрамбовываешь в ухе, потом шапку натягиваешь, плотную. Иначе хуже станет! Вам сейчас лучше?

— Вроде, — признала я. — Тепло пошло, мурашки бегают, и боль отпускает.

— Что я говорил? — обрадовался Веня. — Баба Зоя в травах разбирается, все про лекарства знает и сама их придумывает. Ща найду, что на голову нацепить.

Он снова порылся в груде вещей на диванчике.

— Во! — торжествующе воскликнул мальчик и потряс странным изделием, которое сначала показалось мне трупиком облысевшей кошки, скончавшейся от глубокой старости, но потом я заметила две тесемочки.

— Ушанка!

— Ага, — подтвердил Веня. — Натягивайте и побежали.

Перспектива щеголять в чужом головном уборе меня вовсе не привлекла, но ноющее с самого утра ухо неожиданно успокоилось. Похоже, таинственное растение мгновенно подействовало на отит самым положительным образом, и нужно послушать Веню, а не рисковать здоровьем, щеголяя в красивом платке.

— Чья шапчонка-то? — на всякий случай поинтересовалась я.

— Не знаю, — пожал плечами паренек, — она тут уже год лежит, никто о ней не спрашивает.

Через десять минут мы с Веней стояли на переходе, ожидая, когда красный сигнал светофора сменится на зеленый. Погода испортилась, поднялся порывистый холодный ветер, который пригнал плотные темно-серые тучи. Мальчик оказался прав: мне с больным ухом было гораздо уютнее в пусть старой и некрасивой, но меховой шапке, чем в платке-«паутинке».

Толпа пешеходов ринулась через проезжую часть, мы с Веней слегка замешкались и оказались замыкающими в процессии. Когда мы ступили на противоположный тротуар, очередной резкий и сильный порыв ветра сорвал с меня великоватый треух. От неожиданности я вскрикнула и тут же ощутила, как ледяные пальцы холода сжали мои уши.

Веня, не говоря ни слова, кинулся на середину мостовой, по которой набирающий силу ураган гнал треух из облезлого меха. Я обернулась и от ужаса потеряла дар речи.

Для пешеходов горел красный сигнал, потоки машин летели по дороге, а Веня, словно преследуемый лисой заяц, метался между иномарками, его голова в темно-синей беретке скакала, как мячик, вверх-вниз. Шоферы были недовольны присутствием на трассе мальчика, кое-кто нажимал на клаксон, кое-кто высовывался в окно и грозил парнишке кулаком.

— Стой на месте! — заорала я, когда паралич отпустил голосовые связки. — Не шевелись!

Но Веня, очевидно, не услышал мой вопль, резко подался влево и очутился прямо перед громадным трейлером. Наверное, шофер фуры всем своим весом навалился на тормоза. Послышался визг шин и глухой удар. Следовавшая за многотонной махиной «десятка» врезалась грузовику в зад. Я раскрыла рот. И тут «Тойота», ехавшая за «Жигулями», незамедлительно вломилась шедевру отечественного автопрома в бампер. Бумс! К «Тойоте» прилипла «Шкода», а через секунду к ним прибавились «Волга», серебристый внедорожник и автобус, набитый гастарбайтерами. Не успела я опомниться, как в «Икарус» врезалось маршрутное такси, а его тюкнула синяя «Мазда». Все произошло мгновенно, я только успела моргнуть пару раз, не больше!

Движение замерло. На встречной полосе из черного «Лэндкрузера» выскочила женщина в норковом полушубке и истерически заголосила:

— Ребенка сшибли! Его фура раздавила! Помогите! Люди!!!

Я приросла ногами к асфальту, разом потеряв способность шевелиться и говорить. Дорога встала намертво, из автомобилей начали выбираться водители и пассажиры, основная масса из них кинулась к фуре, шофер которой, схватившись руками за голову, привалился к колесу.

Над толпой носились крики:

— Доставайте из-под машины ребенка!

— Не трогайте, может, у него позвоночник сломан!

— Вызовите «Скорую»!

— Не вижу парня!

— Лезь дальше!

— Его небось в другой ряд откинуло!

— Эй, тут капли крови!

У меня перед глазами запрыгали черные мухи, лоб будто стянуло ремнем, в горле образовался тугой ком, ноги подогнулись, и я опустилась на бордюр тротуара. Веня попал под грузовик! Есть ли у мальчика хоть крошечный шанс остаться в живых?

Внезапно мне на голову надели шапку, и звонкий голос сказал:

— Нельзя на холодном сидеть!

Я обернулась и прошептала:

— Веня! Ты здесь?

— А где мне быть? — заморгал он. — Вот, ушанку принес. Вставайте с тротуара! Он грязный. И простудиться можно!

Я ощупала тело мальчика.

— Господи! Трейлер тебя не задел?

— Не-а, — подтвердил Веня, — я шлепнулся и у него между колес закатился.

— Почему кровь на щеке? — опять испугалась я.

— Зуб выбил, — весело пояснил мастер спорта по неприятностям. — Очень здоровски вышло, он давно шатался и болел. Теперь к дантисту не надо идти. Круто!

— Жив! Цел! Невредим! — ликовала я.

— Тетя Таня, не шумите, — прошептал Веня. — Бежим отсюда!

— Извини, ноги трясутся, — призналась я.

— Лучше нам смыться, — озабоченно сказал паренек. — Я когда из-под фуры выползал, видел, сколько машин побилось. А у бабы Зои нету денег на оплату ремонта.

Я нежно погладила мальчика по голове.

— Приятно, что ты волнуешься о Зое Владимировне, но ей никто претензий не предъявит.

Веня схватил меня за руку.

— Вы не понимаете. Водитель затормозил, когда я упал, а потом в грузовик десять или больше машин врезалось. И получается, что из-за меня все началось!

Я ойкнула, стиснула ладошку своего маленького спутника, и мы оба со скоростью быстроногих оленей кинулись в глубь квартала серых блочных домов.

— Дай честное слово, что больше никогда не будешь скакать безумным зайцем в потоке машин! — с трудом отдышавшись, потребовала я, когда мы вошли в вестибюль больницы и свернули в коридорчик, где располагалась детская травматология.

Веня кивнул. И в то же мгновение, задев боком здоровенную никелированную урну, стал заваливаться на бок. Я успела подхватить невезучее создание и сердито выговорила:

— Когда идешь, смотри под ноги!

— Зырю во все гляделки, — надулся Веня.

— Тогда почему ты налетел на мусорницу? — не удержалась я от замечания.

— Не заметил ее, — закручинился мальчик.

Я хотела сказать, что круглая бандура в два раза его шире, но промолчала.

Когда Веню вызвали в кабинет к врачу, я слегка расслабилась, вынула мобильный и позвонила Коробкову.

— Привет, сладкоголосый пряничек! — донеслось из трубки.

— Боюсь лишить тебя иллюзий, но пряник не способен беседовать, — остановила я не в меру развеселившегося Димона.

— Никакой фантазии у тебя нет, — грустно отметил хакер.

— Обратимся к работе.

— О! Йес, босс! — заорал Коробок. — Пионер, всем ребятам пример!

— Прекрати, — прошипела я.

Но компьютерщика понесло:

— Знаешь, чем отличается пионер от котлеты? Дети в галстуках всегда готовы. Помнишь девиз? «Будь готов! Всегда готов, как Гагарин и Титов». Имеется в виду, конечно, Герман Титов, космонавт, а не нынешний футболист.

— Сию же секунду замолчи! — потребовала я.

— Хорошо, мой пупсик! — промурлыкал Димон.

— Перестань! — рявкнула я.

— Борись со вздорностью в характере, — посоветовал Коробок. — Начинаю официальный разговор — тебе не нравится, шучу — ты злишься. Сходи к врачу, проверь щи... бр-бр-мр-ку...

— Что проверить? — переспросила я. — Не расслышала.

— Ухо! — гаркнули из трубки.

— Сейчас оно не болит, но появилось ощущение, будто внутри кто-то ползает и царапается маленькими лапками, — пожаловалась я.

— Ерундовина, — сдавленным голосом сказал компьютерщик. — Ты разве к ним еще не привыкла?

Меня охватило удивление:

— К кому?

— К тем, кто лапками в голове скребет.

— Нет, — поразилась я. — А кто они?

— Тараканы, — невозмутимо заявил Димон. — У многих в мозгу эти насекомые гнезда вьют. Твоим, наверное, тесно стало, вот в уши и полезли.

— Дурак, — обиделась я.

— Только не пшикай на башку дихлофосом, — заржал Коробков.

— Все, теперь давай о работе, — каменным тоном возвестила я. — Не нарыл ли чего?

— По какому делу? — посерьезнел хакер.

— У тебя их несколько?

— Три. А что? — уточнил Димон.

— Я занимаюсь только Звонаревой.

— Знаю. И чего?

— Пока вообще ничего, — грустно призналась я. — Похоже, Эдита была замечательной женщиной. Во всяком случае, для своих. Дочь Ляля ее обожала, приемный сын тоже, мама в актрисе души не чаяла. И я абсолютно не понимаю, что искать в квартире покойной...

Внезапно из кабинета врача раздались грохот, звон и вопль. Забыв попрощаться с хакером, я сунула телефон в карман, бросилась к двери, дернула за ручку и увидела Веню, который сидел на странной У-образной конструкции. Две фигуры в белых халатах наклонились над мальчиком, который жалобно твердил:

— Вау! Вау! Вау!

— Неужели нельзя уколоть обезболивающее, если проводите болезненные манипуляции? — налетела я на медиков. — Или боитесь, что я вам не заплачу? Как не стыдно мучить малыша!

— Спокойно, мамаша, — пробурчал врач, выпрямляясь, — вашему сыну только гипс снять предстояло.

— Я тоже так считала, — не сбавила я тон, — всех дел лишь молоточком постучать...

— У нас в первый раз такой случай, — заморгала медсестра, — надо завотделением сообщить.

— Вау! Вау! — не успокаивался Веня.

— Тут одним Иваном Сергеевичем не обойтись, — прищелкнул языком врач, — до главврача все равно дойдет.

— Ой, мамочки! — закатила глаза медсестра. — Может, все-таки своими силами обойдемся, а, Андрей Петрович?

— Нет, Маша, — отрезал травматолог, — не тот случай. Пусть и не хочется, а Олега Семеновича необходимо в курс ввести.

— Вот беда! — чуть не зарыдала Маша. — Такой хороший, симпатичный, только появился — и ему каюк! Разве это справедливо? Сколько вокруг старых, на ладан дышат, и ничего, скрипят, не разваливаются. А здесь... Вот не повезло!

Глава 7

Я рухнула на круглую табуретку и прошептала:

— Что с мальчиком?

— Совсем умер, — кручинилась Маша.

— Вау! Вау! — ныл Веня. Если честно, он мало
походил на смертельно больного ребенка и уж тем
более на умершего, но ведь врачи лучше меня, без-
детной женщины, разбираются в недугах малы-
шей.

— Вы хотите госпитализировать мальчика? —
спросила я. — Сейчас попробую найти его бабушку.

— Хоть кого зовите, не поможет, — стонала Маша. — Нас накажут, премии лишат! Вот ведь не повезло... Я рассчитывала новый телевизор купить, а
из-за этого случая ничего не выйдет. Точно премии лишат!

— Неужели вам не стыдно? — вскипела я. — Ведете откровенный разговор при мальчике, он же
все слышит.

— Подумаешь! — фыркнула Маша. — Мы его
знаем. Два раза в неделю приходит, наказание, а не
ребенок.

— И поэтому вы решили ему в лицо сообщить о
скорой смерти? Зовите сюда главврача! — раскипя-
тилась я.

— При чем здесь летальный исход? — устало
вздохнул Андрей Петрович. — Гипс мы вашему

мальчику сняли. Прощайте. Уходите скорей. И постарайтесь не возвращаться!

Я вскочила на ноги.

— Минуточку, а кого вы сейчас на все лады жалели?

Травматолог махнул рукой и вышел из кабинета.

— Расстроился, бедненький... — сочувственно сказала Маша. — Понимаете, стол у нас сломался. Видите, на полу лежит?

Я пригляделась и поняла, что У-образная конструкция представляет собой сложенный под углом стол, а в углублении сидит Веня.

— Новый совсем, — плаксиво продолжала медсестра, — только купили. Андрей Петрович его еле-еле у главврача выпросил, и вот... полюбуйтесь! Два дня радовались, а сегодня Веня пришел. Тридцать три несчастья, а не парень! Сел — и конец столу! Уходите, пока главный не припер, тут сейчас атомная война начнется.

Я схватила парнишку в охапку, натянула на него куртку, выбежала с ним во двор, поставила на мостовую и строго сказала:

— Десяток разбитых машин и поломанный стол. На сегодня подвигов хватит!

— Я не виноват, — затараторил мальчик, — грузовик сам затормозил, его никто не просил. А со столом вообще глупо вышло. Мне велели на него залезть...

— Дальше! — прошипела я.

— Я сел на клеенку...

— Дальше! — сквозь зубы процедила я, понимая, что совершенно не желаю обзаводиться когда-либо потомством.

— Я чихнул! — коротко сообщил Веня. — Вот так: апчхи...

— Дальше! — твердила я.

— Все.

— Что все? — не поняла я.

— Стол и развалился, — сообщил невезунчик.

— Значит, так... — я схватила его за руку. — Сейчас мы идем домой, ты держишься рядом, молча, внимательно смотришь под ноги, не кашляешь, не чихаешь, не сморкаешься. Понял?

— Ага, — мрачно подтвердил Веня. — У вас мобильный орет.

Я вынула аппарат.

— Тебя интересует блог, в котором предсказывалась смерть Звонаревой? — безо всяких предисловий спросил Димон.

— Блог? — переспросила я. — Это кто?

Коробков издал протяжный стон.

— Понятно, мамо... Объясняю для неандертальцев: в Сети можно вести личный дневник, он называется блог.

— Зачем? — спросила я.

— Оригинальный вопрос! Чтобы записать свои мысли, рассказать о чувствах, сокровенных желаниях. Ты разве в юности не грешила сочинением стишков и не прятала от мамы общую тетрадь, где на закапанных слезами страницах писала «Обожаю Петю, а он со мною дружить не хочет»?

— Было дело, — засмеялась я, — до девятого класса я изливала душевные терзания на бумаге, потом перестала. Кстати, знаю одну женщину, которая ведет дневник всю свою жизнь.

— Раньше царапали ручкой по бума́ге, а теперь

пользуются Интернетом, — продолжал Димон. — Так вот, вернемся к нашим фламинго. Ты слушаешь?

— Очень внимательно, — подтвердила я.

Коробков откашлялся и выдал кучу интересной информации.

— С год-полтора назад в Сети появился блог некоего «Короля Мара». Скрывавшийся под этим ником тип сообщил о себе лишь общие сведения: ему около тридцати, рост примерно метр девяносто, блондин с голубыми глазами. Скорее всего, «Король Мар» работал в каком-то учреждении, он явно не принадлежал к рабочему классу и не занимался бизнесом. В отличие от некоторых блогеров парень не сочинял, что имеет трехэтажный особняк, «Бентли» и миллиардный счет в швейцарском банке, он вообще не упоминал о своем материальном положении, только в одном сообщении написал: «К сожалению, в наше время все смотрят тебе в кошелек и никому неинтересна твоя душа. Что делать тем, кто не хочет тупо зарабатывать бабло? Как поступить человеку, обладающему неким даром, который, с одной стороны, должен принести его обладателю миллионы, а с другой — не может быть использован им из-за моральных соображений? Я могу заработать состояние, но не желаю превращаться в одного из тех, кто продает свою душу. Полюбите меня бедным и некрасивым, а богатым меня всякая полюбит!» Блог «Короля Мара» вначале не пользовался особой популярностью, он не был тысячником...

— Кем? — перебила я Димона.

— В Интернете, как в реале, — объяснил Коробков, — есть свои звезды и изгои. Тысячники — это люди, чьи дневники читает и обсуждает большое количество народа.

— Подожди, разве дневник не интимная вещь? — удивилась я.

— Нет, запись выставлена на общее обозрение.

— Ничего себе! Я отлично помню, как в конце девятого класса противная Вера Черинкова вытащила из моего портфеля заветную тетрадку и пустила ее по рукам. Через день вся школа была в курсе моей любви к выпускнику Никите, и я чуть с собой от стыда не покончила!

— Современная молодежь более толстокожа, — загудел Коробков. — Она разрешает копаться в своем личном белье.

— Не верю! — Я решительно перебила Димона. — Никогда человек, если он душевно здоров, не разденется на улице!

— Э-хе-хе, барыня! Видели мы смутьянов мерзотных, кои ходят по улицам в пальто на голое тело, — заерничал Коробков. — Увидють девицу посмазливее и одежонку-то распахнут. Чистый срам! Неужто про этих анафем не слыхивала?

— Не об эксгибиционистах речь! Я говорю о нормальных мужчинах и женщинах, о тех, кто только дома позволяет себе обнажаться и физически, и морально. Ладно, я могу показать дневник одной близкой подруге, но выставить его в Интернет... Это уже лукавство, некая разновидность журналистики. Думаю, в блогах мало правды, авторам просто хочется покрасоваться перед остальными, вот они и привирают, — запальчиво сказала я.

Димон не стал спорить и просто ответил:

— Некоторые блоги пользуются успехом, а другие нет.

Я поинтересовалась:

— Почему?

— Неужели не ясно? «Выпил кофе, пошел на работу, начальник козел, пришел домой, поругался с женой, лег спать»... И так изо дня в день. Интересно? — спросил язвительно Коробок.

— Нет, — ответила я, — тупо, глупо и нелепо.

— Вот! А есть дневники, наполненные событиями, сплетнями, невероятными байками. Стать авторитетным блогером трудно, необходимо каждый день выдавать эксклюзивную новость, тогда интерес к тебе не погаснет, — поучал меня Коробков.

— Последняя фраза подтверждает мой постулат, что блог — вид «желтой» прессы, — ущипнула я Димона. — Новости так просто в руки не падают, их надо искать или организовывать. Если же с информацией швах, запускают «утку». И чем блог отличается от «Желтухи»? Я не люблю сию газетку, но ее авторы хоть подписываются под своими статьями, а в Интернете пишут гадости анонимно. Владельцы дневников, похоже, еще и трусы, раз скрываются за никами.

— Не кипятись, — осадил меня Коробков. — Давай вернемся к Звонаревой.

— Прости, — опомнилась я, — так что там с этим «Королем Маром»?

Димон откашлялся и стал рассказывать серьезно и подробно.

— Блог «Короля Мара» не пользовался особым успехом, во френдах у него ходило всего несколько человек. А некая личность под ником «Кики» ему написала:

— Если хочешь бабок огрести, включай свой талант.

— Не хочу, — ответил «Король Мар».

— Все ты врешь, — ринулась в бой «Кики», — ты ни фига не можешь.

Завязался оживленный диалог.

— Я обладаю страшным даром, — заявил парень с пафосным ником.

— Каким?

— Не скажу.

— Смешно. Брехалово! Выпей иаду!

— Я предсказатель.

— Ржунимагу!

— Я способен назвать дату смерти любого человека!

— Падонок! Ваще критиново! Кады я памру?

— Хочешь знать?

— Ну?

— Через пять дней. Попадешь под машину.

— Сукан! — обозлилась «Кики» и ушла из Сети.

«Король Мар» после этой милой беседы не писал ничего в блог, «Кики» тоже как в воду канула. Через шесть дней некая «Крошка Ру»[1] сообщила:

— Вчера «Кики» погибла под колесами автобуса. «Король Мар» не ошибся.

Сначала интернетчики притихли, а потом всей

---

[1] Все ники (а также названия фирм, лечебных учреждений, кинотеатров и так далее) придуманы автором, любые совпадения с реально существующими — случайность. — *Прим. автора.*

толпой вломились к «Королю Мару» и потребовали объяснений.

Блогер ответил:

— Моя мать настоящая цыганка, дар предсказателя передается у нас из поколения в поколение. Я умею им пользоваться, но не хочу. Зарабатывать деньги гаданиями не стану, это, на мой взгляд, постыдное и абсолютно не мужское дело. Кики я сказал правду, потому что она меня разозлила. Кстати, потом я соединился с ней через аську, попросил проявлять осторожность на дороге, написал, что в субботу над ее головой сгустятся черные тучи и лучше ей совсем не высовываться из дома, а лечь в кровать и не вставать целые сутки, таким образом можно обмануть судьбу. Но Кики меня конкретно послала. Результат известен.

В Сети поднялась буча, одни называли «Короля Мара» шарлатаном, идиотом, убийцей и предлагали бойкотировать его блог, другие возвели его чуть ли не в ранг божества и стали забрасывать вопросами о своей судьбе.

«Король Мар» стоически переносил осаду. Он в мгновение ока обрел дикую популярность в Интернете, о нем не говорил только ленивый. Парню досталось очень много оплеух, и в конце концов он снова взорвался, набросившись на ни в чем не повинную «Крошку Ру», которая, желая помочь предсказателю, написала:

— Если дашь еще один правильный прогноз, все заткнутся.

— Хочешь предсказаний? Получай! Ты умрешь в понедельник. Тебя пырнут ножом при ограблении.

Выдав это, «Король Мар» исчез из зоны досягаемости.

«Крошка Ру» перепугалась, и скандал набрал обороты. Даже те, кто считал «Короля Мара» ловким мошенником, стали ей советовать:

— Не высовывайся из квартиры!

— Не могу, — ответила бедняжка. — Я работаю в магазине, хозяин меня выгонит, где потом место найду... Я не москвичка, с трудом на приличные деньги устроилась.

Во вторник пользователь «Крыска» сделала шокирующее заявление:

— «Крошка Ру» убита в лесу около Тимирязевской академии. К продавщице пристали какие-то парни, потребовали отдать мобильный и кошелек, а когда девушка не захотела расстаться с сотовым и с деньгами, ее просто ударили ножом и оставили истекать кровью. «Король Мар» вновь не ошибся.

С той поры блог предсказателя приобрел бешеную популярность. «Король Мар» считал себя крупным философом с ярким литературным даром. Он смело рассуждал на любые темы от политики до искусства и чаще всего нес глупости, либо вещал прописные истины. Но народ осаждал его блог, потому что ждал новых, шокирующих предсказаний. И «Король Мар» их делал. Нечасто, зато метко. Он перестал предсказывать смерть блогерам, пророчествовал теперь о кончине писателей, актеров, режиссеров, спортсменов, журналистов и телеведущих.

— Алиса Ферн, сыгравшая главную роль в сериале «Богатый дом», не переживет февраль месяц.

Точную дату смерти не назову, но предполагаю, что мы простимся с ней в двадцатых числах, — писал «Король Мар».

И Алиса Ферн, молодая красавица, не успевшая справить тридцатилетие, действительно неожиданно скончалась.

— Виктор Барсуков, наш лучший футболист, погибнет в марте, между пятым и восьмым числом, — заявил позднее «Король Мар».

И точно! Двадцатитрехлетний парень не дожил до десятого марта.

Всякий раз, когда пользователи Интернета убеждались в очередном правильном предсказании, «Короля Мара» засыпали вопросами те, кто хотел знать свою судьбу или судьбу близких. Но оракул не снисходил до простого народа.

Едва «Король Мар» сообщал имя новой жертвы, как на специальном сайте начинали принимать ставки. Предприимчивые букмекеры предлагали пари: угадал ли блогер, назвал точный месяц или ошибся датой? В зависимости от известности человека, которому предстояло скончаться, колебался и размер возможной прибыли.

В начале апреля «Король Мар» предложил всем попрощаться с певцом Радиком, который вознесется на небеса через неделю. Ставки на звезду практически никто не сделал. Газеты давно сообщили, что Радик болен СПИДом, никто не сомневался в правоте блогера, а зря, потому что поп-звезда неожиданно оказалась живучей и протянула еще два месяца.

Авторитет «Короля Мара» не пошатнулся. Ошибиться способен каждый, да и намного интереснее делать ставки и обсуждать пророчества, если интернетский оракул не всегда прав. «Король Мар» превратился в успешный коммерческий проект, по Сети бродил адрес некого московского кафе, где букмекеры принимали ставки, а потом расплачивались с клиентами отнюдь не виртуальными рублями. Поговаривали, что суммы там крутились не копеечные.

Глава 8

В день, когда «Король Мар» предрек кончину Эдиты Звонаревой, народ решил, что гадатель снова ошибается. Дита активно снималась в кино, постоянно мелькала на телеэкране, не пила, не курила, не употребляла наркотики, не шлялась по мужикам, была полна сил и выглядела абсолютно здоровой.

— Она умрет, — конкретно заявил «Король Мар». — Ей осталось жить пару недель.

Сеть замерла. Перца в ситуацию добавил недавний скандал. Некий «День-100», один из самых активных неприятелей «Короля Мара», называвший предсказателя «поносным утконосом» и призывавший объявить ему бойкот, выложил в Сеть шокирующее сообщение такого содержания:

— Эй, люди! Я вам говорил, что «Король Мар» придурак, картонная голова? Он за...т всем мозги, а на самом деле ни фиговины не умеет. Я знаю, почему наш Ностросрамус четко угадывает день смерти! Кому он напел о гибели? Ферн, Барсукову, Радику и певцу Волкову? Стебно, но совсем не круто. Я тут покрутил извилинами и подумал: «Пророков не бывает, «Король Мар» всех дурит. Но как он это делает?» Напросился ответ: великий загляды-ватель в будущее знал этих людей лично, ну, типа, общался со звездами, так он об их болячках и проведал. Не каждому охота правду про свое здоровье трепать. У народа шок, что Ферн коньки отбросила, но если она долго болела, то удивляться нечему. Значитца, он с ними ручкался. А поскоку сомневаюся я, що «Король Мар» сам из великих, то предположил: он у них работает, типа, шофер или охранник. Но, люди, я ошибся! Выяснил прикольную феньку. «Звездули» лечились в одном месте, в клинике при институте имени Колосова. Там разрабатывают новые лекарства и туда обращаются, когда совсем трендец подкрадывается. Ну, типа, последняя соломинка. Точно говорю: «Король Мар» тама санитар. Почему не врач? Сильно надеюсь, что среди мужиков с дипломом его нет, иначе лучше к больницам не приближаться, раз в них идиоты, дебилы и психи пашут. Думаю, все так: «Король Мар» по коридорам каталки возит и разговоры слышит. Идут два доктора и перетирают: «Ферн совсем плохая, ей пару недель жить осталось». Вот королишка и спешит в блоге дерьма накапать. Никаких способностей у него нет, сплошное дурилово. Убьем блог обманщика!»

Реакция «Короля Мара» последовала мгновенно. Сделав вид, что не видел заявления в блоге «День-100», предсказатель объявил:

— До конца апреля умрет писательница Касьянкина.

И вновь оказался прав, молодая женщина легла после обеда вздремнуть и не проснулась.

Рейтинг «Короля Мара» взлетел выше небес, а на блог «День-100» обрушились десятки гневных сообщений, основной мыслью которых была вот какая: «Если завидуешь человеку, постарайся справиться со своей ущербностью».

Обвинитель примолк, но через десять дней выложил в своем блоге новый текст:

— Королишка отчаянно цепляется зубами за уплывающую славу. Думаете, почему он каркнул про Касьянкину? Она тоже была пациенткой клиники имени Колосова. Он опять либо подслушал врачей, либо пошарил в тамошнем компе и прочитал историю болезни.

Терпение «Короля Мара» лопнуло, и он огрызнулся:

— Не знаю, кто, где и от чего лечится, но Касьянкина никогда не лежала в больнице, что легко проверить. Люди, есть ли среди вас сотрудники клиники? Я сам не имею доступа к инфе.

В Интернете можно найти что угодно и кого угодно. В понедельник «Монашка» написала:

— «День-100» не соврал. Ферн, Барсуков, Радик и Волков лежали в особом отделении, оно называется экспериментальным, и там действительно пытаются помочь смертельно больным випам. Но Касьянкиной никогда не было среди пациентов больницы. «Король Мар» гений. А «День-100» злобный хрюндель, он завидует чужому успеху.

Не успело столь приятное для пророка заявление появиться, как моментально высветилось еще одно, от «Zachra».

— «Король Мар» не дурак. Да, Касьянкина не лежала в палате, но к ней целый месяц по вызовам каталась спецмашина клиники. Можете посмотреть в приложении на копию путевого листа, там четко указан адрес, число и время, когда к писательнице приезжали врачи. Колдун вас дурит, «День-100» прав!

Чаша весов склонилась не в пользу прорицателя. А спустя неделю он выбросил козырь: предрек смерть Звонаревой, чем моментально заткнул рот злопыхателям. И доброжелательно настроенная по отношению к «Королю Мару» «Монашка», и ненавидящие его «День-100» и «Zachra» подтвердили — Эдита Звонарева никоим образом не связана с больницей имени Колосова. Судьба «Короля Мара» в Интернете зависела от смерти Диты, и актриса скончалась...

— Понимаешь теперь? — спросил Димон.

— Пока не очень, — призналась я.

— Похоже на мотив, — пояснил Коробков. — Эдиту лишил жизни «Король Мар».

Я засмеялась:

— Оригинальная сказочка. Позволь тебе напомнить, что данный субъект существует лишь в виртуальном мире.

— Под ником да, но в реальной жизни есть некий Петя-Коля-Вася, который вполне мог лишить актрису жизни, — возразил хакер.

— И ради чего ему идти на преступление? — фыркнула я.

— Чтобы не потерять звание самого читаемого, посещаемого и обсуждаемого блогера, — ответил Коробок.

Я попыталась вернуть его с небес на землю:

— Ерунда! Это просто игра, нечто вроде стрелялок. Никто же не верит в монстров на экране, правда? Димон, ты придаешь слишком большое значение глупому трепу.

— Нет, Танюша, — серьезно, без всякого намека на шутку, ответил Коробков, — это ты недооцениваешь виртуалов и не понимаешь, на что они способны. Представь ситуацию: живет малосимпатичный мужик, рост метр с ботинками, тело, как бамбук, изо рта пахнет, морда в прыщах...

— Красавец! — вклинилась я в речь Димона.

— Девушки его не любят, парни в компанию не берут, родители третируют, сестра издевается. И как бы поступил такой Аполлон лет двадцать тому назад, а?

— Не знаю! Пошел бы и повесился, — брякнула я.

— Ну, данный вариант рассматривать не будем, — возразил Димон. — Предположим, что наш клиент сумел объективно себя оценить. Затем сгонял к стоматологу, починил зубы, избавился от вони из пасти, записался в качалку, нарастил мускулы, научился драться, стал суперменом, заставил других себя уважать и стал складывать девок в штабеля. Живой пример — Шварценеггер, не знаю, как у него обстояло дело с клыками, но в бодибилдинг он направился из-за того, что в юности походил на комара в обмороке. Многих толкнуло на путь совершенствования желание утереть всем нос. А сейчас таких усилий можно не совершать — выходи в Интернет, называйся там кем угодно, рассказывай о своей красоте, уме, богатстве и получай то, чего не имеешь: почет и уважение. Нормальный, реализовавшийся и самодостаточный человек не станет тусоваться в Интернете, у него настоящая жизнь интересная. Блог ведь как заменитель сахара, вроде белый, сладкий, да не то. Если некто в своем дневнике распространяется о десятках баб, которых он уложил в кровать, — значит, парень, скорее всего, импотент. Или читаешь сообщение от девушки, которая за один вечер побывала на четырех тусовках. «Ой, устала, не могу! Сломала каблук у туфель ценой в сорок тысяч рублей, проколола колесо от своего «Порше», чуть не умерла, пока нашелся парень, который поставил запаску, опоздала на тусню к олигарху Пупкину. Не вечер, а ужас!» Тут тоже все ясно: красавица в ботинках, купленных в дисконт-центре за три копейки, приехала на метро в ближайшую пельменную, где прождала безрезультатно вечно пьяного кавалера. Надо внимательно читать блог, и поймешь: богатая девчонка не станет упоминать про сломанный каблук и уж точно не вспомнит о цене обуви — мажорке по барабану, какое количество башлей выложено за баретки, у нее они все суперские, дерьма не держит, колесо ей поменяет либо сервисная служба, либо личный водитель. Ну и так далее. Но в Инете у нашей «богачки» полно таких же подруг, вот они и выделываются друг перед другом. Хочешь психологический профиль «Короля Мара»?

— Давай, — согласилась я.

— Ему меньше двадцати лет, он угрюмый, застенчивый, подросток по менталитету. В учебном заведении или на работе не пользуется популярностью, является объектом насмешек. Девушки у него нет, одевается плохо. Талантами не обременен, способностями тоже, зол на весь мир, ощущает себя загнанным зайцем в кольце непонимающих его тонкую душевную организацию людей, но хочет казаться львом. Отсюда и истеричность пополам с неумением себя вести. В Интернете мечтает стать королем, не зря он себе такой ник придумал. Добился в Сети многого, о нем говорят, есть популярность, он наконец-то внушает кому уважение, а кому страх. Потерять имидж пророка для него смерти подобно. Очевидно, он на самом деле связан с клиникой имени Колосова: медбрат, студент на практике, санитар, но никак не врач. Если его репутация в Сети зашатается, такой человек, впав в отчаяние, способен убить. «Королю Мару» смерть Эдиты на руку.

— Просто сумасшествие, — пробормотала я. — Думаю, надо сосредоточиться на более жизненных версиях: любовник, например, или продюсер Каримов обозлился на Диту.

— И убил курицу, несущую золотые яйца? — хмыкнул Димон. — Звонареву полстраны обожало, Фазиль должен был стерпеть от Эдиты все. Она же его банкомат! Мое предположение верное: тут замешан «Король Мар». Носом чую запах гнили от его блога!

— Ладно, — сдалась я, — пусть так. Сумасшедший парень ради поддержания имиджа пошел на преступление. Но тогда возникает масса вопросов.

— Задавай, доча! — стал дурачиться хакер. — Папуля постарается ответить на любой! Готов объяснить, что такое хорошо и что такое плохо.

— Предположим, «Король Мар» работает в клинике, — начала я.

— О'кей, рыбка! — ободрил меня Коробок.

— Он санитар, слышит разговоры специалистов, болтовню медсестер, имеет возможность тайком просмотреть истории болезней и делает правильные выводы о скорой смерти звезды.

— Красиво излагаешь, — похвалил Димон.

Я решила не реагировать на его подколы.

— «Король Мар» не убивал ни Ферн, ни Барсукова, ни прочих...

— Не поспоришь с толковым человеком.

— Вип-персоны умерли сами. Но поскольку они тщательно скрывали информацию о своем здоровье, весть об их кончине для широких масс стала шокирующей.

— Умный кролик — гордость хозяина! — заржал Коробков. — Хорошо иметь рядом разумного зверька: он и газетку принесет, и колыбельную споет.

Я привыкла к манере разговора хакера, поэтому, не обращая внимания на изрекаемые им глупости, продолжала:

— Но для врачей это новостью не было, медики знали о скорой смерти больных. И «Король Мар» просто воспользовался ситуацией. Он мошенник.

— Браво! Овация! Фанфары! — Из трубки понеслись хлопки.

— А Эдита? — спросила я.

— С ней что? — не понял мой гид по Интернету.

— В больнице она не лечилась, была здорова. Почему она умерла? — видоизменила я вопрос.

— Ты не поняла? Звонареву убил «Король Мар»! — живо воскликнул Димон.

— Как? — поинтересовалась я. — Ухитрился заразить актрису пневмонией?

— Пока не знаю... — протянул Коробок.

— Между мошенником и киллером огромная

разница. Не всякий способен лишить человека жизни, — вздохнула я.

— Уж поверь, «Король Мар» из таких! — безапелляционно заявил хакер.

— И каким образом он подобрался к Звонаревой? Думаю, актриса не общалась с первыми встречными. Между ней и «Королем Маром» должна быть связь, — гнула я свою линию.

— Надо порыться в знакомых Диты и в персонале клиники, — посерьезнел Димон. — И у меня есть зацепка.

— Какая? — вздрогнула я.

— Сладкое подают на десерт... — писклявым голосом ответил хакер.

— Говори! — потребовала я.

— Может, это и ерунда, — вдруг закокетничал Коробков.

Мое терпение стало иссякать.

— Начинай! — обозлилась я и тут же услышала:

— Право, не хочется у тебя время отнимать.

Я не агрессивный человек, но сейчас испытала желание схватить Димона за шиворот и потрясти. Жаль, его не достать...

— Издеваешься?

— Ага, — обрадованно подтвердил хакер, — мучаю тебя, как муху, лапки по одной отрываю.

— Польщена сравнением с насекомым, — язвительно ответила я. — Ну? Какая связь?

— Крохотная, — пропищал хакер.

— Димон!

— Еле-еле заметная, — тянул резину Коробков, чем довел меня почти до истерики.

— Сейчас же прекрати!

— Хорошо, уже заткнулся, — моментально отреагировал Димон.

— Наоборот, говори! — заорала я.

— Ну вот, то перестань, то болтай... Мамо, у вас дурной характер. Сиди стоя... Лежи на бегу... Эдак я растеряюсь! — плаксиво прохныкал интернет-гений.

Я чуть не швырнула телефон на асфальт.

— Коробков! Я тебя ненавижу!

— Остался один шаг до любви, — торжественно возвестил хакер. — Ну лады, не дуй губу. Знаешь, где работает Зоя Владимировна Звонарева?

— Ляля сказала, в каком-то институте.

— В клинике имени Колосова, — торжественно объявил Димон.

— Ой! — подпрыгнула я.

— В научной лаборатории. Занимается исследованиями.

— Оригинально... — прошептала я. И тут же услышала за своей спиной пронзительный крик Вени:

— Помогите!

Я обернулась, увидела мальчика и тоже заорала:

— Господи!

Глава 9

В ногу несчастного невезунчика вцепилась здоровенная собака ярко-рыжей масти.

— Пошла вон! — кинулась я на нее.

— Спасите! — орал Веня, пытаясь высвободить нижнюю конечность из пасти барбоса.

Я изо всей силы треснула огненного пса сумкой по толстой заднице, тот разжал зубы, чихнул и потрусил в сторону мусорных бачков. А бедный Веня сел на дорогу.

— Больно? — испугалась я.

Мальчик не ответил.

— Идти можешь?

Он замотал головой. Я с трудом оторвала его от земли, взвалила на плечо и пошатываясь дотащила до травматологического отделения, благо мы не далеко ушли.

Доктор Андрей Петрович, увидев нас на пороге кабинета, вовсе не обрадовался.

— Опять? — В его голосе звучала безнадежность.

— Что, другую руку сломал? Глаз выбил? Шею повредил? — присоединилась к разговору медсестра Маша.

— Типун тебе на язык! — в сердцах произнесла я. — Его собака укусила!

— Ну ваще... — протянула Мария. — Андрей Петрович, давайте Веню в коридоре посмотрим? У нас, между прочим, еще шкафчик новый и два кресла хороших стоят.

Врач мгновенно продемонстрировал солидарность с младшим медперсоналом.

— Стаскивайте с мальчика штаны прямо здесь!

— Может, выставите пациента на улицу и там им займетесь? — возмутилась я. — Кстати, в коридоре тоже мебель есть, стулья и столы.

Андрей Петрович поджал губы, а Маша вдруг спросила:

— Собачка какая была? Рыженькая? Мордочка длинная, ушки стоймя, на носу белое пятно, хвост крючком? Это Покемон. Очень ласковая псинка.

— Ваша милая зверушка со всей своей добротой вгрызлась в ребенка! — вскипела я.

— Покемон — любимый песик нашего главврача, — сладко пела Маша, — он дусенька-пусенька, нечеловеческого ума собачка. Покемон никого не трогает, небось шел спокойненько, а Веня в него камнями швырял или плевался.

— Враки! — ощетинился мальчик. — Я ему улыбнулся, а он хвать меня за ногу и давай рычать.

— Бедный Покемон... — пожалела дворнягу медсестра. — У него тонкая душевная организация, испугался наверняка твоей рожи.

— Лучше займитесь раненым ребенком! И где кабинет главврача? — голосом перебила я Машу.

— Вам зачем? — ожил Андрей Петрович.

— Сейчас же расскажу ему о травме, полученной от мерзкого Покемона. Нельзя на территории больницы диких животных держать! — топнула я ногой и тут же ощутила в ухе неприятное царапанье. Боли не было, но в голове что-то как будто скреблось. Наверное, так действовал листок герани.

— Гляньте! — торжествующе взвизгнула Маша. — Нога целехонька, только штаны разодраны.

— Вот пусть ваш начальник и покупает парню новые! — заартачилась я.

Маша бросила на стул испорченные брюки Вени со словами:

— Не надо скандал затевать.

— Ну погодите! — пригрозила я. — А еще называетесь медицинским учреждением... Подадим в суд и на главврача-собаколюба, и на вас с доктором, не впустившим укушенного в кабинет. В Уголовном кодексе есть статья о неоказании врачами помощи.

— Мы занялись вашим ходячим несчастьем сразу, — заюлил Андрей Петрович. — Штаны с него сняли.

— Восхитительно, — прищурилась я, — освобождение травмированного ребенка от брюк — главный пункт в его лечении. А теперь попробуйте сделать ему укол.

— Не хочу! — завопил Веня. — У меня ничего не болит, я просто испугался!

— От какой заразы колоть его прикажете? — пошла на меня танком Маша. — От глупости? Таких лекарств еще не придумали!

— От бешенства, да побыстрей, — повысила я голос.

— Вене это не поможет. Ему хоть сорок доз вкати, нормальным не станет, — схамила медсестра.

Я напыжилась, но не успела дать достойный отпор нахалке.

— Собаку мы великолепно знаем, Покемон здоровее многих, и он только штаны Вене разодрал, — мирно напомнил Андрей Петрович. — Не надо ребенка зря мучить.

— Вы должны заменить Вене порванные брюки, — отбила я подачу.

— Уж не знаю, чего там про плохих врачей в кодексе понаписали, — вновь вмешалась Маша, — но то, что за жестокое обращение с животными вы офигенный штраф заплатите, сомнений нет. Во, смотрите!

Я уставилась на серо-желтый кусок, похожий на обломок мыльницы, который Маша держала в руке.

— Что это?

— Зуб Покемона, — возвестила медсестра. — Собака его сломала, когда Веня ей свою дурацкую ногу подсунул. Плохо дело, Андрей Петрович, если до главного дойдет, что его песик из-за нашего пациента инвалидом стал, он нам живо кислород перекроет. Думаете, почему мы новый стол получили раньше всех отделений? Олег Семенович увидел, что Ленка, моя сменщица, сосисками Покемона кормит. А теперь он обозлится.

— Надо немедленно отыскать несчастного Поки и поставить ему обезболивающий укол. Еще нужно обработать пасть пса и сделать ему прививку от бешенства плюс от энтеровирусной инфекции, — засуетился травматолог.

— Вы сумасшедшие! — подскочила я. — Займитесь Веней!

— Пожалуйста, кто-нибудь... помогите, — раздалось за углом коридора, и в небольшом холле появился мужчина, который поддерживал еле стоявшую на ногах женщину. — Ей плохо, упала возле ступенек.

— У нас детская травма, — пожала плечами Маша, — вам следует обратиться в отделение для взрослых.

Тут пострадавшая стала медленно заваливаться на бок. Я бросилась к ней, подставила плечо, поняла, что больная потеряла сознание, а через секунду сообразила: это же психопатка Валентина, которая обвиняла Зою Владимировну в смерти своей дочери, домработницы Зины.

— Надо положить женщину на диван, — предложил незнакомец.

— Немедленно позовите нормального врача, — потребовала я у Андрея Петровича, который вместо того, чтобы помочь несчастной, просто пялился на нас.

— Сейчас, — откликнулась более сообразительная Маша и бросилась к лифту.

— Сделайте что-нибудь! — наскочила я на травматолога.

— У нее вроде ничего не сломано... — пролепетал Андрей Петрович. — Я только что институт окончил, недавно работаю. Маша кого-нибудь приведет... Давайте пока ее данные запишу. Как даму зовут?

— Не знаю, — ответил мужчина. — Я мимо шел, гляжу, женщине дурно. В ее сумочке посмотрите, может, там паспорт есть.

Андрей Петрович взял небольшую торбочку и

начал в ней рыться. Я села на диван около Валентины и стала гладить ее по руке, приговаривая:

— Все будет хорошо, не волнуйтесь...

— Нашел! — обрадовался Андрей Петрович. — Куницына Валентина Филипповна. Ба, да она живет в двух шагах отсюда, в седьмом доме. И квартира под тем же номером. Счастливое сочетание!

— Будем надеяться, оно ей поможет, — пробормотала я.

Андрей Петрович нырнул в кабинет.

— Ну я пошел, — заявил мужчина и тоже исчез. Мы с Веней остались около Валентины.

— А чего с ней? — с любопытством спросил мальчик.

— Голова заболела, — предположила я.

— Ее вылечат? — задал следующий вопрос Веня.

Я попыталась придать голосу уверенности:

— Да-да, непременно. Венечка, сядь вон в то кресло, надень штаны и помолчи.

Мальчик послушался. Я с возрастающей тревогой смотрела на заострившееся лицо Валентины. На секунду мне показалось, что она не дышит, но в тот же момент она открыла глаза и зашевелила синими губами:

— Зиночка, это ты? Живая? Зиночка!

Я сразу поняла, что Валентина неадекватно воспринимает реальность. Может, у нее микроинсульт или инфаркт? Нельзя бедняжку огорчать, поэтому я покорно согласилась:

— Да, здравствуй.

— Зиночка... — выдавила из себя несчастная.

— Я. Лежи спокойно.

— Меня похоронили? Мы на том свете? — пролепетала бедняга.

— Нет-нет, все хорошо, — ответила я.

— Ты жива? — Валентина пыталась сфокусировать на мне взгляд. — Да, солнышко?

— Жива, — после небольшого колебания ответила я.

— Господи... — прошептала Валя. — Значит, мне снился сон про похороны?

— Тебе привиделся кошмар, — подтвердила я, уже понимая, что мне не следовало прикидываться Зинаидой.

— Доченька, — Валентина, судорожно стиснула мои пальцы — ты нехорошо поступила! Дай честное слово, что больше никогда не возьмешь чужого!

— Хорошо, мама, — чувствуя себя еще гаже, кивнула я.

— Молодец! Я хотела кольцо на место вернуть, но не смогла. Как же его подсунуть? У них вечно в доме люди толкутся! Дети, бабка...

— Лучше поспи, — сказала я.

Валентина судорожно вздохнула.

— Тогда сама отнеси перстень.

— Хорошо, — я поспешила согласиться с несчастной.

— Прямо сию секунду! — занервничала больная.

— Непременно, — заверила я ее.

Но Валентина не успокаивалась:

— Поторопись!

— Ладно, ладно, — я предприняла еще одну попытку ее успокоить.

— Немедленно, ну же! — еще сильней побледнела Валентина. — Мишек я тоже прибрала. Они должны нам много денег за них заплатить. Ой, я все поняла! Сообразила! Ты жива?

— Да, — безропотно продолжала я тягостную беседу.

— Спрячься! Они не должны знать... Они... Деньги... Иди! — лепетала несчастная. — Скорей! Не стой! Домой! Домой!

— У меня нет ключей, — ляпнула я.

— Сумка... они в ней... — еле слышно прошелестела Валентина, — а мишки... там, где у Раисы тайник для сладостей...

Валентина замолчала, ее нос заострился, глаза закрылись и запали глубоко в глазницы, подбородок задрался вверх. Я испугалась. И тут из лифта вышла Маша в сопровождении полной женщины в белом халате.

— Где? — сердито спросила последняя.

— На диване, — подсказала медсестра.

Врач приблизилась к Валентине, пощупала пульс и констатировала:

— Сама она не пойдет, надо каталку добывать. Почему вы ее в приемное отделение не отправили?

— Легла и не встает, — с возмущением пояснила медсестра.

— Несознательные люди, — покачала головой доктор. — Звони на третий этаж, пусть хоть когонибудь пришлют.

Я во все глаза наблюдала за медиками. Их поведение абсолютно не напоминало сцены из американского сериала «Скорая помощь», где к пострадавшему человеку со всех ног бросаются врачи, на ходу выкрикивая: «Скорей! Сделайте все анализы!

Включайте аппаратуру! Подайте кислород!» В этой больнице все было иначе: Маша лениво поплелась в кабинет, врач вскочила в лифт и испарилась, Валентина осталась лежать на диване.

Спустя четверть часа из лифта с грохотом выкатилась железная каталка, и шедшая за ней бабка гневно воскликнула:

— И как я ее одна покладу? Силов нету.

— Я помогу вам, — быстро предложила я. И укорила: — Хоть бы простынку на каталку постелили, не говоря уж об одеяле и подушке.

— Она в верхней одежде, — огрызнулась старуха. Потом более мирно добавила: — Скажи спасибо, что быстро тележку нашли. Ну, раз, два!

Валентина оказалась невероятно тяжелой, мы со старухой с огромным трудом переложили несчастную.

— Куда вы ее повезете? — поинтересовалась я.

— На пятый этаж, — прогундосила старуха, и подъемник сомкнул двери.

Не успела я перевести дух, как из кабинета высунулась Маша и протянула мне сумку Валентины, буркнув:

— Заберите.

— Это не мое, — отказалась я.

— Так че, теперь ее бросить? Сдайте сестре в отделении, она на склад оформит.

— Этим я должна заниматься?

— А кто? — заморгала Маша.

— Вы.

— Я никакого отношения к бабе не имею. Не наша больная и не моя знакомая, — отбарабанила медсестра. — У нас своих дел по горло.

Не успела я сообразить, что ответить нахалке, как Маша, бросив сумочку на диван, исчезла в кабинете, не забыв повесить на дверь табличку «Обед. В случае экстренной необходимости обращайтесь в 18-й корпус». Послышался скрежет, предприимчивая медсестра, дабы ее и Андрея Петровича не отвлекали от еды всякие симулянты со сломанными конечностями или шеей, тщательно заперла замок.

— Пойдем домой, — заныл Веня.

— Минуточку... — ответила я и открыла потертую сумку Валентины.

Внутри я обнаружила паспорт в дерматиновой обложке, ключи от квартиры, расческу, носовой платок и единый проездной билет. Ни кошелька, ни денег, ни сотового телефона, ничего маломальски ценного мать Зинаиды при себе не имела.

— Есть хочу, — заныл Веня.

Я сунула сумку в свой большой ридикюль, схватила мальчика за руку и приказала:

— Идешь около меня и ни шагу в сторону! На сегодня лимит приключений исчерпан.

Глава 10

Когда Веня сел пить чай, я у него спросила:

— Ты, конечно, знал Зину?

— Угу, — кивнул он, — она хорошая была, жалко, что уволилась. Бабушка сказала, что Зина замуж собралась.

Я отошла к плите, размышляя. Понятно, Зоя Владимировна не хотела травмировать ребенка сообщением о смерти домработницы.

— Мы с ней в дурака играли, — болтал Веня, запихивая в рот бутерброд с сыром, — я всегда выигрывал. И в шарики тоже побеждал. Только Зина никогда не злилась. Она смеялась и говорила: «Памяти у меня совсем нет. Хорошо что не на деньги сражаемся».

Я сделала малышу еще один сандвич.

— Бабушка ругала Зину за неаккуратность?

— Не-а, — с набитым ртом ответил ребенок.

— А Эдита? — не успокаивалась я. — Зина с ней ладила?

Веня отложил несъеденную корку.

— Она ее жалела, платья свои отдавала, туфли. Дита была очень добрая.

Я перевела беседу в другое русло.

— У вас дома что-нибудь пропадало?

Мальчик почесал левую бровь и вдруг заявил:

— Еда! Холодильник всегда пустой.

— Я имею в виду из вещей. Допустим, золотое кольцо.

— У меня такого нет, — удивился Веня.

— А старшие не жаловались? Может, они искали драгоценность? — упорствовала я.

— Не знаю, — вздохнул Веня. — Пойду, хочу картинку доскладывать.

— Еще пара вопросов! — остановила я его.

Веня скуксился, но возражать не стал.

— У вас часто собираются гости? — спросила я.

— К Ляле подруги не приходят, она ни с кем не дружит.

— А к бабушке? — не отпускала я «информатора».

— Нет, — засмеялся Веня. — Она же старая.

— Эдита любила устраивать вечеринки?

Мальчик чихнул.

— У нее времени не было, работала с утра до вечера. Дядя Фазиль приходил, а больше никто.

— У Эдиты были мишки? — Я решила подергать за другую ниточку.

— Конфеты? Мама их не ела, потому что от сладкого толстеют, — серьезно ответил Веня.

— Игрушечные, плюшевые звери, — поправилась я.

— А... полно, — хмуро ответил Веня. — Ей их фанаты дарили. Один журнал наврал, будто мама игрушки собирает, ну и стали люди медведей таскать.

— Где же она хранила сувениры?

— В комнате.

Я посмотрела на мальчика.

— Прости, дружок, я плохо ориентируюсь в вашей огромной квартире, так и не нашла спальню Эдиты.

Веня ткнул пальцем в сторону коридора.

— Вторая дверь, там теперь Настя живет. Противная такая, звезду из себя корчит! Мы с Лялей ее не любим!

— Анастасия поселилась в комнате Эдиты? — уточнила я.

— Ага.

— А почему не в гостевой? У вас ведь тут полно свободных помещений, — удивилась я.

— Мамина спальня самая большая, — тихо сказал Веня. — Настя когда приехала, тихая была, а потом, как только ее по телику показывать стали, начала выделываться. А бабушка ее балует. Даже обидно! Только заявилась и уже лучшая! Настя нос задрала и теперь тут главная. Баба Зоя говорит: «Не перечьте Настюше, она нас кормить будет».

— И где сейчас мамины вещи? — после некоторого колебания осведомилась я.

— В гардеробной, — нахохлился Веня.

— Вместе с игрушками?

— Ну... наверное. Сами посмотрите, — скороговоркой выпалил Веня и убежал.

Я отправилась в маленькую комнату с одеждой и стала перебирать вешалки. Эдита Звонарева любила красивые вещи, но, похоже, на себя много денег не тратила. Или, может, часть ее платьев Зоя Владимировна раздала? А вот и две сумки, набитые плюшевыми Топтыгиными... Каких только игрушек не дарили Звонаревой: больших, маленьких, синих, красных, зеленых, пищащих, исполняющих задорную мелодию, шевелящих лапами, танцующих. Мне больше всего понравился розовый пу-

шистый мишка, сжимавший в лапах красное сердце с вышитым на нем словом «тебя». Надпись,
правда, была непонятной, но сама игрушка смот-
релась очаровательно, от правой лапки мишки тянулась золотая цепочка. Наверное, он раньше при-
креплялся к сумке или коробке.

Устав от перебирания чужих вещей, я села на
стоявшую у ботиночницы небольшую табуретку и,
держа в руках розового мишку, попыталась упоря-
дочить собранную информацию.

Дома Эдиту любили. Мысль о том, что ее убили
Ляля, Веня или родная мать, казалась мне абсурд-
ной. Актриса содержала семью, после ее кончины
материальное положение Звонаревых сильно по-
шатнулось. К тому же Зоя Владимировна, похоже,
обожала дочь, а Веня и Ляля слишком малы, чтобы
задумать и осуществить такое преступление. Тот,
кто лишил Эдиту жизни, хитер, он хорошо замел
следы, такое детям не под силу.

Из домашних под большим вопросом остается
Настя. Девушка, правда, появилась в Москве уже
после похорон Эдиты, но она единственная из
родных, кто получил пользу от смерти звезды. Боясь остаться нищей, Зоя Владимировна упросила
Фазиля раскрутить дочь своего непутевого сына-
алкоголика. И продюсер не подвел: Настя участвовала в телеконкурсе, добилась победы, впереди ее
ждут деньги и слава. Но все эти атрибуты звездной
жизни Стю получила благодаря кончине Эдиты.
Анастасия груба, плохо воспитана и уже сейчас, не
успев еще ничего толком достигнуть, начала строить из себя суперзнаменитость и хамить окружающим.

Способна ли эта девица на убийство? Могла она, сидя в своем небольшом городке, задумать и осуществить преступление? Полагаю, что нет. Анастасия из породы людей, которые идут напролом. Что-то ей не понравилось — кулаком в глаз! Сковородкой по кумполу! Бейсбольной битой по коленям! Но продумать многоходовый план девице слабо. Нанять киллера Настя не могла — это ей просто не по карману. Тем более что Эдиту «заказали» профессионалу высочайшего класса, специалисту, способному выдать убийство за естественную смерть. Такие умельцы берут большой гонорар и не печатают в Интернете объявлений: «Решу любые ваши проблемы быстро и недорого». Кстати, еще один момент: если нужно убрать некое известное лицо, то цена вопроса наверняка возрастает в разы. И где дочери алкоголика, нищей девочке найти несколько десятков тысяч евро, чтобы оплатить наемного убийцу?

Отлично! Семью исключаем. Кто у нас остается? Домработница Зинаида? Похоже, она была не очень умна и старательна. И зачем бы Зиночке отправлять на тот свет щедрую хозяйку?

Я встала с табуретки. Версий нет, мотив не ясен. Принять всерьез слова Димона о блогере «Короле Маре» не могу. Убить человека ради поддержания своего имиджа в Интернете? Извините, это, на мой взгляд, нереально. Мало-мальски подходящим мне кажется лишь одно предположение: Зинаида украла у Звонаревой кольцо и пару мишек, а потом, чтобы не быть обвиненной в воровстве, отравила Эдиту. Туповатой девушке просто повезло, что она случайно не оставила следов, насыпав хозяйке, скажем, в чай лекарство, вызвавшее отек легких. Кстати, надо сходить в квартиру Куницыных и поискать кольцо, о котором говорила Валентина. Думаю, после смерти Зины мать обнаружила его и, спрятав добычу в укромном местечке, молчала о преступлении дочери. Лишь в больнице, приняв меня за ожившую Зинаиду, она пробормотала что-то вроде: «Перстень лежит там, где у Раисы тайник».

Я прихватила из травмпункта сумку Куницыной, и в ней паспорт с пропиской. Насколько помню, врач заметил, что женщина живет рядом с больницей. Мне хватит десяти минут на дорогу...

Скромная двушка Валентины отличалась от апартаментов Звонаревых, как перец от соли. Крошечный тамбур делал еще более тесным массивный старомодный шкаф, кухня напоминала по размеру пудреницу, а комнаты — клетки для хомяков. Войдя в санузел, вы сразу натыкались на унитаз, за ним висела пластиковая занавеска. Я отдернула ее и увидела прикрепленный к стене душ, а на полу крохотное корытце, куда во время водных процедур следовало становиться ногами. Валя и Зина были лишены возможности понежиться в пене, ванна здесь попросту не уместилась.

Судя по тому, что дом, где жили Куницыны, возвели в начале двадцатого века, их квартирка явно некогда была частью огромных апартаментов, которые в советские времена разделили на несколько семей. Наверное, лучше иметь собственный угол, чем жить в коммуналке, но я не верю старой поговорке: в тесноте, да не в обиде. Думаю, именно в семьях, где люди живут, постоянно сталкиваясь друг с другом в прямом смысле этого слова, непременно начинаются скандалы.

— Вы кто такая? — вдруг возмущенно спросили из коридора. — Что делаете в чужой квартире?

Я высунула нос из санузла, увидела хмурую женщину лет пятидесяти в аляповатом цветастом халате и вежливо ответила:

— Здравствуйте, меня зовут Таня.

— Никогда вас не видела, — заявила хмурая тетка.

— Я вас тоже.

— Вот сейчас в милицию позвоню! — пообещала мадам. — Еще и хамит!

— Простите, я не хотела вас обидеть, — улыбнулась я и вынула из кармана удостоверение. — Пожалуйста, читайте. Сергеева, следователь особой бригады по раскрытию тяжких преступлений.

Кстати, корочки не самопальные, я не купила их у метро, а получила от Чеслава. Документ настоящий, со всеми необходимыми подписями, печатями и фотографией, где я похожа на собаку породы французский бульдог: глаза выпучены, уши лопухами торчат в стороны.

— Беда случилась? — схватилась за сердце женщина.

— Валентине стало плохо на улице, — пояснила я.

— Боже, боже! — запричитала баба. — Я Раиса, ее соседка. Стена у нас гипсокартонная, любой шорох слышен. Подумала, Валюша вернулась, хотела ее пригласить чайку попить, а дверь-то, смотрю, не заперта... Валя всегда тщательно закрывается. И где она, бедняжка?

— В больнице на другой стороне проспекта, — сообщила я.

— Ох, беда! Ей досталось, — вздохнула Раиса, — у нее дочь умерла не так давно.

— Ужасно, — я прикинулась ничего не знающей. — Наверное, девочка болела?

Раиса отступила к двери и спросила:

— Чайку хотите?

— Не откажусь, — мигом согласилась я, и мы перешли в другую квартиру, которая оказалась столь же крошечной.

— Между нами говоря, от Зины одна докука была, — словоохотливо начала Раиса, налив в кружки жидкость цвета лимонада «Дюшес». — Валя вынуждена была о ней постоянно заботиться. Тяжело с убогой-то!

— Если в семье рождается инвалид, родителям всегда приходится туго, — подхватила я. — Пока он младенец, еще ничего, а чуть подрастет, беда! В ванну не посадить, белье на постели поменять трудно...

Раиса опустила уголки губ:

— Уберег Валю господь от такой-то беды. Зина физически ловкая вышла, на ноги быстрая, но вот голова у нее совсем не варила.

— Девочка была умственно отсталой?

— Просто дура, — конкретизировала моя собеседница. — Внешне-то симпатичная, но даже школу окончить не смогла. Матери не хамила, старалась на уроках, да толку было ноль. Стишок выучить не могла, читала через пень колоду. Валя дочку заставляла учиться, а потом ей один хороший врач сказал: «Не тираньте ребенка. У него ди... смек... слек...»

— Дислексия? — подсказала я женщине трудное слово.

— О! Точно! — обрадовалась Раиса. — Существует, оказывается, такая болезнь, когда человек даже слово «мама» не осилит прочитать, буквы у него не складываются. Том Круз из Голливуда, говорят, такой.

— Про актера ничего не знаю, — пожала я плечами, — а про дислексию слышала.

— Врач посоветовал профессию Зине дать, выучить ее на портниху, — продолжала тетка. — Но ничего не получилось. Везде требуется экзамены сдавать, а девке испытания не пройти. В конце концов, кто-то Вале подсказал про больницу, где на людях лекарства пробуют.

— На людях? — изумилась я. — Но это запрещено!

— А вот и нет, — возразила собеседница, — вы просто не знаете. Когда таблетки готовы, набирают группу добровольцев, и они пилюли пьют. Вот Валя и пристроила дочку в группу, где какой-то ускоритель мозга давали.

— Помогло? — абсолютно искренне заинтересовалась я.

Раиса скривилась.

— Лично я не заметила. Но Валя радовалась, говорила: «Зинуля расцвела, теперь даже коротенькую записку написать может». Но вот с чем им правда повезло, так это с работой. Врач, которая эксперимент проводила, устроила Зину в больницу санитаркой. Зинка там несколько лет трудилась. Отличное место оказалось: всегда сыта, на кухне покормят, да еще с собой дадут, больные денег совали за уход, и в тепле весь день. Ну а потом Зинаида в домработницы подалась. Знаете к кому попала?

— Теряюсь в догадках, — покривила я душой.

— Эдиту Звонареву знали?

— Актрису? Только по фильмам, не лично.

— В ее квартире Зинка убиралась, — гордо вскинула голову Рая.

— Что вы говорите! — Я прикинулась изумленной. — Правда?

— Я никогда не вру, — насупилась Раиса. — Мать Эдиты, Зоя Владимировна, и есть та самая врачиха, что Зину от глупости лечить пыталась.

— Ясно... — протянула я.

— В общем, Зинаида роскошно устроилась, — с изрядной долей зависти отметила соседка Куницыной. — Ей деньги платили хорошие, и еду не считали, и одежду отдавали. Даже мне перепадало, у Вали с Зиной ноги большого размера, а я тридцать пятый ношу. Такие сапожки Зинка однажды принесла! На меху, кожаные. А потом она умерла. На моих глазах!

Я переспросила:

— Вы присутствовали при кончине девушки?

Раиса важно кивнула.

— Валя прибежала ночью... она в метро кассиром работала, в тот день в третью смену сидела, до закрытия... и прямо с порога заорала: «Зинке плохо! Что делать?» Помчались мы с ней к ним в квартиру, да уж поздно было. Только последний вздох и услышали. Это, конечно, горе, но, с другой стороны, Валентина теперь сама себе хозяйка. Она очень переживала, только фильмами и спасалась.

Постоянно диски смотрела, в основном про приключения.

Раиса указала рукой на полки.

— Видите, какая у меня библиотека? Книг полно, издания старые, советские, тогда качественно тома переплетали, и бумага хорошая. Через месяц после смерти Зины приходит ко мне Валя и просит: «Нет ли у тебя каких фильмов?» Я ей предложила лучше литературу почитать. «Неохота, — сказала Валентина. — Если у тебя ничего нет, я в обменник запишусь, кассеты брать буду».

Глава 11

— И что странного в просмотре кинофильмов? — подтолкнула я Раису к продолжению беседы.

Соседка заморгала.

— Валя раньше другой была. А после смерти дочки стала она о деньгах говорить, намекала, что скоро получит богатство, уедет жить в Подмосковье. Мол, надоела ей столица — шумно, грязно и дорого...

Буквально вчера заглянула Валентина к соседке вечером, чайком побаловалась и вдруг брякнула:

— Завтра солнце засветит.

— Навряд ли, — засомневалась Раиса, — до лета далеко.

— Я не про погоду, про свою судьбу говорю, — засмеялась Валя. — Хватит уже мучиться, мне не одна сотня тысяч долларов положена за смерть Зиночки! Получу большую сумму, продам квартиру, куплю домик со всеми удобствами и уеду жить на свежий воздух.

— Хорошо иметь дачу, — согласилась Раиса, — но только наши хоромы, хоть и в центре расположены, копейки стоят. Ни один богатый человек сюда носа не сунет, повернуться негде, а бедный, который на теснотищу согласится, ерунду предложит, не хватит даже на пару соток.

— Наверное, ты права, — согласилась Валентина, — глупо жилплощади за копейки лишаться.
Что ж, тогда ее сдавать можно.

— Ну придумала, — покачала головой Рая. —
Пустишь съемщиков, а сама куда? На лестницу?

— Уеду в свой домик, — ответила приятельница, и глаза ее загорелись: — Цветы разведу, клуб-
нику посажу...

Раиса решила вернуть Валентину с небес на
землю.

— Откуда у тебя фазенда возьмется?

— Ты меня совсем не слушаешь! — возмутилась
соседка. — Говорила уже: мне заплатят огромные
деньги за смерть Зины.

— Страховая компания? — Рая попыталась разобраться в непростой ситуации. — У Зиночки был
полис?

Валентина помолчала, потом сказала:

— Можно и так считать. Я на Зину огромное количество средств потратила, любой родитель сначала в ребенка вкладывает, а потом отдачу имеет.
Но мне-то не повезло, надеяться на Зинкину помощь не приходилось. А тут счастье ко мне лицом
повернулось.

Услыхав последнюю фразу, Раиса обомлела. Ей
всегда казалось, что соседка хорошо относится к
дочери, и вдруг такое заявление! Наверное, Валя
сообразила, что ляпнула глупость. Она нахмурилась и сказала:

— Не осуждай меня. Зина умерла, и я имею право получить компенсацию. Вон, когда самолет падает и родственники миллионы у авиакомпании

отсуживают, никто их черствыми не называет. Жизнь продолжается...

Раиса поджала губы и принялась смахивать с клеенки мелкие крошки.

— И у кого Валентина собиралась потребовать деньги? — спросила я, уже предполагая, что услышу в ответ.

— Понятия не имею, — абсолютно искренне ответила Раиса. — Она имен не называла, лишь сказала: «Если захочет на свободе остаться и не пожелает увидеть некоторые подробности своей биографии в газетах, то отвалит хороший кусок. Я, между прочим, многое знаю. Ты, Раинька, даже предположить не можешь, на какие «подвиги» люди ради бабла способны. И у такого человека от его запаса крошку отгрызть — благое дело. Преступников нужно наказывать!» Да, видно, не удалось подружке задуманное осуществить. Пока я не заметила, чтобы она разбогатела.

— Раечка, а где вы прячете конфеты? — спросила я.

Женщина вздрогнула.

— А что?

— Просто интересно! — Я прикинулась чрезмерно любопытной особой.

— Кто вам рассказал про тайник? — не успокаивалась Рая.

Мне пришлось сказать правду:

— Валентина упомянула о секретном месте, прежде чем потеряла сознание.

Раиса встала и объяснила:

— У моей внучки диабет, ей категорически запрещены некоторые продукты, но девочке всего пять лет, и, конечно, она хочет конфет, мармелада, шоколада, зефира, печенья. Дочь с зятем ничего подобного дома вообще не держат, чтобы малышку в искушение не вводить. А я, как на грех, редкая сладкоежка, чай пить сяду, непременно полкружки варенья положу, без карамельки дня не проживу. Внучка частенько у меня бывает, вот мне и приходится фокусничать...

Раиса протянула руку к стоявшей у шкафчика табуретке, подняла сиденье и улыбнулась:

— Еще муж мне тайничок сделал. Коля на все руки мастер был. Мы сюда раньше сигареты прятали, не хотели, чтобы дочка знала о нашей привычке, курили тайком.

— И у Валентины есть такая «хитрая» мебель?

Раиса кивнула.

— Николай и ей «сейф» оборудовал. Большое что-то, правда, сюда не засунуть, да оно и не надо, нечего особо прятать. Знаете, случай в подъезде был: как-то раз летом воры по этажам прошлись. Замки-то у всех хлипкие, вот и пооткрывали их без проблем, квартир десять обчистили. Лето же, говорю, было, люди в отпуска разъехались. Малафеевы с третьего этажа свою заначку в банке с крупой держали, Богдановы золотишко в морозильник сунули, Федькины цепочки с кольцами в варенье утопили. Так домушники все нашли! Словно кто-то им про тайные местечки наболтал. Наши с Валей «хоромы» тоже вскрыли, но деньги целы остались, не догадались негодяи про табуретку.

Я встала.

— Спасибо за подробный рассказ.

Раиса сдвинула брови:

— К Вале торопитесь? С вами пойду!

— Я ничего не возьму, просто посмотрю.

— И я ничего не возьму, просто посмотрю, — повторила за мной женщина, направляясь ко входной двери. — Мы всю жизнь дружим, пока Валюша болеет, я отвечаю за ее имущество.

Не расскажи Раиса о месторасположении тайника, мне бы его ни за какие коврижки не обнаружить. Рукастый Николай ухитрился весьма ловко замаскировать простой предмет мебели — табуретка с секретом совершенно не отличалась от остальных, неудивительно, что даже профессиональные воры прошли мимо нее.

Рая нажала на пластиковое сиденье, послышался тихий щелчок, и открылось прямоугольное углубление, внутри которого обнаружились тощая пачка денег, тысяч десять, не больше, две бархатные коробочки и черный замшевый мешочек размером с кофейное блюдечко. Я быстро открыла коробочки. В одной блестели сережки с ярко-красным камнем, явно не настоящим рубином, в другой лежала толстая цепь. Самая интересная вещь хранилась внутри мешочка. Когда я вытряхнула на стол его содержимое, Раиса невольно ахнула:

— Какая прелесть!

Я уставилась на кольцо, сделанное в виде мишки. Голова животного была золотая, глаза, кажется, бриллианты, тельце покрыто голубой эмалью, украшенной россыпью мелких камешков. Несмотря на «детский» дизайн, колечко явно предназначалось для взрослой дамы, выглядело оригинально, и неудивительно, что оно вызвало у Раисы восторг.

— Милая вещица, — пробормотала я. — Вы ее раньше у Вали видели?

— Никогда, — решительно ответила соседка.

— Вероятно, подруга вам просто не показывала украшение, — предположила я.

Рая взяла кольцо, попыталась надеть на палец, потерпела неудачу и возразила:

— Я могу про любую вещь в этой квартире рассказать. Мы обе коренные москвички, живем тут с рождения, никаких секретов удержать в нашей теснотище и при почти полном отсутствии звукоизоляции невозможно. Серьги Вале подарил на свадьбу муж, подруга их надевала только по праздникам. А цепочку она купила, когда дефолт случился. Ее супруг ремонтом квартир занимался, и ему в августе хозяин за работу долларами заплатил. Валя не успела в обменник сбегать, муж вечером выручку принес, а утром курс вверх взлетел. В общем, им повезло. Вот тогда подруга и сходила в ювелирный. Но это кольцо очень дорогое, с бриллиантами! Нет, не могла Валя себе позволить такую покупку. Если бы ей невесть откуда такие деньги перепали, она скорее новое пальто купила бы, старое-то давно у нее износилось.

Простившись с Раисой, я вышла на улицу и медленно побрела в сторону дома Звонаревых, одновременно пытаясь соединиться с Мартой. Услышав длинный гудок в двадцатый раз, я уже хотела положить мобильник в карман, но тут раздался капризный дискант Карц:

— Если я не беру трубку, значит, не хочу! Даже в СПА достанут... Кто пристает?

— Татьяна, — сухо ответила я.

Значит, Марта сейчас на массаже либо кайфует в бассейне. Надеюсь, она отправилась туда для получения информации, а не для ублажения собственного тела.

— Слушаю, — более вежливо, но по-прежнему недовольно сказала светская львица.

— Можешь назвать фирму, которая делает украшения в виде животных?

— Их полно! — фыркнула коллега. — Это сейчас модно, и легче назвать те, в чьих коллекциях нет всяких там пантер, жаб и драконов.

— Речь идет о мишке, — уточнила я. — Его тело покрыто голубой эмалью, глаза...

— «Айрон Наша», — перебила меня Марта.

— Прости? — не поняла я.

— Тебе нужен магазин, находящийся в самом центре, на территории ЦУМа, — объяснила красавица. — Ювелир Айрон Наша, первый этаж нового здания.

— Прости, но ЦУМ расположен в старом доме, там в начале двадцатого.века находился крупный торговый дом «Мюр и Мерелизъ», — я решила блеснуть эрудицией.

Не понимаю почему, но мне постоянно хочется доказать Марте, что я тоже не лыком шита, умна и образованна.

— Мне трудно с тобой спорить, — неожиданно ласково прочирикала Карц. Продолжение ее речи оказалось не таким приятным: — Я еще молода, поэтому не помню, как некоторые, что было в Москве до большевистского переворота тысяча девятьсот семнадцатого года, меня в отличие от тебя родители в «Мюр и Мерелизъ» не водили. Но, знаешь, к ЦУМу давно пристроили еще один корпус. Неужели ты не заметила, когда себе новый гардероб на осень — зиму покупала?

В этом заявлении вся Марта! У нее не язык, а ядовитое жало. Ухитрилась посмеяться над моим возрастом и одновременно намекнуть, что мне не по карману одеваться в дорогом торговом центре и покупать к каждому сезону обновки. Ну да, я в отличие от Марты не имею папы олигарха и не могу за один день спустить на шмотки десять тысяч долларов.

— Мишки — фирменная примочка Айрон Наша, — как ни в чем не бывало говорила Карц. — У него все в косолапых — браслеты, колье, кулоны, перстни... А зачем тебе инфа?

Я заколебалась, но потом ответила:

— Хочу подруге на день рождения подарок присмотреть.

Марта засмеялась.

— Выбрось эту идею из головы! У Айрона Наша цены начинаются с трех тысяч баксов. Ты не потянешь.

— Откуда ты знаешь о моем материальном положении? — разозлилась я. — Может, я имею счет в швейцарском банке?!

— Да ну? — поразилась Марта. — Тогда почему носишь жуткий мешок вместо сумочки? Если больше вопросов нет, то пока!

Я сунула мобильный в карман и побежала к Звонарёвым. Хорошо хоть, что это недалеко... А внутри кипела обида: и вовсе моя сумка не жуткая, она из натуральной кожи и почти новая, я купила ее два года назад на распродаже. Кстати, даже со скидкой вещь стоила дорого, я отдала за нее пять тысяч рублей.

Веня мирно складывал пазл, а Ляля по-прежнему сидела в своей комнате.

Я поскреблась в дверь, попросила:

— Пусти меня, пожалуйста...

— Заходите, — вежливо отозвалась девочка. От ее агрессии и слезливости не осталось и следа.

— Скажи, у твоей мамы были драгоценности? — с порога спросила я.

— Конечно, — кивнула она.

— Дорогие?

Ляля опустила глаза, потом вдруг спросила, вызвав у меня невольную улыбку:

— Вам честно сказать?

— По возможности да.

Ляля крутанулась в кресле, и я взмолилась:

— Очень прошу, не делай так больше! У меня нелады с вестибулярным аппаратом, тошнит даже когда другие кружатся.

— Вам не повезло, — констатировала девочка. — А я могу на любом аттракционе часами кататься. Мы с мамой один раз пошли в парк и целый день развлекались. Мамуля надела шляпу, солнечные очки, и ее никто не узнал. Здорово получилось! Правда, под конец меня укачало, а мамочке хоть бы хны. Она даже на рогатку вскарабкалась.

— Куда? — не поняла я.

— Это такие железные столбы, между ними на тросах болтается кабинка, вы туда садитесь, специальный механизм включается, и бах! Начинаете летать туда-сюда, то вверх, то вниз. Прикольно, но страшно, даже многие мужчины отказываются. И я струсила. А мама полезла! — с восторгом говорила Ляля. — Потом она сошла и сказала: «Когда я была маленькой, к нам цирк передвижной приезжал. Вот там качели были! Крепления переворачивались! На них бесплатно катали, так из нашего класса только я соглашалась!»

— Здорово иметь молодую и веселую маму, моим родителями в голову бы не пришло отправиться на аттракционы, — не подумав, ляпнула я и тут же прикусила язык.

Улыбка сползла с лица девочки.

— Прости, — сказала я, — очень бестактно с моей стороны так говорить.

— Мы всего один раз с ней гулять ходили, — вдруг зло заявила Ляля. — И она меня обманула! Знаете, что такое быть ребенком звезды? Кем ваши предки работали?

Я решила исправить допущенную глупость, поэтому быстро ответила:

— Похвастаться мне нечем, они были обычными людьми.

— Повезло вам, — буркнула Ляля. — А тут придешь в школу и начинается! Одноклассники издеваются, мыльной принцессой обзывают...

Я слушала девочку с сочувствием. Да, нелегко приходилось дочке актрисы. Не только школьники, но даже учителя ее «доставали». Преподаватель физики, например, постоянно говорил Ляле:

— Звонарева, если не будешь стараться, судьба тебе, как и матери, в дрянных кинолентах сниматься.

Директриса, правда, была поклонницей актрисы, но с ней еще хуже получилось. Как-то она вызвала к себе Лялю и попросила:

— Хорошо бы твоя мама к нам пришла. Устроим встречу с известной арти́сткой, педагоги тоже автографы хотят получить.

Но Фазиль запретил Эдите идти в школу, объяснив:

— Если одну такую просьбу выполнишь, то и другие приглашать начнут. Придется людям отказывать, они обидятся, загудят: «Почему актриса нас презирает?» А так у тебя есть ответ: ты встречаешься с поклонниками только на мероприятиях большого масштаба — на кинофестивалях, премьерах.

И что вышло в результате? Бедной Ляле директриса на своих уроках литературы больше тройки не ставила. А насчет той прогулки Эдиты с дочкой в парке... Пару дней спустя после нее журнал «Замочная скважина» опубликовал большой фоторепортаж, среди подписей под снимками была и такая: «Эдита Звонарева любящая мать, каждую свободную минуту проводит с дочерью. Сегодня, специально загримировавшись, чтобы ее не узнали окружающие, звезда повела ребенка в парк».

Сейчас Ляля чуть не плакала, утверждая: это была ложь! Мама ее никуда не брала, говорила, что дочь неуклюжая, не умеет себя вести и ей надо многому научиться, прежде чем в свет выходить.

А поход в парк Фазиль придумал, чтобы зрители актрису еще сильнее любили. Пиар-акция! Лялю не предупредили, потому что боялись, вдруг она зажмется и не сумеет на камеру сработать. Получится фальшиво, народ не поверит... Вот!

Глава 12

— А где сейчас драгоценности Эдиты? — Я быстро перевела беседу в иное русло.

— Мама не очень любила украшения, — ответила Ляля, — их у нее немного было.

— Наверное, ты ошибаешься, — не согласилась я. — Эдита Звонарева довольно часто появлялась на фото в глянцевых журналах в бриллиантовом колье, ее пальцы были унизаны массивными кольцами.

— Ну вы наивная! Их же напрокат берут! — с явным превосходством произнесла Ляля. — Вы договариваетесь с фирмой, и она предоставляет вам брюлики на выход или для фотосессии. Да и платья тоже были не свои.

Я заморгала, а девочка, усмехнувшись, продолжала:

— Мама квартиру купила, ремонт сделала, мебель приобрела, две машины, загородный дом построила. Веня в частную гимназию ходит, еще у нас были домработница и шофер. Думаете, актрисам, даже таким популярным, как мамочка, много платят?

— Не знаю, — честно призналась я.

Ляля понизила голос:

— Они все врут! Рассекают на шикарных автомобилях, но их либо любовники подарили, либо салон для рекламы предоставил. Снимется звезда для журнала в красном спортивном «Феррари», вот люди и считают, что тачка ее. Или сфотографируют артистку в шикарном доме, а на самом деле она в комнатенке живет. Знаете, что Фазиль маме говорил? «Звезда обязана звездить, блестеть и капризничать. Всегда распускай о себе только выгодные слухи, сообщай о богатстве, популярности, влюбленных мужиках. Очень скоро источник информации забудется, а сплетня останется».

Я решила задать прямой вопрос:

— Был ли у твоей мамы перстень в виде симпатичного мишки с золотой головой, глазами-бриллиантами и телом, покрытым голубой эмалью и алмазной крошкой?

Ляля пожала плечами, буркнув:

— Не помню.

Однако странно, задумалась я. Сама я непременно обратила бы внимание на такое украшение, приди моей матери в голову купить себе столь оригинальную вещь. Ладно, попробую зайти с другой стороны.

— Скажи, Зоя Владимировна не упрекала Зину в воровстве?

Девочка замотала головой.

— Нет. Но Зинка могла чего-нибудь украсть.

— Ты уверена? Веня говорил совсем обратное, — поразилась я.

— «Веня говорил...» — скривилась Ляля. — Ну цирк прямо! Они с Зиной вечно в карты играли, скорешились насмерть, друг друга покрывали. Если хотите знать, мама рассеянная была, косметику часто теряла, платки, сумки, перчатки. А Зинка этим пользовалась. Сколько раз мамочка в ванную зайдет и кричит: «Куда помада задевалась? Вчера только новую купила!» Так вот, один раз я в сумку домработницы заглянула... она всегда с безразмерным мешком таскалась... а там пудреница и духи дорогие, мамины, полбатона колбасы и глянцевый журнал. Зинка натырила все это себе!

— Ты сказала бабушке о находке?

— Нет, — повела плечом Ляля.

Хм, чем дольше я беседовала с девочкой, тем более странной она мне казалась.

— Почему же ты не побежала к Зое Владимировне? — сам собой напросился вопрос.

— А зачем? — равнодушно ответила Ляля.

Я опешила, но быстро нашла нужные слова:

— Плохо, если в доме завелся вор.

Ляля вздернула подбородок.

— Еще хуже, если тебя изводят постоянными замечаниями. Зинка ко мне не привязывалась, вела себя совсем не так, как Рита, прежняя наша домработница. Вот от той мне выть хотелось! Я считаю так: нанялась поломойкой, вот и мой полы молча. Но нет, Ритка постоянно меня шпыняла. Могла, например, без спроса в мою комнату войти, по спине меня треснуть и заорать: «Выпрямись, а то горб вырастет!» Мне даже домой идти не хотелось! Тока через порог переступишь и начинается: «Руки помыла?»; «Переоденься и причешись»; «Уроки делают в тишине, выключи музыку»... Она за мной следила, как за врагом. Ухожу на английский, орет: «Время семнадцать десять, на дорогу тебе двадцать минут, если в полшестого от преподавателя не позвонишь, я сообщу в милицию. Кругом педофилы!»

— Вероятно, Рита тебя любила, — вздохнула я, — вот и переборщила с заботой.

— Она была дура! — с подростковой непримиримостью заявила девочка. — Представьте, даже в школу таскалась, у классной про мою успеваемость узнавала! С бабушкой она сильно дружила и постоянно на меня ябедничала. А Зине я по барабану была. Зачем на нее стучать?

— Действительно, — кивнула я, — пока Зиночка с Веней в дурака сражались, Ляля была свободна.

— Верно, — согласилась школьница, — очень удобно. Я не отказываюсь учиться, хожу на дополнительные занятия, стараюсь. Но когда за тобой шпионят, это унизительно! Вот!

Я заинтересовалась:

— Почему же Рита уволилась?

— Фиг ее знает! — скорчила гримасу Ляля. Но я решила во что бы то ни стало узнать о Маргарите побольше.

— Давно она от вас ушла?

Ляля начала накручивать на палец прядь своих блестящих волос.

— Ну, кажется, чуть больше двух лет прошло.

Я, сама не понимая почему, почуяла интерес к прежней работнице Звонаревых и продолжила расспросы:

— Знаешь ее фамилию?

— Ща вспомню. Какая-то собачья, очень смешная... А вам зачем? — заморгала девочка.

— Видишь ли, я не обычная домработница, — вырвалось у меня помимо воли.

— А какая? — В глазах у Ляли зажглось любопытство.

— Я не могу долго служить на одном месте, надоедает, — начала я выкручиваться.

— Понимаю, — сочувственно пробормотала Ляля.

— Привожу в порядок квартиру, отдраиваю ее до блеска, а потом ухожу. Процесс уборки может занять пару месяцев, и я успеваю привязаться к хозяевам, поэтому всегда рекомендую им вместо себя отличного специалиста. А еще непременно беседую с тем, кто у хозяев до меня работал, это помогает...

Слова иссякли. Для чего новой домработнице нужно поболтать с той, которая давно ушла, я придумать не успела, но Ляля кивнула.

— Сейчас скажу координаты Риты. Бабушка телефоны в простую книжку записывает, технике не доверяет. Пошли на кухню...

Покопавшись в куче барахла на столешнице, девочка издала торжествующий клич:

— Вау, нашла книжку! Где-то тут, должно быть, на последней странице... Ага... записывайте, Маргарита Эрдель...

Я не смогла сдержать улыбку, вот вам и собачья фамилия. У моей свекрови когда-то жил довольно агрессивный эрдельтерьер... На секунду сердце сжалось, оно всегда екает при мысли об Этти и о том, что случилось в тот год, кода я познакомилась с Гри[1]. Но теперь я уже не прежняя недотепа Таня, угрюмая личность, страдающая комплексом не-

---

[1] Подробно об этом читайте в книге Дарьи Донцовой «Старуха Кристи — отдыхает!», издательство «Эксмо».

полноценности, — жизнь с Гри и работа у Чеслава сделали меня другим человеком. Поэтому, отогнав в сторону грустное воспоминание, я поблагодарила Лялю и попросила:

— Заодно дай мне и мобильный Зои Владимировны.

— У нее его нет, — ухмыльнулась внучка ученой дамы.

— То есть как? — не поверила я.

— Бабушка с прогрессом не дружит, — веселился подросток. — Мама ей пару раз покупала аппараты, но без толку. Бабуся их вечно теряла, забывала ставить на зарядку, эсэмэски ни отправлять, ни получать не научилась!

— И как связаться с Зоей Владимировной, если она мне срочно понадобится? — спросила я, ощущая в ухе страшное шевеление.

— На работу ей позвонить, — спокойно ответила Ляля, — могу номер дать. А чего вы морщитесь?

— Похоже, опять отит начинается, — призналась я.

— Ой, бедненькая... — от души пожалела меня девочка. — Идите срочно к врачу, больница через дорогу.

Я вспомнила Андрея Петровича, медсестру, равнодушную и неторопливую докторшу в тапках и быстро сказала:

— Ни за что!

— Около метро работает платный медцентр, — сказала Ляля. — Наплюйте на работу и дуйте туда. Я вас не выдам.

— Спасибо, — поблагодарила я девочку и протянула ей руку: — Давай дружить? В нужный момент я тоже тебя выручу.

Тоненькие холодные пальчики осторожно сжали мою ладонь.

— Хорошо, — голос Ляли посерьезнел, — договорились!

Царапанье в ухе становилось все сильнее. Спеша к метро, я набрала домашний телефон Риты Эрдель, но трубку снимать не спешили, вероятно, женщина была на работе. Решив соединиться с ней вечером, я бодро дошла до небольшого здания, о котором говорила Ляля, и увидела на нем вывеску «Медцентр «Кони». Ухо-нос-гинекология». Сочетание специальностей показалось мне странным, еще более неожиданно выглядело название центра — «Кони». Какое отношение лошади имеют к отоларингологам и гинекологам? Вероятно, нужно поискать другую поликлинику. Но тут в ухе щелкнуло, голова резко заболела, и ноги помимо моей поли внесли меня в просторный холл, обставленный с претензией на шик.

— Здравствуйте, проходите, пожалуйста, — запищала блондинка на рецепшен.

Я покосилась на белый мраморный пол и, тщательно вытерев ноги, приблизилась к красавице.

— Чем могу вам помочь? — заискрилась дружелюбием девушка.

— У меня очень болит ухо, — пожаловалась я.

— Номер своей карточки помните? — деловито осведомилась она.

На моем лице непроизвольно возникла заискивающая улыбка, в голосе появились просительные нотки.

— Я первый раз пришла.

— Договор заключали? — не успокаивалась сотрудница центра.

— Нет, — приуныла я. Похоже, мне тут не помогут, я не являюсь постоянным клиентом, не вносила предварительную плату, таких посетителей положено гнать вон.

— Ничего! — воскликнула красотка. — Оплатите визит через нашу кассу. Вам повезло, сегодня принимает Олеся Ефимовна — замечательный врач! Профессор! У нее огромный опыт! Пятьдесят лет работы с ушами! Любой отит при виде доктора Кондратьевой исчезает! Ступайте в пятый кабинет.

— Огромное спасибо, — поблагодарила я администратора, которая изо всех сил пыталась подбодрить больную, и отошла от рецепшен.

— Надеюсь, вам у нас понравится и вы будете ходить сюда каждый день! — бросила мне вдогонку блондинка.

Меньше всего на свете я хотела бы таскаться по врачам. Симпатичная девушка, похоже, не отличается большим умом, раз пожелала пациентке протоптать дорожку в клинику. Надеюсь, пресловутый специалист по ушам Олеся Ефимовна более сообразительна.

Когда я вошла в кабинет, отоларинголог заполняла какие-то бумажки. Услышав скрип двери, она подняла голову и спросила:

— Вы ко мне?

— Да, — ответила я, сразу почувствовав искреннее расположение к милой старушке.

Олеся Ефимовна очень напоминала доброго педиатра Анну Сергеевну, приходившую к маленькой Танечке Сергеевой из районной поликлиники. На сидевшей за столом старушке был простой, хлопчатобумажный, накрахмаленный до хруста белый халат, на макушке красовалась такая же шапочка, из-под которой выглядывали седые кудри, лоб охватывала темная полоска пластика, к ней прикреплялось круглое зеркальце с небольшой дырочкой посередине — обычная принадлежность врача-отоларинголога. Вдобавок в кабинете приятно пахло кофе и какой-то выпечкой. Весь мой страх улетучился без следа.

— Да, — повторила я, — к вам.

Олеся Ефимовна моргнула, вытянула шею и пропела:

— Вы ко мне?

— Да, — удивилась я. И добавила: — Очень ухо болит.

— Оченухо? — переспросила старуха. — Я отоларинголог, лечу горлышко, носик и ушки. А с инфекцией надо идти в восьмой кабинет, там вам непременно помогут. Попьете антибиотики и забудете о напасти.

Я замерла. Потом сообразила, что Олеся Ефимовна слегка глуховата. Увы, врачи совсем не застрахованы от недугов и часто болеют тем, от чего успешно лечат своих пациентов. У эндокринологов случаются неполадки со щитовидкой, у хирургов воспаляется аппендикс, а у доктора Кондратьевой, по всей видимости, ослаб слух. Но это вовсе не умаляет ее достоинств как специалиста. Опыт, как говорится, не пропьешь. Блондинка с рецепшен дала Олесе Ефимовне замечательную характеристику. Такой доктор за пару секунд разберется с ерундовым отитом. Я решила повторить попытку. Откашлялась и добавила децибел в голос:

— Ухо болит.

— Ясно, голубчик, — остановила меня бабуля, — потому вы и кричите. Садитесь! Наверное, без шапки ходите?

— Не люблю головные уборы, — честно призналась я.

— Половые заборы? — вскинула брови Олеся Ефимовна. — Мы сейчас об ушках говорим. Наверное, без шапки ходите?

— Хожу, — изменила я форму ответа.

— Мажу? — прищурилась Кондратьева. — Непременно помажем, капнем, уколем, но сначала посмотрим. Сядьте и расслабьтесь. Где наше большое ушко?

Я ткнула пальцем:

— Там.

— Ну, не надо бояться, — запела Кондратьева, — вы же мужчина!

Я подскочила на стуле, доктор выронила нечто, похожее на небольшую железную воронку, и испуганно воскликнула:

— Я сделала вам больно?

— Нет. Но я женщина! Сергеева Татьяна.

— Что, дружочек? — прищурилась врач. Мне пришлось повторить:

— Я женщина.

— Хотите попробовать настойку женьшеня? Знаете, я против китайских штучек, на Руси есть свои тонизирующие средства. Мы давно уже живем не в десятом веке, придуманы современные лекарства, не следует по старинке жевать корешки, — высказалась Кондратьева.

Я вежливо подождала, пока докторша завершит тираду, и заорала:

— Меня зовут Таня.

— Баня? Действительно, в соседнем доме работает сауна, — тут же отреагировала Кондратьева. — Однако не надо париться с больными ушками. Тепло необходимо, но местное, в виде компресса.

Я продолжала вопить без всякой надежды быть услышанной.

— Я женщина! Не знаю, нужно ли отоларингологу знать пол пациента, но вдруг мужские уши лечатся по-другому?

Олеся Ефимовна схватила лежавшие на столе очки и, устраивая их на носу, забубнила:

— Не волнуйтесь, мы решим любые сложности. Деточка! Вы женщина!!!

— Слава богу, — выдохнула я, — наконец-то.

— Вам к гинекологу, — вдруг безапелляционно заявила Кондратьева.

— С ушами? — не выдержала я и тут же рассердилась на себя за глупое поведение.

— С мужьями? Их у вас много? — растерянно переспросила врач. — Думаю, к акушеру лучше идти одной. И супруг, как правило, бывает лишь один. Хотя не мое дело в чужую жизнь вмешиваться.

Я схватила со стола листок бумаги и написала: «Болит ухо!»

Кондратьева прочитала записку и кивнула.

— У вас? Давайте посмотрим. Садитесь и не бойтесь, больно не будет. Ну те-с... да... о... о... ага...

ну... отлично! У вас воспаление среднего уха. И я наблюдаю странные куски зеленой субстанции.

Я уже поняла, как лучше всего общаться с глуховатой профессоршей, и нацарапала новое предложение: «Это растение, у него зеленые листья».

Ольга Ефимовна схватилась за сердце.

— Детонька! У вас в ушах растет кустарник? Но это невозможно! Нонсенс!

«Положила внутрь лист от герани. Народное средство от отита», — составила я новое послание.

Кондратьева нахмурилась.

— Пещерный век. Неандертальцы, и те более разумно поступали. Еще налейте в ушки керосин... Деточка, выписываю вам жидкость Боровкова. Будете ею утром и вечером протирать больной орган. Она свободно продается во всех аптеках. Дешевое, но крайне эффективное средство. Далее. Паста Дробышева. Чуть-чуть выдавливаете на ватку и вставляете в ушко. Немного неприятно пахнет, но ради скорейшего выздоровления придется потерпеть. Теперь таблетки. Красный битоцит. Новейшая разработка, организм на ее применение дает замечательную реакцию. Утром и вечером после еды, в течение десяти дней. На ночь можно сделать компресс. Через день почувствуете облегчение, но лечение не бросайте. Вам понятно? И больше не запихивайте в ушки всякую гадость! Держите счет, оплатите в кассе. Носите шапку! Не стиляжничайте!

Я осторожно посмотрела на сумму и приятно удивилась. Всего сто пятьдесят рублей! Совсем недорого, учитывая опыт и квалификацию Олеси Ефимовны.

Глава 13

Возле кассирши, немолодой женщины с усталым лицом, стоял старичок со слегка растерянным видом.

— Что, за все платить надо? — недоуменно вопрошал он. — У меня же полис.

— Дедушка, — ответила служащая, — у нас коммерческое заведение. Бесплатно обслуживает районная поликлиника.

— Там, милая, врача по желудку нет, — вздохнул старичок. — Сосед посоветовал к вам заглянуть, но про то, что здесь деньги отдавать придется, он не предупредил. Кстати, я ветеран труда, мне скидка положена?

Кассирша тяжело вздохнула.

— Дайте взгляну, чего вам там насчитали.

Дедуля протянул пачку квитанций и с надеждой уставился на женщину.

— Как тебя, милая, зовут? — решил он подольститься к тетке.

— Светлана, — ответила хозяйка кассы.

— Леонид Ильич, — представился пенсионер.

Светлана кивнула.

— Очень хорошо. Здесь у вас анализ крови.

— Сдавал в кабинете, — подтвердил Леонид Ильич. — Совсем не больно, и сестричка хорошенькая!

Кассирша улыбнулась.

— У Марины рука легкая. Так, «узи»...

— Что? — испугался дедушка.

Света вздохнула.

— Вам утюгом живот гладили?

— Верно, — обрадовался Леонид Ильич, — сначала липким вымазали, а потом чем-то по пузу елозили. Ты хорошо видишь?

— На глаза не жалуюсь, — нараспев ответила Света.

— Доченька, глянь, чего там доктор нашкрябал, — попросил Леонид Ильич, протягивая кассирше бумажку, — разобрать не могу. Он мне целый ворох писулек надавал. Я сначала испугался, но врач успокоил, дескать, состояние естественное, погодите, скоро само пройдет. Велел через две недели прийти.

— Попробую разобрать, — пообещала Светлана и уставилась в текст.

Старичок повернулся ко мне.

— Такой хороший врач! По животу аппаратом водил и приговаривал: полный порядок, поздравляю. Я ему пожаловался, мол, болит внутри, а он заулыбался: не переживайте, все хорошо закончится, ваше состояние не болезнь. Меня сразу и отпустило!

— Беременность восемь недель, — вслух прочитала Светлана и ойкнула.

— Что, милая? — не понял старичок.

— Беременность восемь недель, — оторопело повторила кассирша. Еще раз посмотрела в листок: — Развитие плода нормальное, патологий не замечено, сердцебиение четкое.

— Ох, хорошо! — чуть не запрыгал от радости дедуля. — Значит, все у меня нормально! Здорово мне ваш утюг помог, чуть пузо погладили, и боль ушла. Ну спасибо! Жаль только, что платить придется. Слышь, дочка, меня врач с утюгом потом в другой кабинет отправил. Там женщина мне давление померила, на весах взвесила и лекарство выписала. Раз уж ты хорошо видишь, можешь прочитать, чего мне в аптеке просить? Держи-ка рецепт.

Светлана, продолжая растерянно моргать, взяла бланк и озвучила текст:

— Минералы и микроэлементы для будущей матери, с содержанием фолиевой кислоты.

— Мудрено как, — поежился Леонид Ильич, — я не запомню!

Светлана потрясла головой.

— Дедушка, купите витамины. Просто скажите провизору: «Дайте обычный комплекс».

— Спасибо, — повеселел старичок. — Раз доктор только пилюльки прописал, выходит, я здоров. И сколько там рубчиков?

— Ничего платить не надо, — лучезарно улыбнулась Света, быстро пряча заключение специалиста в ящик стола. — Вам, как ветерану труда, в первый визит стопроцентная скидка.

— Правда? — обрадовался дед. — Ну уважила! Спасибо, доченька!

Кассирша задумчиво посмотрела на старичка. Затем предложила:

— Леонид Ильич, приходите завтра, к одиннадцати утра.

— Зачем? — насторожился пенсионер.

— Вас профессор примет. Абсолютно даром! Обратитесь ко мне, я отведу вас в нужный кабинет.

— Дай тебе бог жениха хорошего! — чуть не прослезился Леонид Ильич и поспешил на выход.

— И часто к вам приходят беременные дедушки? — не удержалась я от ехидного замечания, вытаскивая кошелек.

Кассирша покраснела.

— Всякий ошибиться может. Осмотр проводил Александр Григорьевич, он после болезни вышел, еще не оправился. А рецепт Евгения Львовна выписала, она всего-то медсестра, что врач велит, то и делает.

— Ясненько, — кивнула я, получила чек и двинулась в аптеку.

Услышав слова «жидкость Боровкова», «паста Дробышева» и «красный битоцит» молоденькая провизор сдвинула к переносице выщипанные брови и заявила:

— У нас такого нет.

— Может, проверите по компьютеру? — предложила я. — Сомневаюсь, что фармацевт способен запомнить весь ассортимент лекарств.

Девушка недовольно поморщилась, но взяла мышку.

— Ваших лекарств не обнаружено! — с торжеством повторила она спустя пару минут.

— Врач утверждала, что эти средства не дефицитные, — расстроилась я, — пообещала, что они меня мигом от боли в ухе избавят.

На личике провизорши появилось выражение сочувствия.

— Сама недавно отитом мучилась! Хотите, по

общей базе пробегусь, уточню, в какой из аптек эти средства есть?

— Буду вам очень благодарна, — обрадовалась я.

Но через короткое время мое хорошее настроение испарилось без следа.

— Москва подобным не торгует, — подытожила фармацевт. — В Питере поискать?

— Навряд ли я туда за медикаментами поеду, — пригорюнилась я.

Девушка ткнула пальцем в селектор:

— Аня, ты слышала про жидкость Боровкова?

— Не, никогда, — прозвучало в ответ.

— А про пасту Дробышева и красный битоцит?

— Вера, сто раз тебе говорила: если рецепт неразборчивый, возьми из пятого ящика упаковку таблеток валерьяны, отдай покупателю, и пусть уходит, — прокрякало из пластиковой коробочки.

Я заморгала. Однако отличный совет! Большинство докторов обладает ужасным почерком, который сложно понять даже провизору. Я помню старый анекдот: «В аптеку устраивается на службу новенькая. Заведующая, объясняя сотруднице ее обязанности, говорит:

— Слева у нас таблетки лежат, справа микстуры стоят.

— А что налито вон в ту большую бутыль? — интересуется девушка.

— Из нее мы даем лекарство тому, кто принес плохо читаемый рецепт, — ответила начальница».

И вот сейчас выясняется: этот анекдот — правда. Я в аптеке, где больному человеку, увидев каракули в рецепте, продают валерьянку. Конечно, никому плохо от экстракта всем известного растения

не станет, но оно не поможет при некоторых болячках.

Вера быстро выключила переговорное устройство и попыталась исправить положение:

— Аня у нас шутница, вечно прикалывается, ей
за это уже влетало. Подождите, сейчас Олимпиаду
Тихоновну позову. Заведующая все знает!

Провизор шмыгнула в служебное помещение, я
начала разглядывать витрины. И тут стукнула вход-
ная дверь, в аптеку вбежала молодая женщина.

— Есть здесь кто? — бесцеремонно заорала она,
отпихивая меня в сторону.

— Слушаю, — сказала Вера, появляясь за прилавком.

— Дайте детское лекарство от гриппа, — нервно
потребовала дама.

— Сироп? Таблетки? — спросила Вера.

— Пластыри, — закричала покупательница, —
для младенца.

Получив яркую коробочку, взвинченная мамаша унеслась.

— Лекарство можно наклеить? — удивилась я.

— Ну да, — кивнула девушка, — очень удобная,
относительно новая разработка. Заставьте-ка малыша пилюлю проглотить! Сироп тоже многие дети выплевывают. А так приклеишь полоску, и никаких проблем. И для стариков хорошо, они ведь
капризничают порой хуже младенцев.

— Кто просил жидкость Боровкова, пасту Дробышева и красный битоцит? — спросила пожилая
дама в белом халате, выплывая из глубины аптеки.

Я подняла руку.

— Вы? — не сдержала удивления Олимпиада

Тихоновна. — Я полагала, с этим столетняя бабушка обратилась.

— Почему? — напряглась я.

— Жидкость снята с производства в сороковые годы прошлого века, красный битоцит запрещен в пятидесятые, у него обнаружили массу побочных действий, — отчеканила заведующая. Затем добавила: — А про пасту Дробышева ничего не скажу. Сейчас посмотрела справочники, в томе, который в тысяча девятьсот двадцать девятом году вышел, мазь упоминается как очень устаревшая.

— Спасибо, — ошалело ответила я. — И что мне теперь делать?

Олимпиада Тихоновна скрестила руки на груди.

— Для начала обратитесь к профессиональному отоларингологу, не слушайте соседок. Когда врач выпишет рецепт, купите необходимые лекарства. Все.

Не успела я моргнуть, как дама уплыла в свой кабинет.

— Болит? — проявила сострадание Вера. — У меня тоже ужасно щелкало! У вас раньше отит бывал?

— В детстве, — угрюмо ответила я, — и в юности регулярно. Но потом это прекратилось, я думала, навсегда от него избавилась, а сейчас в ухе словно кто-то лапами с железными когтями водит.

Вера опасливо оглянулась и зашептала:

— Слушай, я лечилась у хорошего врача, он посоветовал суперсредство — ушной канат.

— Что? — вытаращила я глаза.

Вера взяла с полки прямоугольную коробочку.

— Держи. Инструкция внутри, ничего сложного, сразу легче делается. Уж поверь: я на себе испытала, и стоит недорого.

— Давай, — обрадовалась я.

— Не волнуйся, непременно поможет, — пообещала Вера, пробивая чек. — Вечером придешь домой и начинай лечиться.

Войдя в вагон метро, я привалилась к двери и, вернувшись мыслями к полученному заданию, попыталась рассуждать здраво. Почему Чеслав уверен, что Эдиту убили? Впрочем, раз начальник так сказал, значит, эта информация верна. Вот только все остальное не ясно. Из-за чего Звонареву лишили жизни? Причин может быть масса: актриса помешала кому-то делать карьеру, отбила мужа у законной жены, знала чужую тайну, опостылела своему любовнику. Однако хорошее поручение дал мне Чеслав! Не знаю, чем занимаются остальные, но мне всегда достается самый «сладкий» кусочек. Пойди туда, не знаю куда, принеси то, не знаю что.

Я вытащила телефон и вызвала Коробкова.

— Агентство экстремальных услуг, вы наш тысячный клиент, говорите, — не замедлил с хохмами Димон.

Но мне совершенно не хотелось поддерживать беседу в предложенном тоне, я была настроена по-деловому:

— Можешь поискать в Интернете информацию на Эдиту Звонареву?

— Очень трудная задача, — заныл хакер, — ведь придется лезть в комп, бегать там между файлами, распихивать людей, которые тоже торопятся к окошку справочной системы.

— Знаю, что ты справедливо считаешь меня

компьютерной дебилкой, но пользоваться Яндексом и Рамблером я умею, — остановила я Димона.

— О великая! Зачем тогда тебе недостойный слуга?

— Я в метро, а ты нарой мне сплетни, — приказала я. — Любые скандалы, связанные с Дитой: любовные и служебные, драки в ресторане, недопонимание с журналистами, выяснение отношений на съемочной площадке...

— Разрешите исполнять? — гаркнул Коробков. — Застоялся без работы! От скуки траву во дворе покрасил!

У компьютерщика талант втягивать собеседника в кретинский диалог, и я не удержалась от замечания:

— На улице март, кругом грязь и холод, махать кистью ты мог лишь у забора.

— Вау! Кисть? А я, дурак, зубную щетку использовал! — весьма натурально ахнул Коробок.

— Хватит! Начинай работать, — потеряла я терпение.

— Травка зеленеет, солнышко блестит, ласточка с весною в сени к нам летит, Танечка бледнеет, Диму торопи́т, — пропел Коробков. — Эх, во поле береза стояла!

Я сунула сотовый в сумку. Временами наш компьютерный гений бывает невыносим. Ладно, пока он роется в биографии Звонаревой, я схожу в ювелирный магазин, узнаю, сколько стоит кольцо и покупала ли его Эдита. Может, и обнаружу тоненькую ниточку. Конечно, надежда призрачная, но я просто не знаю, куда еще ткнуться. Фазиль отдыхает в теплых краях, вернется через две недели.

А бывшая домработница Рита не подходит к телефону. Остается надеяться на то, что рано или поздно я доберусь до нее и узнаю нечто интересное. По словам Ляли, Маргарита очень ответственный и внимательный человек, она может быть в курсе многих хозяйских секретов.

Не успела я выйти из метро, как зазвенел мобильный.

— Бежишь в бутик «Айрон Наша»? — прочирикала Марта.

— Ты прикрепила ко мне видеокамеру? — съязвила я.

Карц издала протяжный вздох.

— Кажется, Таня терпеть меня не может.

— Абсолютная неправда! — попыталась я оправдаться.

— Значит, любишь? — протянула Карц.

— Отношусь к тебе самым наилучшим образом, — покривила я душой.

— Нет, скажи конкретно: люблю!

— Глупости, — я стала злиться. — Зачем звонишь?

— Хотела предупредить, — зашептала Карц, — что в «Айрон Наша» есть управляющий по имени Роман. Так вот, не вздумай перед ним клиентку разыгрывать. У Ромы не глаз, а калькулятор, в уно моменто подсчитает, сколько твое тряпье стоит. Чмоки, заинька! Успеха тебе в выполнении трудного задания, и помни: я страдаю, ощущая нелюбовь. Надеюсь, ты не ревнуешь ко мне Гри? Чеслав отправляет нас вдвоем в Харьков.

— Удачного полета, — процедила я сквозь зубы

и тут же переключилась на звонок, который поступил по второй линии.

Это оказался Гри, тоже с сообщением о командировке. Услышав от мужа ласковые слова, я успокоилась и после окончания разговора побежала в модный бутик в чудесном настроении. Марта на редкость противная особа, но мне стало понятно: Карц просто завидует чужому семейному счастью. Хоть дочурка олигарха и меняет регулярно любовников, тасуя их как карты, несмотря на денежные горы, у нее нет мужа. Ни точеная фигура, ни роскошные шмотки, ни эксклюзивные драгоценности не помогли Марте встретить того, кто предложил бы ей руку и сердце. Согласна: я толстая, некрасивая, с немодной сумкой, но у меня есть Гри, лучший муж на свете.

Мне неожиданно стало жаль Марту. Да уж, счастье даже за миллиарды не купишь. Пусть Карц и дальше говорит мне засахаренные гадости, теперь я не буду обращать ни малейшего внимания на ее моральные оплеухи, светская львица отпускает их, страдая комплексом вечной невесты!

В больном ухе снова возникла царапающая боль, я невольно вскрикнула и, тряся головой, вошла в пафосный магазин.

Глава 14

Уж не знаю, умели ли продавщицы бутика оценивать одежду посетителей, но, даже подсчитав стоимость моего пальто и обуви, они проявили невероятную любезность.

— Добро пожаловать! — заулыбалась одна. — Вам помочь?

— Кофейку? — захлопотала другая. — Или чаю? Зеленого?

— Огромное спасибо, — смутилась я, — пришла просто посоветоваться, сегодня покупку не планирую.

— Рады вам помочь, — хором ответили милые девушки.

— Ваша фирма делает перстни в виде мишек? — я сразу взяла быка за рога. — Глаза у зверя из бриллиантов, тельце покрыто эмалью.

— Обратите внимание на витрину, — предложила более полная продавщица.

Я подошла к стеклянному шкафу и едва сдержала крик радости: вот он!

Дверь магазина открылась, вошла дама в шикарной шубе, и вторая девушка бросилась к ней. Мы с толстушкой остались вдвоем.

— Замечательная вещь, — заученно произнесла менеджер, — вечная классика. Себе хотите или в подарок?

Я покосилась на бейджик, приколотый к шелковому платью собеседницы, и ощутила прилив вдохновения.

— Понимаете, Тамара, мне никогда не доводилось покупать ювелирные изделия. Я работаю прислугой, получаю скромный оклад, одна воспитываю дочь. Девочка увидела на пальце актрисы Эдиты Звонаревой похожий перстень и потеряла покой. Я ей сдуру пообещала: «Закончишь год на одни пятерки — получишь кольцо». Представляете, дочурка отличницей стала!

— М-да, — хмыкнула Тамара, — опрометчивое обещание. Знаете, сколько такое удовольствие стоит?

— Нет, я как раз и пришла это выяснить. Но мне нужно кольцо точь-в-точь, как у Эдиты. Вы регистрируете покупки? Можете посмотреть, что приобрела звезда? Я не хочу ошибиться.

— Подобные украшения недороги, — сказала девушка, — их охотно берут не только випы. Я обслуживала Звонареву, она всегда просила меня ей помочь, и я отлично помню, что Эдита выбрала вот этот вариант.

Пальчик Тамары указал на то самое изделие, покрытое голубой эмалью.

— Здорово, — обрадовалась я. — Оно продается?

— Конечно.

— И сколько стоит? Вы упомянули, что вещь не эксклюзивная. Значит, я смогу колечко купить?

Тамара нежно провела ладонью по стеклу, стряхивая отсутствующую пыль.

— Недорого для тех, кто сюда заглядывает, — наконец произнесла она. — Цена колечка сто тридцать тысяч рублей.

— Ой! — подскочила я. — А в кредит можно?

— Боюсь, что нет, — деликатно ответила девушка. — Простите, такая услуга не предусмотрена. Единственное, что может вам помочь, так это знание ценовой политики «Айрон Наша». Фирма корректирует стоимость товара раз в году, в январе, а потом ценники не меняет. Попробуйте накопить. Если откладывать в месяц по десять тысяч рублей, то за год наберете всю сумму.

Я уже успела получить необходимую информацию, Эдита приобрела в бутике колечко, а потом оно оказалось в тайнике у Валентины, значит, Зина украла перстень. Вот только пока я не понимаю, как нечистая на руку домработница связана со смертью Диты. И почему мать прислуги пыталась шантажировать Звонаревых. Ворвавшись в квартиру, Валентина вопила: «Заплатите мне за смерть дочери! Я сохранила мишку!» или что-то в таком роде.

Получается полнейшая белиберда. Если Зина стащила украшение, то Валентине следовало держать язык за зубами, а она во всеуслышание кричала про кольцо и, кажется, абсолютно не сомневалась, что Зоя Владимировна должна испугаться. И, похоже, профессор действительно занервничала, едва Ляля позвонила бабушке, та незамедлительно примчалась с работы. Ох, похоже, мать Звонаревой что-то знает! Или она встревожилась за внучку, к которой прорвалась сумасшедшая...

— Вы меня слышите? — спросила Тамара.

— Да, конечно, — вынырнула я из размышлений. — Спасибо за совет, но у меня зарплата двенадцать тысяч в месяц, тут не до накоплений. Выходит, останется моя девочка без колечка. До свидания.

— Всего вам доброго, — кивнула Тамара.

Я вышла из ЦУМа и на всякий случай накинула на голову капюшон, больное ухо лучше держать в тепле. До метро вроде близко, но ветер совсем не весенний. Пока я старательно утеплялась, в кармане запрыгал мобильный, пришлось возвратиться в магазин и беседовать у эскалатора в торговом зале.

— Докладываю! — гаркнул Димон. — Эдита Звонарева ангел.

— В смысле? — спросила я.

— С крыльями, — добавил Коробков. — В Интернете никого не щадят, народу плевать на статус и регалии. Особенно изощряются журналисты — пообщаются со знаменитостью и давай правду-матку резать. Ну вот, например, некая «Люта» пишет в блоге: «Общалась с телеведущей Катей Бреко. На экране она вся такая, блин, гламурная, прическа, макияж, шмотки... Думала, звездулина салатом из орхидей питается. Договорились на интервью в кафе. Место она сама выбирала, пафоснее только Кремль. Бреко пришла с грязной головой, в кофте с разрезом до пупка, заказала виски, свиную котлету с жареной картошкой и с веселым матерком дала стандартные ответы на мои вопросы. Под конец — сюрприз! Бреко пошла в туалет и не вернулась, звездный счет пришлось оплачивать мне».

— Мило, — улыбнулась я.

— Обо всех дерьма навалом, а об Эдите только хорошее. Воспитанна, пальцы не растопыривает, звезду из себя не зажигает, никогда не опаздывает, терпеливо позирует фотографам. Хорошо говорит.

Общий вывод: актриса она никакая, но в «мыле» смотрится приятно, человек замечательный. В любовных связях не замечена, снимаясь в четырех картинах одновременно, трудно крутить романы, элементарно времени не хватит. Отличная мать, воспитывает, кроме родной дочери, еще и малолетнего племянника. Никакой вульгарности в одежде, наряды элегантные, без трусов ее папарацци не подлавливали. Не пьет, не курит, не ширяется, не жадная. Что еще? О смерти Эдиты все искренне жалели.

— Действительно, ангел, — согласилась я. — Ну и зачем такую убивать? Чеслав не мог ошибиться?

— Нет, — отрезал Димон. — Итак, актриса выглядит незабудкой с безупречной репутацией. Никаких черных пятен, фанаты захлебываются от восторга, в особенности сейчас. Популярность Диты взлетела в космос.

— Почему?

— Так фильм вышел, полнометражный, по всей Москве реклама висит, — напомнил мне хакер. — Фазиль нарубит тройную прибыль, кино побегут смотреть даже те, кто при упоминании имени Эдиты рожу корчил. Смерть актрисы, исполнившей главную роль, взвинчивает рейтинг.

— Сомневаюсь, что продюсер приказал уничтожить свой кошелек, — вздохнула я. — Соблазнительно получить супербарыш, но от живой Диты Фазилю было больше пользы.

— Теперь о «Короле Маре». Выяснилась интересная деталь, — перебил меня Димон.

На мое плечо легла чья-то рука, я вздрогнула, обернулась и увидела Тамару из бутика «Айрон Наша».

— Не хотела вас напугать, простите, — прошептала девушка. — Хочу вам кое-что подсказать.

Я кивнула и бросила Коробкову:

— Перезвоню позднее, сейчас занята.

— Постарайся не забыть, — велел Димон. — Ты, похоже, бежишь не в ту сторону!

Тамара спокойно подождала, пока я положу мобильник в сумку, и продолжила:

— Сама не могу ничего из нашего ассортимента купить, зарплата не позволяет. В некоторых салонах хозяева идут работникам навстречу, делают большие скидки, но у «Айрон Наша» иная позиция: «Наши изделия носят только богатые и знаменитые».

— Я не принадлежу ни к одной из перечисленных вами категорий, — поддержала я беседу.

Тамара засунула руку в карман платья и вынула браслет с мишками.

— Вам разрешают выносить товар из бутика? — поразилась я.

— Конечно нет, — вздохнула Тома, — но украшение мое.

— Вы сумели накопить?

— Оно стоило триста долларов, — заговорщицки подмигнула менеджер.

— Фирма решила наступить на горло собственным принципам и устроила благотворительную распродажу? — улыбнулась я.

— Ха! Это подделка, — призналась Тамара.

— Можно посмотреть?

— Пожалуйста, — кивнула Тамара. — У меня тоже мама есть, она меня обожает, на все готова ради дочери. Попроси я у нее кольцо, да еще начни за него отлично учиться... Короче, я знаю парня, который такой перстень за двести баксов сработает. Конечно, для вас и это сумма, но ведь не сто тридцать тысяч рубликов.

— На первый взгляд он смотрится родным, — промямлила я, вертя браслет.

— На второй тоже, — отбирая у меня украшение, заявила Тамара. — Влад дотошный, он ничего не упустит. Записывайте телефон парня, скажете, наводку Ларионова дала...

Чтобы не обижать продавщицу, решившую помочь посторонней женщине, я старательно занесла не нужный мне номер в свой мобильный и стала преувеличенно жарко благодарить Тамару.

— Да ладно вам, — отмахнулась та, — не сомневайтесь, Влад превосходно работает. Он студент, в институте учится, а ювелиркой на жизнь зарабатывает. Звонареву я тоже к нему отправляла.

— Зачем? — изумилась я.

Тамара вытащила из нагрудного кармана зеркальце, поправила волосы и переспросила:

— Зачем? Эдита сильно от остальных випов отличалась, она нормальным человеком оказалась. Выхожу я один раз с работы, дождь льет как из ведра, зонтика нет... Прикрыла голову пластиковым пакетом и пошлепала по лужам. Удовольствия — море. Полные туфли грязи начерпала! Вдруг слышу голос: «Тома, бегите сюда!» Гляжу, Звонарева в машине сидит, дверь приоткрыла, мне машет. И до самого дома добросила, чаю мне из термоса налила. Люди из золотой сотни вообще-то так себя не ведут. А дней через десять после того случая она в наш бутик пришла и стала мишку разглядывать. Понимаете?

— Вы дали ей телефон Влада, — догадалась я. — Зачем тратить безумные деньги на то, что можно получить во много раз дешевле?

Тамара прижала палец к губам.

— Тсс... Это секрет! Я вам ничего не говорила! Но перед началом кинофестиваля Эдита приехала в бутик договариваться о прокате колье, и я поняла, что у них с Владом все замечательно сложилось — на пальце у нее был перстень с мишкой, а на груди брошь, которую тоже Влад сделал.

— Еще один вариант «Айрон Наша»?

Девушка опустила взгляд.

— Нет! Влад, когда влюбляется, всегда броши своей пассии дарит. Утром кофе в постель приносит, а на подносе, кроме тостов и чашки, еще и подарок.

— А вы откуда знаете?

Тамара грустно улыбнулась.

— Сами догадайтесь... Мы давно разбежались, но остались хорошими друзьями. Влад с бывшими пассиями не ссорится, наоборот, им помогает.

— Постойте! — подскочила я. — Если у Звонаревой появилась брошь, значит...

— Думайте, что хотите, — опомнилась Тамара, — я сплетни не разношу.

Не успела девушка уйти, как я схватила телефон и набрала номер ювелира. Послышалась тихая музыка, затем мягкий баритон произнес:

— Вы позвонили Владу Ткаченко. Сейчас, к сожалению, я не могу ответить на ваш звонок, оставьте сообщение после гудка. Непременно соединюсь с вами в свободное время.

— Здравствуйте, Влад, — зачастила я, — обратиться к вам мне посоветовала Тамара Ларионова, менеджер бутика «Айрон Наша». Мне очень хочется встретиться с таким талантливым ювелиром, как вы. Сообщаю свои координаты...

Я еще раз звякнула Рите, но бывшей домработницы, кажется, снова не было дома. Отсчитав пятнадцатый гудок, я хотела отсоединиться и вдруг услышала хриплое:

— Алло!

— Позовите Риту, — обрадовалась я.

Из трубки долетел треск, и воцарилась тишина.

— Можно Риту? — повторила я.

— Какую? — наконец-то соизволили ответить на том конце провода.

Пришлось уточнить:

— Маргариту Эрдель.

— Кто ее спрашивает? — донеслось сквозь помехи.

— Подруга, — коротко ответила я.

— Хорошая? — неожиданно спросила собеседница.

Я растерялась:

— Простите?

— Вы ее близкая знакомая? — видоизменила свой вопрос незнакомка.

— Не особо, мы давно не общались, — солгала я и тряхнула головой, потому что в ухе опять зацарапала колючими лапами боль.

— Померла Ритка, — бесстрастно сообщила незнакомка.

— Совсем? — от неожиданности выпалила я.

— Да, — чихнула собеседница, — а квартира мне досталась, я ее сестра.

— Вот беда... — не успокаивалась я. — Давно несчастье случилось?

— Больше двух лет прошло.

— Рита вроде не пожилая была, — попыталась я продолжить беседу.

— Сорок шесть стукнуло, — выдохнули из трубки. Мне стало не по себе.

— Что же с ней случилось?

— Отравилась, — коротко буркнула женщина. Беспокойство усилилось.

— Она покончила с собой?

— С чего вы взяли? — наконец проявила хоть какую-то эмоцию тетка. — Ритка от хозяйки пришла, и ей вдруг плохо стало. Сказала, что съела шпроты, которые у Звонаревой в холодильнике открытые стояли. Сначала сестра вспотела, затем посинела и дышать перестала. Может, ее и спасли бы, да «Скорая» полтора часа по пробкам добиралась. Была Ритка, и нету. Она очень шпроты любила, могла две банки зараз слопать.

— Вы точно помните, что Рита накануне смерти приходила к Эдите Звонаревой? — уточнила я.

— Она у нее работала, — сказала незнакомка.

— Вы не ошибаетесь? — настаивала я.

— Чего вам надо? Рита умерла. Давно, — разозлилась собеседница.

— Извините за навязчивость, — опомнилась я, — вот только... э...

— Ну?

— Рита просила ей сообщить, если я о хорошем

месте узнаю. Вот я и позвонила сегодня, у нас на службе образовалась вакансия, — наконец нашлась я.

— Ритка? Просила? Да быть того не может! — удивилась тетка.

— Почему? Актриса ее уволила, — напомнила я.

— Глупости! Ритка ее фанаткой была, просто мечтала у Звонаревой полы мыть. За небольшую зарплату ломалась, главное, чтоб с Эдитой рядом быть. Никто ее не выгонял, наоборот, и бабка, и актриса ее любили. Когда Рита померла, они гроб шикарный купили, похороны оплатили, поминки устроили, мне денег дали, три оклада Риткиных отвалили. Хорошие люди, от таких не уходят. А о каком месте вы говорите? — вдруг проявила любопытство незнакомка.

— В троллейбусном парке требуются водители, — ляпнула я.

— Ну, это не по мне. Больше не звоните, с Риткой все равно поговорить не удастся! — рявкнула собеседница, и раздались короткие гудки.

Я накинула капюшон и, вздрагивая от порывов пронизывающего ледяного ветра, пошла к метро. Есть хотелось до колик в желудке. За весь день мне не удалось пообедать, а сейчас уже время ужина. Может, купить шаурму? Ноги бойко понесли меня к палатке, но я огромным усилием воли заставила себя остановиться. Нет! Лепешка с мясом слишком калорийна! Да и приготовлена из продуктов пятой свежести, еще заполучу кишечную палочку... Лучше зайти в кафе и заказать что-нибудь диетическое.

Слава богу, теперь никаких проблем с ресторанами в Москве нет, я свернула в переулок и наткнулась на маленькое и вполне уютное заведение. В зале стояло всего четыре столика, и один, на мое счастье, оказался свободен.

— Принесите чаю, — распорядилась я, — черный, без сахара, с лимоном. И посоветуйте легкое блюдо, желательно овощное.

— Пирог из тыквы, — без колебаний предложил официант, — вкусный очень, сам три месяца подряд по четыре куска ем.

Я внимательно оглядела тощую фигуру парня, по виду он весит чуть больше аквариумной черепашки. Если он, неделями потребляя выпечку, ухитрился остаться похожим на скелет в обмороке, то мне такая еда подходит.

— Несите, — кивнула я и уставилась в большое незанавешенное окно.

Никогда не понимала людей, которые, имея возможность выбрать столик, усаживаются перекусить перед гигантским стеклом. Неужели приятно лопать на глазах у голодных прохожих и созерцать грязный тротуар и поток машин? По-моему, лучше устроиться в укромном уголке!

— Ваш заказ, — объявил официант и водрузил на стол тарелку, чайник, высокую кружку и блюдечко с дольками лимона.

Тыквенный пирог подозрительно напоминал чизкейк, только на коричневой корочке, покрывавшей пышную белую массу, лежала не клубника, не засахаренная вишня, а ломтик оранжевого цвета. Я отломила кусочек, засунула ложку в рот и пришла в восторг, необыкновенно вкусно! Не успел желудок насладиться малой толикой еды, как у меня проснулась совесть и во всю мощь заголосила: «Остановись! Сейчас слопаешь двухдневную норму калорий. Немедленно попроси унести десерт и закажи салат «Цезарь» без сухариков и заправки». Несколько секунд желудок и совесть сражались друг с другом. Угадайте, кто победил? Затоптанная совесть уползла в свою нору. В конце концов, для нормального функционирования мозга нужен сахар, и врачи не советуют совсем отказываться от жиров. Я сейчас занимаюсь не обжорством, а забочусь о своем здоровье, без которого и речи быть не может об успешном исполнении служебных обязанностей.

Глава 15

Можете смеяться сколько угодно, но после того, как тарелка опустела, я обрела бодрость и способность рассуждать логически.

Итак, Рита Эрдель отравилась шпротами. Почему же Ляля соврала мне, будто домработница уволилась по собственному желанию? Или девочка не лгала, а просто не знала правду? Может, бабушка с мамой не захотели пугать ребенка — на момент трагедии Ляле было чуть меньше тринадцати лет, вот они и не стали говорить ей о случившемся. Ляля не любила слишком внимательную и придирчивую Риту, которая постоянно следила за ней, поэтому никаких отрицательных эмоций из-за ее исчезновения из дома не испытала. К радости девочки, Зина оказалась другой, новая прислуга самозабвенно играла с Веней в дурака, а Ляля была предоставлена самой себе.

Однако прослеживается неприятная закономерность: и Рита, и Зина умерли. Совпадение? Первая отравилась шпротами, вторая скончалась от воспаления легких. Вроде обе смерти совершенно тривиальны. Любые открытые консервы быстро портятся, початую банку не следует хранить несколько дней даже в холодильнике. Но, учитывая безалаберность Зои Владимировны и ее, мягко говоря, пренебрежение к порядку, вполне возможно, что вкусные рыбки в масле тосковали в холодильнике более недели. А Зина просто запустила болезнь, кашляла, температурила, надеялась перенести недуг на ногах, вот и заработала отек легких. Все объяснимо. Но скажите мне, каковы шансы, что две домработницы, служившие в одной семье, умрут? Десять из ста? Навряд ли больше. А теперь добавим сюда еще и неожиданную смерть хозяйки. Чем больше я думаю об этой ситуации, тем яснее понимаю: Чеслав прав, кончина Эдиты только на первый взгляд выглядит случайной.

Я проглотила последний кусочек десерта, с тоской посмотрела на пустую тарелку и услышала недовольный писк мобильного. Номер, высветившийся на дисплее, был мне незнаком, голос я тоже слышала впервые.

— Госпожа Сергеева? — спросил чуть хрипловатый баритон. — Вы мне звонили, я Влад Ткаченко.

— Очень рада, — обрадовалась я. — Тамара сказала, что вы принимаете заказы.

— В принципе да, — подтвердил ювелир.

— Мне нужно колечко. Красивое! В виде мишки — голова золотая, тело покрыто эмалью.

— «Айрон Наша»? — уточнил Влад.

Я активировала весь свой актерский талант:

— Верно! Здорово, что вы догадались. Могу зайти в бутик, снять изделие на мобильный и принести вам изображение.

Ткаченко пару раз кашлянул, явно пытаясь замаскировать рвущийся наружу смех.

— Не надо, у меня есть каталог.

Я продолжала играть роль идиотки.

— Ой! Шикарно! Можно приехать? Мне очень срочно нужно! Прямо позарез!

— Метро «Кузнецкий мост» знаете? — спросил мужчина.

— Ну конечно, я коренная москвичка.

Влад принялся объяснять дорогу:

— Встаньте лицом ко входу, по левую руку увидите двухэтажный серый дом. Обогните здание справа, перед вами окажется железная лестница, которая ведет наверх. Поднимитесь, позвоните в дверь и скажите в домофон: «Я в восемнадцатую». Ясно?

— В общем, да, но лучше дайте почтовый адрес, — потребовала я.

Ткаченко хмыкнул.

— Он вас только запутает: дом шесть, строение четыре, корпус восемь «а». Проищете месяц! Идите как объяснил. Если запутаетесь — звоните. Когда вас ждать?

— Я нахожусь в ста метрах от этой станции метро, пью кофе в маленькой забегаловке, — призналась я.

В голосе собеседника прозвучало удивление:

— На углу? В сером доме с колоннами?

— Точно, — удивилась я, — вы прямо экстрасенс!

— Супер, жду, — обрадовался Ткаченко.

Принято считать, что самые диковинные дома находятся в Питере, но и в Москве порой встречаются здания-лабиринты. Железную лестницу я обнаружила быстро и, позвонив в домофон, сказала, как велел ювелир:

— В восемнадцатую.

Замок щелкнул, я потянула дверь на себя, ожидая увидеть холл и лифтершу, но перед глазами возник узкий, длинный, полутемный коридор. Стены его были цвета испуганного баклажана, пол покрывал древний рассохшийся паркет, никаких окон не было и в помине, с потолка на витых шнурах свисали голые электролампочки, покрытые толстым слоем пыли. Я шагала и шагала, не понимая, куда иду.

В конце концов, впереди послышались голоса, я обрадовалась и прибавила скорости. Коридор уткнулся в большую кухню. На веревках, протянутых над тремя газовыми плитами, покачивалось белье, одна стена была занята холодильниками. В центре помещения громоздился стол, за ним сидели четыре мужика зверского вида: громадные, бритоголовые, в майках-алкоголичках, с руками, покрытыми наколками. Компания азартно резалась в «Монополию».

— Здрасте, — пискнула я.

— Че? — спросил один из игроков.

Я осмелела и задала вопрос:

— Где здесь восемнадцатая квартира?

— Дверь открой, — меланхолично сказал мужик.

Я повела глазами по стенам, увидела обшарпанную, некогда выкрашенную в коричневый цвет створку, подошла к ней, дернула за ручку и обнаружила ванную комнату, в которой легко могла принимать душ одновременно семья носорогов.

Решив, что игрок плохо расслышал мои слова, я повторила попытку:

— Подскажите дорогу в восемнадцатую квартиру.

— Вниз ступай, куда лестница ведет, — прозвучало в ответ.

— Там ванная! — возразила я.

— Дверь толкни, — флегматично посоветовал другой дядька.

— Какую? — не поняла я. — Она здесь одна, и за ней санузел.

— Ну ядрена-матрена! — разозлился третий «монополист». — Обойди ванную по периметру и найдешь. Вот пристала!

Я воспользовалась его советом и наткнулась-таки на дверь, практически слившуюся со стеной. За ней скрывалась крутая лестница, по которой я спустилась в новый коридор, но на сей раз по его сторонам увидела двери.

— Долго искали? — крикнули из комнаты, когда я вошла в нужную квартиру.

— Интересное архитектурное решение, — ответила я, — чтобы пройти к жилым комнатам, нужно пересечь ванную. А если там кто-то моется?

— Занавеска есть, — пояснил голос, — задернешь, и ничего не видно. Повесьте пальто, идите сюда.

Я устроила верхнюю одежду на гвозде, торчавшем из стены. Затем, щурясь от яркого света, дошла до стола и увидела мужчину, который склонился над маленьким верстачком.

— Здравствуйте, — произнесла я.

— Привет, — отозвался хозяин и обернулся.

У меня екнуло в груди — Ткаченко очень напоминал Гри. Если мой муж отпустит небольшую бородку и усы, сходство станет пугающим.

— Значит, «Айрон Наша»? — сразу приступил к делу Влад. — Вот каталог, покажите нужное.

Я протянула было руку, но увидела на столе фотографию в простой деревянной рамке и воскликнула:

— Ой! Эдита!

— Кто? — изобразил неведение Ткаченко.

— Звонарева, актриса.

— Ошибаетесь, — отрезал ювелир.

— Вовсе нет! Обожаю фильмы с ее участием, поэтому сразу Диту узнала! Она ваша родственница? — бестактно спросила я.

— Нет, — помедлив, ответил Влад.

— Вы ее фанат? Потому и держите снимок возле своего рабочего места? — бесцеремонно лезла я к нему с вопросами.

— Это моя сестра Лена, — нашелся Ткаченко. — Вы правы, ее часто путают со Звонаревой.

Я заохала:

— Надо же, просто копия! Ну и ну!

Влад нахмурился.

— Бывает.

— Одно лицо! — упорно нажимала я на болевую точку. — Буквально двойник! Может, вы не знаете о всех своих родственниках? Вероятно, генеалогическая ветвь ведет к Звонаревым?

— Вы пришли заказать кольцо или обсуждать мои семейные снимки? — не выдержал Влад. — Пролистайте каталог.

— Не надо. Я уже выбрала.

— Что?

Я указала на фотокарточку.

— Хочу такую же брошь. Изумительной красоты вещь!

Ткаченко засвистел.

— Ну, сделаете? — поторопила его я.

— Нет, — почти грубо отшил меня мастер.

Но я не обидчива, поэтому мирно спросила:

— Почему?

— Броши я не тиражирую, каждая уникальна, ее владелица знает, что имеет эксклюзив, — опомнился Влад.

— Замечательно, — пропела я, — с удовольствием закажу свой вариант.

— Нет, — снова отказал ювелир.

— Почему? — Я капризно оттопырила губу. — Тома говорила, что вы можете выполнить любой заказ!

Влад кивнул:

— Да. Хотите «Айрон Наша» — получите.

— Мне нужна брошь! — топнула я ногой.

— Нет, — уперся Ткаченко.

Далее наш диалог пошел по кругу. Я настаивала, а ювелир отказывался.

— Я хорошо заплачу!

— Нет.

— Давно мечтала о такой!

— Нет.

— Послушайте, это же смешно!

— Нет, — односложно твердил Влад.

— Какая вам разница, что мастерить? — упорствовала я.

— Или делайте заказ, или уходите, — заявил золотых дел мастер.

Но он явно недооценил упрямство посетитель-
ницы, тупо повторявшей:

— Хочу брошку! Любую, на ваш вкус.

— Нет!

— А если я сама придумаю дизайн?

— Нет.

В конце концов, я устала и воскликнула:

— Господи! Вот уж странность!

Ткаченко вынул сигареты и заявил:

— Я делаю все, кроме нагрудных украшений.

Я перевела дух и начала с новыми силами:

— Почему?

— Потому! — рявкнул ювелир. — Я так хочу!
Точка!

— Боитесь, что не получится? — ехидно прищурилась я.

Влад расхохотался.

— У меня?

И тут мое терпение лопнуло.

— Давайте угадаю, по какой причине вы отка-
зываетесь работать над моим заказом...

Ткаченко, продолжая смеяться, спросил:

— Да ну? Может, я просто боюсь своими неlov-
кими лапами испортить дорогой исходный материал.

— Нет, вы очень талантливы, — вздохнула я, —
мишка с голубой эмалью, сделанный для Эдиты,
смотрится лучше, чем оригинал. А броши вы раз-
даете только своим любовницам.

Влад замер.

— И сестры у вас нет, — продолжала я. — Вы
Влад Ткаченко, тридцати лет, приехали в Москву в
семнадцатилетнем возрасте, поступали в Строга-

новское училище, не прошли по конкурсу, работали в подручных у ювелира, потом открыли собственную практику. В желанном институте оказались лишь три года назад. Ну зачем вам диплом? И так отлично делаете украшения. Родителей не имеете, близких родственников тоже. Комната в этом доме досталась вам от жены, Карины Чеховой. Она была старше вас, на момент заключения брака ей исполнилось сорок пять, жениху двадцать. Однако счастье длилось недолго, художница Чехова употребляла наркотики и скончалась от сердечного приступа через год после начала семейной жизни. Муж унаследовал ее жилплощадь, стал москвичом с постоянной регистрацией.

Ткаченко сломал незакуренную сигарету.

— Вы кто? Какого черта сюда приперлись?

— Фу, как грубо! — не одобрила я ювелира. — Вдруг я и впрямь решила мишку заказать? Вы лишитесь клиентки.

— Брехня! — обозлился Ткаченко. — Валите отсюда!

— Я начинаю в вас разочаровываться, — покачала я головой. — Как неприятно осознавать, что благообразная внешность скрывает недостойное содержание. Ладно, давайте начистоту. Меня зовут Татьяна Сергеева, я занимаюсь убийством Эдиты Звонаревой, вот мое служебное удостоверение. Вы ведь близко знали актрису, так?

Влад явно растерялся.

— Только не надо врать, — предостерегла я. — Думаю, события развивались так. Дита заказала у вас мишку, и между вами и клиенткой вспыхнул роман. Похоже, вам нравятся дамы в возрасте.

Правда, Эдита была моложе Карины Чеховой, но Звонарева тоже умерла. Любопытная закономерность! В нашей группе работает один специалист, он может нарыть о человеке любую информацию, и, пока я сидела в кафе, коллега за пару минут добыл сведения о вас, но глубоко пока не копал. Могу дать ему команду переворошить вашу биографию, разобрать ее по косточкам, и вполне вероятно, что в ней обнаружится еще парочка-тройка ушедших на тот свет дам сердца. Это вы убили Диту?

— С ума сошла? — устало откликнулся ювелир. — Я ее любил.

Если хочешь, чтобы человек потерял душевное равновесие, наступи ему на больную мозоль, и узнаешь много интересного. Я протянула:

— Парень девушку любил, парень девушку убил. Чехову вы тоже обожали?

Ткаченко стукнул кулаком по столу и заорал:

— Вот и прикажите своему спецу залезть в документы! Узнаете такое! — Чуть успокоившись, парень сообщил: — У Карины был СПИД. Она давно сидела на игле, заболела, и ей требовался человек, готовый ухаживать за ней.

— Стакан воды подать? — уточнила я.

— Не фига ерничать! Именно так все и было! Видели, как от СПИДа умирают? — снова взвился хозяин.

— Слава богу, нет, — призналась я.

— Тогда молчите! Карина боялась больницы, не хотела очутиться в общей палате. Родственники от нее давно отреклись. А я здесь комнату снимал, — неожиданно тихо заговорил ювелир. — Мы заключили договор: я за Чеховой присматриваю, не отдаю ее в клинику, Карина умирает дома, в привычной обстановке, затем я устраиваю ей достойные похороны, памятник ставлю. За это получаю ее жилплощадь. Не элитная квартира, но лучшая мне не светила. Чтобы не возиться с кучей документов, мы расписались, муж — наследник жены, независимо от того, сколько времени брак длился. Я Карину не убивал. Что за бред вам в голову пришел!

— А что обещала вам Эдита? С ней вы какой договор заключили? — с упорством терьера наскакивала я на собеседника.

Влад поперхнулся дымом.

— Я ее любил! Очень! И хотел жениться! Но Дита... да вы не поймете... И потом, почему вы говорите об убийстве? Эдя умерла от воспаления легких. Она простудилась и не лечилась как следует, я просил ее сходить к врачу, но из-за постоянных съемок у нее не было времени. Знаете, как я проклинаю себя за то, что не настоял, не отвез ее к хорошему специалисту? Ей за пару недель до кончины очень плохо стало. Дита страшно похудела, побледнела, у нее ногти ломались, пришлось даже наращивание делать, волосы потускнели... И она так кашляла! Наконец она согласилась отправиться к медикам: «Наверное, и правда надо проконсультироваться. Я постоянно потею, и ноги от слабости дрожат. Вот через десять дней закончится съемочный период, мне дадут неделю отпуска, тогда и займусь своим здоровьем».

Но она не успела, умерла. Как только вам в голову пришло, что я мог навредить Эди? Она была святая! Несчастная, запутавшаяся, в глубокой депрессии! Я ее любил и пытался помочь. Сколько времени после похорон Эдиты прошло, а я все не могу успокоиться...

Влад с размаху раздавил окурок в пепельнице. Я посмотрела на его трясущиеся пальцы и сказала:

— Открылись новые обстоятельства, которые позволяют сделать вывод, что Эдиту убили. А учитывая ваше описание ее состояния: быстрая утомляемость, синюшность кожи, проблема с ногтями и волосами, — думаю, Звонареву отравили.

Глава 16

Ткаченко сорвался с кресла.

— Кто?

— Это я и хочу узнать, — ответила я. — И пока получается, что кроме вас некому.

Влад потряс головой.

— Бредятина! Мы хотели пожениться. Мечтали уехать в маленький город за границей, жить тихо. Дита устала от славы. Я даже начал подыскивать квартиру в Венгрии.

— Почему там? — удивилась я.

Влад сел на диван.

— Мой отец венгр, я хорошо владею языком, имею в Будапеште приятелей. Но Дита не хотела жить в столице, и я нашел дом на озере Балатон. Только она все не решалась сделать последний шаг.

Сам собой напросился вопрос:

— Она вас не любила?

Ткаченко обхватил руками одну из диванных подушек и прижал ее к себе.

— Редко удается встретить человека, который совпадает с тобой по всем параметрам, а мы с Эдей были идеальной парой. Она пришла сюда как заказчица — попросила сделать мишку, и я вдруг понял: отпустить эту женщину не смогу. Но и она не захотела со мной расставаться. Понимаю, в такое трудно поверить, я сам раньше посмеивался, когда про любовь с первого взгляда слышал... И все же она существует!

— Долго длился ваш роман? — поинтересовалась я.

Ткаченко сдвинул брови.

— Почти три года.

Я пристально посмотрела на ювелира:

— Приличный срок!

— Для меня, как один день, — тихо сказал он.

Я подошла к дивану и села около Влада.

— Помогите мне, пожалуйста.

— Как? — тоскливо спросил ювелир.

Мне почему-то захотелось погладить его по голове.

— Вы же хорошо знали Диту?

— Казалось, что между нами нет секретов, но...

Ткаченко замолчал, не завершив фразу. Тогда продолжила я:

— Эдита была замечательной женщиной. Отличная дочь, безупречная мать... Правда, Ляля немного в обиде на маму, но у нее это подростковое. Практически всем старшеклассникам кажется, что родители не уделяют им внимания и не занимаются их проблемами. Диту нельзя ни с какой стороны упрекнуть, у нее не было врагов, даже журналисты не лили на нее грязь, только клевали за участие в сериалах. Но, вот уж странность, у нее не было и друзей. Ни Зоя Владимировна, ни Ляля не смогли назвать ни одной женщины, с которой Эдита, допустим, пошла бы по магазинам. И гости к ней не приходили. Но ведь кто-то же ее убил! Кто по-вашему? Кому могла досадить всеобщая любимица? Ею восхищались даже в Интернете...

Влад отшвырнул подушку.

— У Диты не было свободного времени, мы с ней в основном разговаривали по телефону, по ночам. Днем Эдита работала. Вам трудно представить, какую жизнь она вела!

— Многие звезды ходят на тусовки с любовниками. Почему вы нигде вместе не появлялись? — запоздало удивилась я.

Влад поморщился.

— Вот уж увольте... Таскаться за известной женщиной в качестве приложения? Отвратительно! Я не жиголо, который хочет сделать светскую карьеру. Кстати, тут наши желания совпадали: ни я, ни она не хотели огласки.

— Эдита вас стыдилась? Стеснялась бедности и неизвестности кавалера? — предположила я.

Ткаченко включил стоявший на подоконнике чайник.

— По всему видно: вы совершенно ее не знали. Дите было наплевать на статус человека.

— И тем не менее она не соглашалась выставлять любимого на всеобщее обозрение, — настаивала я.

Ткаченко встал.

— Хорошо, слушайте... Эдита большую часть жизни была нищей. Она играла в затрапезном театре и не надеялась пробиться. Дита не боец, не умела выгрызать из режиссера роли, подсиживать сопереиц и яростно драться за место под солнцем. Слишком интеллигентная, тихая, даже застенчивая, с таким характером за кулисами делать нечего.

Но, в конце концов, ей повезло — судьба подарила встречу с Фазилем.

Эдита всю жизнь кого-то слушалась. Сначала авторитарную мать, а потом ею стал руководить Каримов. Продюсер вывел актрису в звезды, отшлифовал ее имидж и приказал играть написанную им роль: замечательная женщина, заботливая дочь, ласковая мать, думающая лишь о своей семье и зрителях. Почитайте ее интервью. На вопрос, почему Дита никогда не отдыхает, снимается без перерыва, она отвечала: «Мои поклонники привыкли каждый вечер смотреть сериалы. Я помогаю людям расслабиться. Разве можно лишать человека отдыха? Если я буду проводить время в праздности, телезрители не получат любимый фильм».

И как отреагировала бы публика, узнав, что безупречная Дита завела любовника?

Влад на минуту замолчал, снова закурил и продолжил:

— На постсоветском пространстве Эдита — редкая звезда с безупречной репутацией, именно на правильно созданном имидже базировался успех ее кинолент. Простая российская женщина видит Диту и моментально проникается к ней симпатией, думает: «Боже, она такая же, как я! Невезучая в семейной жизни, любит маму, детей, мы очень похожи». Фазиль гениальный пиарщик! Он четко понял, что зритель хочет именно такой образ, и слепил его. Народ сыт скандалами, историями про наркоманов с алкоголиками и про бабенок, вечно меняющих мужиков. После острого его потянуло на сладкое. Семейные ценности, вот что сейчас стало модным. Но чужое безмятежное счастье раздражает. У Диты хорошие дети, причем один приемный, слава, деньги, а теперь прибавьте еще и молодого любовника или, что еще хуже, законного мужа. Такая счастливица будет уже вызывать не всеобщую любовь, а черную зависть. «Повезло ей, все-то у нее есть! А у меня денег до получки не хватает и мужика нет!» — вот что скажут зрительницы. Нет, Эдите полагалось иметь неустроенную личную жизнь и сообщать в интервью: «Увы, я не встретила своего единственного, но не теряю надежды его найти». Тогда замужние тетки воскликнут: «И денег полно у бабы, и в телевизоре светится, зато мужика нет. Я определенно счастливее, каждый вечер около своего Вани спать укладываюсь!» А те, кто одинок, тоже Дите не позавидуют, вздохнут: «Слава при ней, красота есть, но не везет, как и мне! Бедные мы, бедные, так трудно встретить свою любовь». Ясно?

— Да, — кивнула я. — Настоящая Эдита сильно отличалась от той, что раздавала интервью?

Влад взял чайник, налил в кружку кипяток, насыпал в него растворимый кофе и, не предложив мне напиток, сел у стола.

— Не очень, — ответил он, бросив в чашку пару кусков рафинада. — Иногда она впадала в отчаяние. В основном из-за денег. Эдите постоянно их не хватало, ее семья просто бездонная яма.

— Звонарева несколько лет держалась в списке российского «Форбс», среди пятидесяти наиболее богатых деятелей культуры, — напомнила я.

Влад отхлебнул кофе.

— Точно. Но у нее порой не было свободных средств на покупку колготок. Сначала она приобрела гигантскую квартиру. Это было еще до нашей встречи, но она мне рассказывала, что могла бы спокойно удовлетвориться трешкой в каком-нибудь Северном Кукуеве, обошлась бы жилплощадь в разы дешевле. А тут Китай-город — исторический центр, здание постройки начала двадцатого века, самый дорогой квадратный метр в России. И в ремонт пришлось крупно вложиться: там старые трубы, стены толстенные, потолки четыре метра, лепнина настоящая, а не фальшивка наклеенная.

— Почему же Дита пошла на столь дорогую покупку? — удивилась я.

Ткаченко добавил в кружку сахара.

— Хотела, чтобы Зоя Владимировна была довольна, а та мечтала из своего окна Кремль видеть.

Мне стало грустно, и я вздохнула:

— Ясно.

— Едва Дита хоромы отремонтировала и переехала туда жить с семьей, как пришлось покупать машины, себе и маме. Ну и понятное дело, не «Жигули» же брать, — фыркнул Ткаченко.

Я попыталась справиться с изумлением.

— Зоя Владимировна водит машину?

— Нет, ее возит шофер. И еще есть домработница, а ей надо платить. Кроме того, Дита поняла: в центре, особенно летом, дышать нечем, следовательно, надо обзаводиться дачей. И началась эпопея со стройкой. Когда мы познакомились, рабочие как раз возвели дом и приступили к отделке. Деньги текли сквозь пальцы, причем рекой, — Влад безнадежно махнул рукой и снова включил чайник.

— Я бы продала апартаменты в Китай-городе и устроила себе передышку, — вырвалось у меня.

— А жить где? — возразил собеседник. — В коробке из-под телевизора?

— Ну надо было попросить в долг у Фазиля и довести фазенду до ума. А потом, избавившись от квартиры, вернуть кредит, — изложила я свой план.

Влад усмехнулся.

— Фазиль! Он-то был заинтересован, чтобы Дита нуждалась в деньгах. Тогда она была бы вынуждена постоянно работать. Ведь принцип любого продюсера — выжать артиста как лимон и выбросить шкурку. Актер, любимый публикой, да еще послушный, неконфликтный, старательный, без вредных привычек, — это даже не бриллиант, а еще более редкий камень. Ощутив материальную стабильность, Дита могла расслабиться, закапризничать. А так: деньги, деньги, деньги! Квартиры в Китайгороде лишиться нельзя, там хочет жить Зоя Владимировна, старухе нужны машина, водитель, прислуга... Дети уедут в загородный дом, и им тоже потребуются автомобили, шоферы, няни... Дать вам калькулятор? Фазиль был счастлив. Он клал свою — немалую! — долю в карман и потирал руки, глядя, как Эдита тонет в финансовых проблемах...

Первая истерика у Диты случилась месяцев через пять после начала их романа с Ткаченко. Она ему позвонила около часу ночи и зарыдала в трубку:

— Владюша! Я сегодня уволила Риту, домработницу, и теперь возникла куча проблем. Необходимо найти новую прислугу, а это непросто. И еще Лялю надо устроить в дорогую школу. Опять деньги нужны! Придется влезать в еще один проект. Где взять время? Может, мне хватит три часа сна?

Ткаченко попытался успокоить любимую:

— Солнышко, давно открыты агентства по найму прислуги. Обратись туда и забудь о проблеме. Что же касается Ляли, то девочке необязательно посещать суперэлитное заведение, она ходит в приличную гимназию, пусть там и остается. Думай больше о себе.

Владу показалось, что он нашел правильные слова, но Дита слетела с катушек.

— Нет, нет, нет! — судорожно зашептала она. — У Ляли проблемы, и если их сейчас не решить, потом это аукнется. Господи, я обязана, должна... Нет, нет! Ты не понимаешь!

Ткаченко так и не сумел переубедить актрису. Эдита не стала слушать разумные аргументы Влада, поступила по-своему. В результате для Ляли было выбрано учебное заведение, которое находилось в подмосковном Красногорске. Каждый день ее к первому уроку отвозил туда шофер, а в девять часов вечера доставлял назад. Эдита оплачивала обучение, водителя, и ей, естественно, пришлось приобрести еще одну машину...

— Странно, — вклинилась я в рассказ Ткаченко, когда он опять стал готовить себе растворимый кофе, — мне отчего-то показалось, что Ляля учится в Москве.

— Теперь да, — подтвердил ювелир. — Девочка ездила в Красногорск всего год, а потом перестала.

— Почему? — удивилась я.

Ткаченко опустился на диван.

— Дита говорила о дочери только хорошее: умная, талантливая, душевно тонкая, чувствительная. Но иногда, случайно, из уст матери вырывалась правдивая информация. Я составил себе портрет Ляли: капризная, ленивая, ревнивая, требовательная. Она вечно упрекала мать в недостатке внимания. Дита переживала, заваливала дочь подарками, а та дула губу и ныла: «Меня никто не любит...» У Ляли проблемы с общением, ее не принимают сверстники, что для девочки, желающей стать звездой, трагично. Думаю, она отчаянно завидовала матери, ее славе и тому, что Эдиту все любили. Таким, как Ляля, перекушавшим пирожных, помогает только строгость, девочка никогда не слышала от мамы или бабушки слово «нет», любые ее желания исполнялись мгновенно! Наверное, Ляля устала ездить по пробкам, может, она не потянула программу элитного заведения. Оно называется «Гимназия Ландау», и там, вероятно, упор делается на математику и физику. Точной причины я не знаю. Дита лишь сказала: «Лялю отпустили из гимназии, она теперь пойдет в школу около дома, тоже платную». И я обрадовался: на одного шофера меньше станет, у Диты со спины камень свалится. Но она не почувствовала облегчения. Потому что Ляля потребовала для своей комнаты феерическую мебель, по спецзаказу, из Англии. Знаете, меня аж затошнило, когда я о цене узнал.

— Складывается впечатление, что Дита испытывала чувство вины перед родственниками, — пробормотала я.

— В точку! — кивнул Влад. — Я тогда не выдержал и сказал ей то же самое. Ужасный день получился!

— Когда? — насторожилась я.

Ткаченко подоткнул под спину подушку.

— Я понимал: Эдита — раба своей семьи, мать и дети сели ей на шею, свесили ножки и поехали. За две недели до смерти Диты я решил исправить ситуацию. Наверное, действовал глупо, но мне надоело встречаться урывками, всякий раз в гостиницах, где номера сдают по часам. Мы шифровались, как шпионы: Дита приходила в парике, надевала темные очки. Сюр какой-то, а не нормальная жизнь! Короче, я дошел до точки кипения и... позвонил Зое Владимировне.

Я закашлялась, а Влад продолжил рассказ...

Ткаченко сказал будущей теще простые слова:

— Я очень люблю Эдиту, готов заботиться о всех членах ее семьи, не нуждаюсь материально, мечтаю об общих детях. Когда я могу прийти в ваш дом с предложением руки и сердца? Дите необходимо отдохнуть, мы поженимся и уедем в трехмесячное путешествие.

Ученая дама отреагировала неожиданно.

— Идиот! — гаркнула она и бросила трубку.

Вечером Эдита соединилась с Владом и горько заплакала:

— Что ты наделал?!

— Честно изложил свои намерения, — ответил ювелир. — Мы ведь почти три года прячемся!

— Мама чуть не слегла с инфарктом, — стонала актриса.

— Странная реакция на сообщение о будущем счастье дочери, — не выдержал Влад.

— А Ляля сказала, что она не потерпит отчима.

И не желает иметь братьев и сестер от моего нового мужа, — пролепетала Эдита. — И еще: Фазиль затеял новый проект, он его раскручивает, как сериал о моей жизни, а там супруга нет.

Тут Ткаченко обозлился:

— Ясно! Ну и оставайся с теми, кто пользуется тобой как дойной коровой!

— Любимый, не сердись, — всхлипнула Эдита, — ты же обо мне ничего не знаешь.

— Достаточно, чтобы понять: актриса Звонарева — рабыня на чужих плантациях! — Влад потерял терпение.

— Я обязана, — пролепетала Дита.

— Кому? — повысил голос любовник.

— Маме и Фазилю... и Ляле, — с трудом произнесла она.

— А они тебе? — чуть сбавил тон ювелир.

— Ты же не знаешь, что мама для меня сделала, — слабо отбивалась Дита.

— Ладно, — пошел на попятную Влад, — она хоть тебя родила. А Ляля? Какое право имеет малолетняя мартышка указывать взрослому человеку, как тому строить свою жизнь?

— Господи, я так перед ней виновата... Ты ничего не знаешь... — зарыдала Эдита.

— Так расскажи! — потребовал Влад.

Неожиданно актриса взяла себя в руки и коротко сказала:

— Не могу.

— Или не хочешь? — уточнил Влад. — Лучше признайся честно.

— Не могу, — еле слышно повторила Дита. — Если правда вылезет наружу, мне не жить.

— Правда о Ляле? — попытался разобраться Влад.

После небольшого молчания Дита ответила:

— И о ней тоже. Страшно представить, что со мной будет.

В голосе Эдиты прозвучала такая тоска, что Влад перепугался и предложил:

— Давай встретимся, а? Прямо сейчас! Я нашел укромное местечко — гостиница «Зофья». Могу там быть через час.

— Ладно, — согласилась Дита, — нам надо многое обсудить.

Глава 17

Но откровенной беседы не получилось. В номере Дита безостановочно плакала, потом заявила:

— Я обманула маму: сказала ей, что ни с кем не заводила романа, будто ей позвонил шутник. Мама и Ляля успокоились. Пожалуйста, если не хочешь беды, больше не тревожь мою семью.

— «Мою семью...» — горько повторил ее слова Влад. — Похоже, наша семья тебе не нужна.

Эдя снова залилась слезами, повторяя:

— Ну подожди еще три-четыре года! Я накоплю приличную сумму, чтобы мои не нуждались, и мы уедем.

— Нет, — категорически отмел ее предложение ювелир, — хватит, я заслужил счастье с тобой. Сегодня же сообщи родственникам правду: мы женимся.

— Я боюсь, — прошептала Дита.

Ткаченко встряхнул любовницу.

— Прекрати! Ты звезда! А содержишь ораву нахлебников!

— Это дети и мама, — защищала родных Звонарева.

— Зоя Владимировна работает, ей хватит зарплаты, — напомнил Влад.

— Она у нее очень маленькая, — возразила Дита.

— Пусть по одежке протягивает ножки. Немногие живут в столь шикарных условиях и ездят на

«БМВ» с шофером! В метро тоже хорошо. И детям полезно поумерить аппетит! — заорал взбешенный Влад.

— Ты ничего не знаешь, — твердила Дита.

В таком ключе любовники беседовали около двух часов.

В конце концов, Дита вдруг сказала:

— Если мы уедем, я лишусь того, ради чего пошла на... Ты не сумеешь понять!

— А ты попробуй объяснить, — устало предложил Влад.

Эдя прижала руки к груди.

— Я мечтала быть актрисой, я хотела сниматься в кино, я спала и видела себя среди самых ярких звезд. Слава, восторг толпы, счастье. Ты не знаешь на что я пошла и как жила прежде. Ты про микробы слышал?

— Про что? — не понял ювелир.

Дита неожиданно улыбнулась.

— Микробы, возбудители болезней. Их очень много, чтобы избежать инфекций, человек придумал армию лекарств, но есть, образно говоря, микроб без комплексов, его бьют таблетками, уколами витамина, но без толку. Подобный микроб от испытаний делается неуязвимым. Вот я, чтобы стать актрисой, превратилась в такой микроб без комплексов. Но, очевидно, не растеряла совести. Я обязана помогать своим. Пойми: таково условие существования Диты Звоноревой, яркой суперзвезды.

И тут Влад решил изменить тактику.

— Ладно, — притворился он сдавшимся, — подожду еще пару лет.

— Спасибо, любимый! — бросилась ему на шею Дита. — Ты — мое единственное счастье.

Любовники спустились вниз, Ткаченко стал расплачиваться за номер. И в этот момент в холле появился пьяный мужик, которого под руку вела ярко накрашенная блондинка. Проходя мимо Эдиты, чужой кавалер пошатнулся и повалился на актрису. Блондинка не сумела удержать клиента, а Влад не успел подхватить Диту. Звонарева упала, с ее головы соскочил парик, с носа свалились очки. Пьяница шлепнулся рядом на колени, его стало тошнить прямо на парик. Блондинка, завизжав, убежала, администратор, полная, рыжеволосая женщина, вызвала охрану, двое парней утащили смутьяна.

Дита встала и попыталась прикрыть лицо руками.

— Хотите умыться? — спросила служащая. — Вы не переживайте, паричок отчистим и вернем.

— Не надо, — сказал Влад, — обойдемся.

Эдита чихнула и полезла в карман за платком, администратор увидела лицо гостьи и с изумлением воскликнула:

— Это ты!

Ткаченко ощутил безысходность. Ну вот! Звонареву узнали! Только статьи в «желтухе» под бойким названием «Страсть в отеле» не хватает для полной радости...

Дита ринулась к двери.

— Марина, стой! — закричала тетка. — Не бойся! Эй, Федькина, не убегай! Я давно поняла, чем ты занимаешься! Марина, я не причиню тебе вреда, не беспокойся! Я за тебя рада! Фу, дурочка...

Влад побежал за любовницей и обнаружил ее на проезжей части, Дита пыталась поймать машину.

Ювелир схватил Эдиту за плечи.

— С ума сошла? Ночью на частнике ездить! Садись в мою машину.

— Я без парика, — губами выговорила Дита, — меня могут узнать, как Лисичка в гостинице.

— Дежурная не поняла, что перед ней звезда, — сказал Влад, заталкивая дрожащую Эдиту в свой автомобиль, — она приняла тебя за какую-то Марину Федькину.

Дита уткнула лицо в колени и застонала.

— Как я устала... Все, больше не могу. Согласна, давай уедем...

— Наконец-то, — обрадовался Влад, — я закажу билеты.

— Хочу завтра улететь, — потребовала Эдя.

— Не получится, но дней через десять непременно. Куда хочешь? Выбирай, — засуетился Ткаченко. — У меня есть деньги.

— Нет, завтра, — с остановившимся взглядом твердила Эдита, — в любое место. Утром. В семь. Завтра. Завтра! Завтра!!!

— Но я не успею купить билеты, — растерялся Ткаченко, притормаживая у светофора. — Солнышко, не теряй голову, мы непременно...

— Все люди такие, — вдруг совершенно спокойно произнесла Дита, — обещают, а потом обманывают, и я остаюсь одна все расхлебывать. Прощай! Ты струсил!

Не успел Влад глазом моргнуть, как актриса пулей вылетела из иномарки и скрылась в ближайшем дворе.

Ткаченко быстро припарковал машину и пошел искать любовницу. Целый час он, забыв об осторожности, кричал на разные лады имя Звонаревой, но та словно под землю провалилась. Так и не найдя Диту, ювелир поехал домой. Настроение у него было гаже некуда.

На следующий день Влад безуспешно пытался соединиться с любимой, однако ее мобильный тупо твердил о недоступности абонента. В принципе в этом не было ничего особенного, Эдита могла находиться на съемках какой-нибудь очередной телепрограммы, давать интервью или играть сцену в новом сериале, но Ткаченко почему-то испугался. Он упорно набирал знакомый номер, но ничего, кроме фразы «абонент находится вне зоны действия сети», не услышал. Так прошли сутки. А около полудня следующего дня Влад сел пить кофе и включил телевизор. Ювелир решил, что сейчас поедет на квартиру к Эдите и увезет ее к себе. В конце концов, он же мужчина, а потому обязан проявить твердость характера, взять на себя ответственность за слабую, неспособную сопротивляться капризам родственников женщину. И тут ведущая новостей сообщила о кончине Эдиты Звонаревой...

Рассказчик отвернулся к стене. Я посидела пару минут молча, потом выдавила из себя фразу, которую всегда считала дурацкой:

— Очень жаль, примите мои соболезнования.

Влад сгорбился.

— Я думал, со временем мне легче станет, но делается лишь хуже. Знаете, я очень надеялся, что Дита мне приснится, но нет, ни разу во сне ее не увидел. Она ушла, не простив меня. До сих пор не могу понять, что я сделал не так? Я несколько часов уговаривал ее бросить своих жадных пираний и уехать со мной подальше от Москвы, она не соглашалась, и мне пришлось принять ее условия. А потом, когда мы вышли из гостиницы, бац! «Немедленно улетаем, завтра, в семь утра»... Но ведь невозможно приобрести билеты за столь короткий срок! У нас не имелось виз, не была подготовлена квартира на Балатоне, я вел лишь предварительные переговоры... Весьма разумно сказал, что за пару недель решу все проблемы. Почему Эдя отреагировала на эти слова, как на оскорбление?

Я подавила вздох. Порой мужчине трудно понять женщину. Сильный пол нацелен на конкретное решение проблемы. Если, например, вы скажете своему супругу: «Милый, мне холодно», — он либо встанет и закроет окно, либо купит вам теплую одежду. Мужчине и в голову не придет, что на самом деле его жене просто хочется, чтобы ее обняли, поцеловали и заверили:

— Любимая, ты самая лучшая.

Мужчины слышат прямую информацию, а не подтекст в ней. Впрочем, и мы, женщины, тоже хороши! Приходит супруг домой и с порога спрашивает:

— Ужин есть? Я проголодался!

Все, настроение у жены падает ниже плинтуса. Большинство из нас начинает выстраивать в уме логическую цепочку: «Ага, он спросил, есть ли ужин». Но в доме всегда готова еда. Почему же сегодня он решил уточнить? Намекает на мое неумение готовить? Или хочет дать понять, что я ленива? И муж не поцеловал меня в прихожей. Значит, больше не любит. Боже! Он считает меня плохой хозяйкой, тупой, некрасивой, жирной уродиной! Жизнь закончилась! Впереди развод и одинокая старость! А как же любимый? Он без моей заботы пропадет...» Ну и так далее, сами знаете, как это бывает. И никому из нас не приходит в голову самое простое объяснение: супруг просто очень хочет есть, ему сегодня не удалось на работе пообедать. Мужчина прямо говорит, что думает, а мы ищем в его высказываниях скрытый смысл, и в результате получается скандал. Вот почему порой семейным парам не удается жить счастливо.

Владу следовало отбросить трезвую логику, он должен был прижать к себе Эдиту и сказать:

— Я тебя люблю. Завтра улетаем, в семь утра выходи к машине, буду ждать во дворе.

И все. Что будет потом, на рассвете, уже неважно. Женщины тоже умеют трезво мыслить. Эдита, успокоившись, поняла бы невозможность немедленно сорваться с места и отправиться в Будапешт. И у нее бы на всю жизнь осталось ощущение: Влад ее поддержал в трудную минуту, он помог ей как никто другой...

— Ну почему она захотела срочно покинуть Москву? — упорно повторял ювелир.

— Может, Эдиту испугали слова администратора гостиницы про Марину Федькину? — предположила я.

Влад махнул рукой.

— Конечно нет! Дежурная явно выпила, от нее пахло спиртным, она всего-навсего ошиблась. Чего тут бояться? Слава богу, тетка не поняла, кто перед ней, не узнала звезду.

— Гостиница называлась «Зофья»? — уточнила я.

— Да, — подтвердил Ткаченко. — Это около ВВЦ, недалеко от метро. Жуткая дыра! Но в приличный отель дорога нам была заказана, мы с Эдей могли бывать только там, где не интересовались документами.

— А фамилия дежурной Лисичка? — переспросила я.

— Откуда мне это знать? — удивился Влад.

— По вашим словам, Эдита назвала выпивоху Лисичкой, — напомнила я.

Ткаченко сморщился.

— Бабенка просто очень походила на лису: волосы цвета обезумевшего апельсина, острый нос, глаза раскосые, а выражение лица пройдошистое. Не хватало лишь пушистого хвоста и торчащих на макушке ушей. Хотите выпить?

— Нет, спасибо, — отказалась я.

— А я глотну, — решительно заявил Влад.

Ювелир схватил со стола бутылку с виски, налил себе полстакана, одним махом опрокинул спиртное в рот и сказал:

— Не смотрите на меня так, я не пьяница. У меня странное восприятие алкоголя: выпитое идет будто не в желудок, а сразу в мозг, и я засыпаю. Просто сейчас мне хочется расслабиться, слишком много воспоминаний. Дита... Я очень ее любил! Зачем она умерла? Это... ну... в общем... подождите, посидите... я сделаю вам кольцо, бесплатно, полистайте каталог... нужно... белое...

Речь Ткаченко превратилась в невнятное бормотание, Влад лег на диван и моментально захрапел. Я накрыла его пледом, надела пальто, выключила свет и отправилась в обратный путь по странной квартире.

Мгновенная реакция Влада на виски меня не удивила. Мой первый муж Михаил отличался той же особенностью, ему хватало чайной ложки ликера, чтобы заснуть. Едва спиртное попадало Мише на язык, как супруг буквально валился с ног[1].

---

[1] Биография Тани Сергеевой рассказана в книге Дарьи Донцовой «Старуха Кристи — отдыхает!», издательство «Эксмо».

Выйдя из ванной, я обнаружила в кухне все тех же мужиков с татуировками, самозабвенно играющих в «Монополию», и вежливо сказала:

— До свидания.

— И тебе удачи, — прохрипел один из сражавшихся, остальные были слишком заняты процессом и не пожелали даже кивнуть.

Домой я добиралась с гудящей головой. И это не метафора, под черепом словно включили отбойный молоток, а в ухе безостановочно царапалась боль. Надев халат, я решила испробовать купленное в аптеке средство и открыла коробочку. Внутри была странная пластиковая конструкция, похожая на узкую воронку и кусок белой бечевки. Повертев в руках части удивительного набора, я начала внимательно читать инструкцию.

«Вы стали обладателем старинного русского народного средства, приготовленного из стопроцентно экологически чистого натурального материала. При создании «Ушного каната» мы объединили лучший опыт прошлых веков с современными технологиями, что позволило достичь полной излечиваемости в кратчайший срок. «Ушной канат» не имеет противопоказаний, он рекомендован для всех групп населения, включая малолетних детей, беременных женщин и стариков с хроническими заболеваниями. Состав основного действующего вещества является коммерческой тайной. Патент зарегистрирован под номером 603845211/Z.

Способ употребления. Через два часа после еды положите голову на стол больным ухом вверх. Прикрепите канат к держателю, подожгите его и вставьте в слуховой проход. Внимание: приспособление должно иметь строго перпендикулярное положение. Во время процедуры нельзя пить, есть, принимать душ и пользоваться электроприборами. Будьте внимательны при обращении с открытым огнем. Время процедуры — 2 минуты. Если канат не успеет догореть до конца, его нужно тщательно залить водой, предварительно вынув из больного уха».

Несмотря на боль в голове, я рассмеялась. Похоже, производители считают покупателей идиотами! Вам придет в голову наплескать себе в ухо большое количество воды? А еще меня удивляют слова «через два часа после еды». При чем тут желудок? Как он связан с органом слуха?

Я понюхала кусок бечевки, от него безобидно пахло каким-то лекарством. Что ж, хуже не будет, решила я. Очевидно, медленно тлея, веревочка совершает прогревание ушного канала, никакого вреда она мне не нанесет. Это не таблетки или уколы, а наружное средство.

Ванная комната у нас с Гри вполне комфортабельная, в ней стоит удобная раковина с широкими бортами. Я пододвинула к ней табуретку, положила голову на холодную белую поверхность и попыталась впихнуть бечевку в воронку. После нескольких неудачных попыток мне стало ясно: в инструкции неправильно указана последовательность действий. Лучше вначале подготовить держатель, запалить веревочку, и лишь потом положить голову на плоскую поверхность и вставить конструкцию в слуховой проход.

Кое-как я справилась с трудной задачей и замерла в ожидании. Но ничего интересного не происходило. Веревочка мирно тлела, в моей голове копошилась боль, потом она превратилась в яростное царапанье, шею заломило, в горле запершило, я чихнула и вздрогнула от ужаса.

Глава 18

Прямо перед глазами висело большое зеркало, оно отразило темно-синий дым, валивший из моих ноздрей. Сначала я оцепенела, потом чихнула еще раз. Клубы стали гуще, я теперь походила на огнедышащего дракона. Больше всего сходство со сказочным чудовищем мне придавали интенсивно зеленый халат и пластмассовая воронка, напоминавшая гигантское ухо. Из нее тоже валил дым, но он имел фиолетовый оттенок.

Основательно испугавшись, я попыталась вытряхнуть конструкцию из уха и помотала головой, но ощутила резкую боль. Страх стал еще сильней. С трудом дотянувшись до крана, я набрала пригоршню воды, плеснула ее в держатель, промахнулась и тут же вспомнила инструкцию, предписывающую ни в коем случае не применять этот метод. Тогда я дернула за верх воронки и взвизгнула от боли, потому что обожгла палец.

Во мне росла злость на производителей. Как, по их мнению, можно вытащить из уха кусок пластика? И почему они написали, что во время прогревания не следует ни есть, ни пить? Сами-то пробовали ужинать, лежа щекой на столе? Мысль о жратве придет в таком положении только человеку, страдающему патологическим обжорством. Может, надо подождать еще некоторое время? Пусть веревочка от горения укоротится, и я тогда смогу ухватить воронку за край...

Я замерла в неудобной позе. Из носа продолжали валить сизые клубы, из уха вздымался фиолетовый дым, периодическое чихание сотрясало тело. К нывшей шее прибавились ломота в пояснице и боль в правой руке. Вдруг мне очень захотелось есть, и я пожалела, что не позаботилась приготовить себе чаю и разогреть пару абсолютно не калорийных пирожков с капустой. Я купила их в супермаркете, теста в выпечке практически нет, а от тушеных овощей вперемешку с крутыми яйцами вес не прибавится.

Голод грыз желудок, и я решила перейти к активным действиям. Старательно держа голову наклоненной к плечу, я с трудом добралась до кухни. Там надела толстую варежку, с помощью которой достают из духовки раскаленные противни, и принялась дергать держатель. Но он намертво приклеился к уху!

После долгих, но бесплодных попыток я пришла в отчаяние. И вскоре поняла: нужно обратиться за помощью к специалистам. Вы когда-нибудь пользовались телефоном в таком вот положении: голова на левом плече, правое ухо вверх, из него как из вулкана валит дым? Нет? И не пытайтесь повторить мой подвиг.

Кое-как изловчившись, я набрала две цифры и услышала девичий голос:

— «Скорая», тридцать вторая.

— Мне плохо, — прохрипела я, фыркая от дыма, который стал еще гуще.

— Что с вами?

— Отит, — выдохнула я.

— Вы посещали врача? — равнодушно спросила девушка.

— Конечно, — прокашляла я, — но доктор прописала последние новинки тысяча девятьсот тринадцатого года, и мне пришлось купить по совету провизора веревку. А теперь она горит! Пришлите, пожалуйста, доктора поскорее, не то я задохнусь.

На том конце провода молчали.

— «Скорая», ау! — попыталась я «достучаться» до диспетчера.

Послышался щелчок, затем прорезался голос, на сей раз мужской приятный баритон:

— Что случилось?

— Вы кто? — удивилась я.

— Дежурный терапевт. Не волнуйтесь, спокойно объясните проблему, чтобы мы выслали бригаду со специальным оборудованием, — вежливо попросил эскулап.

Я обрадовалась. А некоторые люди еще ругают сотрудников «Скорой помощи», жалуются, что к ним отнеслись невнимательно, приехали через сутки после вызова, взяли деньги за укол анальгина. Враки! Со мной сейчас обращаются как с родной дочерью. Приободрившись, я начала объяснять терапевту ситуацию.

— Сегодня у меня очень сильно заболело ухо.

— Угу, — одобрительно раздалось из трубки.

— Отоларинголог прописала лекарства, которых в продаже нет, они давно сняты с.производства, как устаревшие, — пожаловалась я.

— Нехорошо вышло, — посочувствовал Айболит.

Услышав в голосе чужого человека намек на жалость, я окончательно расслабилась.

— Фармацевт предложила мне веревку.

— Кхм... — закашлялся терапевт, — кхм...

— Я засунула ее в ухо и подожгла, — сообщила я главный факт.

— Зачем? — с явным интересом спросил мужчина.

— Действовала по инструкции. Теперь из ноздрей валит дым, и я не могу вынуть бечевку. Она застряла в голове! Мне горячо! Помогите! — взмолилась я.

— Как же вы разговариваете, если у вас в черепе тлеет шпагат? — протянул терапевт.

Тупость доктора меня потрясла.

— Я же его не во рту держу. У меня из уха дым валит.

— Вы только что сказали про задымление носа, — возразил терапевт.

Я чихнула.

— Просто я забыла об ухе.

— Выньте канат и залейте его водой, — дал идиотский совет эскулап.

Пришлось напомнить ему об основной проблеме:

— Говорю же, он не выдергивается.

— Прирос? — уточнил сотрудник «Скорой».

— Может, и так, — испугалась я. И не сдержала эмоций: — Сделайте хоть что-нибудь! Я сижу дома одна, муж в командировке!

— Хорошо, — мирно согласился доктор, — давайте адрес.

Я быстро назвала свои координаты, положила

трубку и тут же поняла совершенную ошибку. Увы, в Москве плотные пробки на дорогах даже ночью, раньше чем через час помощь не прибудет. За это время мой мозг успеет поджариться! Надо что-то придумать...

Наплевав на хорошее воспитание, предписывающее никогда не тревожить соседей после десяти вечера, я выскочила на лестничную клетку и позвонила в дверь к Рындиным. Высунулся Павел, старший брат хозяйки. Его раскосые глаза вмиг стали круглыми.

— Блин! — взвизгнул парень и захлопнул дверь.

Я снова позвонила. Теперь из квартиры соседей донеслись шорох, скрип, потом прозвучал недовольный голос Натки:

— Паша, спроси, кто там.

— Не хочу! — заорал брат. — Стоит там какое-то чудище с кадилом, сама интересуйся!

— Идиот! — рявкнула на него Наташка и подошла к двери: — Чего надо?

— Это Таня Сергеева, — отчаянно кашляя, представилась я. — Ната, выйди, пожалуйста.

Рындина открыла дверь и взвизгнула:

— Ой!

— Помоги, — чуть не заплакала я, — вытащи из уха лекарство.

Но вместо того, чтобы мне помочь, Рындина стала задавать глупые вопросы:

— Фу... Чем это воняет?

— Дымом, — стараясь не чихать, объяснила я.

— Пожар! — взвыла Натка. — Люди, горим! Звоните немедленно ноль-один! Эй, кто-нибудь! Все погибнем!

— Замолчи! — Я попробовала переорать Рындину. — Это веревка в моем ухе горит! Ее надо вынуть.

Соседка замерла с открытым ртом, потом растерянно спросила:

— Бельевая?

— Что? — не поняла я.

— Веревка, — уточнила Ната.

— Лечебная, — устало ответила я.

Не прошло и пяти минут, как Наташка въехала
в ситуацию и вновь завопила как сирена:

— Пашка! Дебил! Иди сюда!

— Че? — высунулся из-за двери брат.

— Таньку видишь? — налетела на него сестра.

— Ага, — подтвердил Паша и неизвестно зачем
стал креститься. — А почему она дымится?

Я изумилась. Вот странные люди! Надо срочно
помочь человеку, а они задают кретинские вопросы. «Почему она дымится?» Потому! И точка!

— Хорош языком мотать, — наскочила на Павла сестра, — выдерни запал.

— Откуда? — задал гениальный вопрос брат.

— Из лифта! — топнула Натка.

Павел бросил быстрый взгляд на закрытые двери подъемника и растерялся.

— Но там ничего нет.

— Дебил! — снова взвыла Ната. — У Сергеевой в
ухе! Туда гляди.

— А-а-а... — протянул непонятливый родствен-
ник. — Не, не хочу. Вдруг там граната?

Я икнула, а Рындина схватила братишку и вытащила его на лестницу со словами:

— Ща все сгорим! Потуши Таньку!

— Вдруг там граната, — попугаем повторил он, — сама про запал говорила.

— Это лекарство, — прошептала я, — воронка с веревкой. Неужели не видишь?

— А ну, присядь, — велел Пашка и, кашляя от дыма, стал изучать «поле боя».

— Живей нельзя? — пнула его ногой Натка. — Не на работе ленишься.

— Щас, принесу долото, — заявил Павел, — им и вырубим.

— Ни за что! — испугалась я.

— Дык застряло, — развел руками дурак. — Легонечко молоточком постучу: тук-тук-тук... Долото острое, вмиг веревку подрубит.

Я попыталась подняться. Мне не удалось сегодня нормально пообедать, а потому от слабости колени не хотели выпрямляться, и я с размаху плюхнулась на холодную, не особо чистую плитку. Вдруг что-то мягкое и теплое коснулось моей руки. Я бросила взгляд в сторону и увидела кота Тимофея, любимца Наты. Любопытное животное решило посмотреть, чем занимаются хозяева, и тоже вышло на лестницу.

— Мужики трусы и сволочи! — визжала Рындина. — Вам лишь бы пиво пить и футбол смотреть! Никакой нет от вас пользы! Истребители продуктов! Кобеляки! За фигом вы нам нужны, уроды?

В ту же секунду я ощутила резкую боль в ухе и увидела, что Наташка идет к мусоропроводу, держа в руке дымящуюся воронку.

— Ты ее вытащила! — обрадовалась я.

Рындина открыла люк, швырнула туда «дымовую шашку» и, дуя на пальцы, ответила:

— Вот так. Хвать — и нету! Обожглась только чуток.

— Спасибо, спасибо, спасибо... — рассыпалась я в благодарностях.

— Пойду спать, — обрадовался Павел. — Вечно эти бабы из-за ерунды кипеж поднимают. Курицы! Че попусту кудахтать? Надо думать мозгами!

Сестра уперла руки в бока, сделала шаг, разинула рот, явно намереваясь убить «храброго» братца, но вдруг замерла на месте. А потом завизжала:

— Тимоша! Сыночка! Мальчик мой! Отравился дымом! Он умер! — и шлепнулась на пол около меня.

Я посмотрела в сторону и увидела, что громадный, раскормленный «британец» лежит на спине, закрыв глаза и безвольно сложив лапы.

— Врача! Скорей! Люди-и-и! — вскрикивала Рындина.

Паша опять впал в ступор. Очевидно, любая форс-мажорная ситуация вызывает у него оцепенение. Наверняка у мужика в роду были жабы, они при опасности часто пытаются превратиться в камни.

Я попыталась встать, но ноги отказывались слушаться, и вдобавок в ухе началось активное царапанье. На секунду мне в голову пришла дикая мысль: где-то внутри слухового прохода отплясывает канкан сороконожка в железных башмаках, несчастная надышалась дыма и одурела.

Двери лифта разъехались, из кабины вышли трое мужчин. Двое из них напоминали бочки, по недоразумению упакованные в синие куртки, третий походил на сушеного кузнечика. Вероятно, он был главным, потому что задал вопрос:

— «Скорую» вызывали?

— Родненькие, приехали! — заблажила Натка. — Помогите! Спасите! Оживите!

— Спокойно, — легко переорал Рындину «кузнечик». — Кому плохо?

— Сыночку, — заголосила соседка, — мальчик умирает. Сделайте ему укол, умоляю.

Врач посмотрел на Павла.

— Что с вами? Отчего мать так взволнована?

— Ничего, — попятился в квартиру Пашка. — Я ваще не с ней, просто так стою. Из любопытства.

— Козел! — огрызнулась Рындина. Потом повернулась к медикам: — И вы хороши! Это мой брат, старший. Мне че, по-вашему, триста лет?

— Возьмите себя в руки, — скомандовал доктор. — Где больной?

— Вот, — Натка показала на Тимофея.

Медик сделал шаг назад.

— Кот?!

— Мой мальчик! — завыла Рындина. — Он умер!

Я чуток отползла в сторону. Ну сейчас начнется... Но ситуация стала развиваться по странному сценарию.

Врач присел на корточки около льющей слезы Наташки.

— Успокойтесь и попробуем понять друг друга. Это кто?

— Тима, — неожиданно спокойно ответила Рындина, — сыночек.

— У вас родился котик? — ласково пропел эскулап. — Чудесно, поздравляю. Но зачем же так нервничать?

— Он умер! — всхлипнула Натка.

— Отлично, — заулыбался доктор. — Что же случилось?

Наташка принялась энергично жестикулировать.

— В ухе Таньки горел запал, здесь дым стоял коромыслом. Она просила помочь, а Пашка, урод, перетрусил. Тогда я хвать и в мусор. Тима надышался, отравился и тю-тю!

— Сергей Леонидович, — пробасил один из санитаров, — обычный?

— Конечно, Петя, — бормотнул врач. — Ну-ну, продолжайте, моя милая...

Натка начала еще раз пересказывать всю историю. Петр открыл чемоданчик, достал ампулу, шприц и стал деловито двигать поршнем, набирая прозрачную жидкость.

Работая в бригаде Чеслава, я узнала много всего интересного и, увидев сейчас ампулу, поняла — это мощное успокоительное средство, применяемое в психиатрии для усмирения буйных больных. Похоже, к нам прибыла не обычная «Скорая», а спецмашина для перевозки психов. Кажется, мое общение с дежурным врачом не прошло даром... Хорошо хоть сейчас теткой с тараканами в голове выглядит Натка.

— Сделаем укольчик, — пообещал Сергей Леонидович. — Петя, не копайся! Видишь, котику плохо.

— Вот у третьей машины экспериментальное средство есть, — недовольно пробубнил Петр, — они его идиотам просто к телу прикладывают, вроде носового платка. А нам такое не дают, возись тут с иглой...

— Замолчи и быстро шевели руками, — выговорил врач фельдшеру.

Но Петра было не просто остановить.

— Все лучшее достается ихней бригаде, — ворчал он. — Вытащил салфетку — и никаких забот, мигом лекарство через кожу в кровь идет. А мы по старинке колем!

Я, продолжая сидеть на полу, удивилась наступившему в психиатрии прогрессу. Хорошо, что придуманы препараты, которые можно применять «тряпочным» способом. Не смейтесь, пожалуйста, но я честно признаюсь: очень боюсь уколов. А от некоторых таблеток у меня желудок болит. Когда в аптеки массово будут поступать компрессы с медикаментами, я первая кинусь их покупать!

— Не бурчи, — оборвал медбрата врач.

Тимофей чихнул и сел.

— Жив! — возликовала Натка.

— Ну конечно, — кивнул Сергей Леонидович. — А вы не шевелитесь. Петр!

Медбрат вздрогнул и уронил шприц.

— Трендец, — растерянно сказал он, — больше нету.

Сергей Леонидович пошел весь красными пятнами.

— Ничего, ничего, — весело защебетала Рындина, вскакивая, — запишите там, что кольнули Тиму, я возражать не стану. Главное, он ожил. До свидания, спасибо!

Не успел врач охнуть, как Натка со скоростью торнадо исчезла в своей квартире, не забыв крепко запереть дверь. Я быстро поползла к своему порогу. В ухе маршировали сороконожки, на их железных сапогах появились острые шпоры.

— Ну вообще... — только и смог вымолвить Сергей Леонидович.

Петр подобрал шприц.

— Платят нам, конечно, мало, — элегически сказал он, — зато постоянно общаешься с интересными людьми.

Второй медбрат, похоже, был немой, он ухитрился ни разу не произнести ни слова.

Лифт громыхнул, из кабины вывалились парни в брезентовой форме и касках.

— Где очаг возгорания? — гаркнул один.

Сергей Леонидович уставился на пожарных. У меня в ногах неожиданно появилась сила, я вскочила и живо забежала домой. Да, «Скорая» явилась по моему вызову, но врачи опоздали, их помощь не понадобилась. Но вот к приезду бригады огнеборцев я никакого отношения не имею. Пусть за визит красной машины с брандспойтами отвечает Натка. Нечего было истошно вопить: «Люди! Горим!» Видимо, кто-то из соседей поверил Рындиной и позвонил ноль-один.

Впрочем, мне тоже нужно сделать правильный вывод: более никогда не буду поджигать веревку и совать ее в собственное ухо!

Глава 19

Разбудил меня звонок Коробкова.

— Нас утро встречает прохладой, — заорал он в трубку. — Любимая, что ж ты не рада веселому пенью гудка!

— Ужас... — простонала я. — Вставать по зову фабричной сирены — самое страшное, что может случиться с человеком.

— Ошибаешься, лапа, — возразил хакер. — А как насчет службы курьером по доставке театральных билетов на острове Пхай? Население восемь человек, часы работы с шести утра до часа ночи, без выходных. Оплата труда зависит от числа проданных билетов, то есть не оклад, а сдельщина...

— Перестань, а? — попросила я.

— Просто я хочу придать тебе бодрости, помочь обрести оптимистический настрой.

— Если у тебя есть новости, выкладывай.

— Я выяснил много интересного про «Короля Мара», — гордо начал компьютерный гений.

— Извини, эта версия не подходит. У меня есть другая, крайне интересная зацепка, и связана она с администратором гостиницы «Зофья», которая перепутала Эдиту Звонареву с некоей Мариной Федькиной, — остановила я Димона.

У Коробкова есть один недостаток. В его служебные обязанности входит техническая поддержка следствия, и Димон, несмотря на свой, мягко скажем, зрелый возраст, проделывает с компьютером чудеса. Нет такой защиты, которую он не сумеет взломать, и не найти на свете места, в которое хакер не сможет влезть. Но и на солнце, как известно, есть пятна. Если дело увлекает Димона, он придумывает собственные версии, которые кажутся ему потрясающими, и резво бежит по выбранному им следу... как правило, в противоположном от настоящего преступника направлении.

— Значит, Марина Федькина? — нараспев произнес Димон. — А год рождения какой?

— Если ее перепутали с Эдитой, то возраст как у Звонаревой, — ответила я. И удивилась: — Ты чем там занимаешься?

— Рою по базе, авось вылезет. Есть! Марина Станиславовна Федькина, задерживалась за проституцию. Правда, давно, больше пятнадцати лет назад. Еще был у нее привод в милицию по подозрению в краже, но дело не открывали, пострадавший забрал заявление. Она?

— Ну, может быть, — протянула я. — А где Федькина сейчас?

— Лапочки-цветочки на болотной кочке... — запел вдруг Димон. — Нигде.

— Умерла? — уточнила я.

— Такого я не говорил.

— Тогда объясни, что значит «нигде».

Из трубки послышались постукивание, сопение, чавканье, хруст.

— Прекрати жевать и займись делом! — возмутилась я, ощутив голодные спазмы в желудке.

— Кофе с печеньем службе не помеха, — миролюбиво возразил хакер, — мозг надо кормить! Федькина приехала в Москву из Кальяновки — небось хотела хорошую работу найти или мужа богатого, а оказалась на дороге. Потом бедолагу Лисичка пригрела. Повезло ей.

— Кому? — Я вскочила с кровати.

Коробков закряхтел.

— Эхма, годков я прожил много...

— Говори по сути! — заорала я.

Очевидно, Димон сообразил: собеседница дошла до точки кипения, надо стать серьезным и докладывать по форме.

— В свое время в Москве работал один публичный дом... Проституток и сейчас в столице море, девки стоят вдоль дороги в сексуальных нарядах, любители «клубнички» сажают их в машины. Либо есть диспетчер, который принимает заказы по телефону, а «товар» доставляется клиентам на дом. Есть и другие варианты. Но Лисичка оказалась креативной — она изображала из себя маму, которая живет с разновозрастными детьми. Девочки — все милые, ласковые, никакого мата, наркоты и алкоголя. Обстановка чинная: гостиная с пианино, библиотека с книгами, спальни с хорошей мебелью. Абы кого «в гости» Лисичка не пускала — либо своих, либо по рекомендации постоянных клиентов. Федькина пару лет пахала у «мамы», а потом ушла в неизвестность. В Москве она сейчас не зарегистрирована. Может, вернулась в свою Кальяновку? Хотя навряд ли. Скорее всего, девушка раздобыла документы на другое имя, выскочила замуж и начисто забыла свое прошлое.

— С ума сойти... — пробормотала я. — У этой Лисички есть паспортные данные?

— Имя Ирина, — с готовностью ответил Коробок.

Мне информация показалась недостаточной.

— А фамилия?

— Лисичка, — повторил хакер.

Я решила запастись терпением.

— Уже слышала это прозвище. Что у бандерши в документах написано?

— Лисичка, — засмеялся Димон. — Правда, прикольно? Наверное, у милой зверушки имелись хорошие связи, ее ни разу не задерживали за проституцию. Как будто кто-то Ирочке ворожил.

— Спасибо, ты мне очень помог, — поблагодарила я Диму.

— Стой! — возмутился тот.

— Извини, мне пора, — я попыталась свернуть беседу.

— Ну здорово, — обиделся Коробков. — А моя версия? Я накопал много интересного. Так для тебя старался! Чеславу не понравится, если ты дело провалишь. Могу со всей ответственностью заявить: ты направилась не в ту сторону!

Я села на кровать. В отличие от некоторых людей пенсионного возраста Коробок не занудлив и не подвержен перепадам настроения. У Димона не только молодежный стиль общения и одежда безумного тинейджера, но и юный мозг. Порой кажется, что хакеру тринадцать лет, настолько он азартен, работоспособен и весел. Хорошее расположение духа Коробков теряет лишь в тот момент, когда ему недвусмысленно говорят: «Дружок, занимайся своим делом, оставь разработку версий другим членам бригады». Мне очень не хотелось щелкать Димона по носу, поэтому я устроилась поудобнее и сказала:

— Внимаю тебе с почтением.

— Не стану перечислять технические подробности, скажу, что местоположение компа, с которого «Король Мар» ввинчивается в Инет, мне удалось обнаружить, — веселым соловьем защебетал Коробков. — Парень ходит в салон! То ли от бедности собственный компьютер не завел, то ли решил, что таким образом сохранит инкогнито.

Я отчаянно зевнула и решила дать ему понять, что крайне изумлена этой информацией.

— Да ну? Очень интересно!

— Это лишь начало. Чем дальше в лес, тем толще партизаны, — впал в раж хакер. — Напоминаю ход событий. Блог «Короля Мара» не пользовался успехом, пока он не предсказал скорую смерть некоей «Кики». Про кончину «Кики» объявила «Крошка Ру», ее заявление наделало немало шума и сильно повысило интерес к «Королю Мару». «Кики» более в Сети никогда не появлялась. Потом провидец предрек кончину самой «Крошки Ру» и вновь попал в яблочко. О печальной судьбе подруги возвестила «Крыска». Накаркав безвременную кончину двум юзерам, наш прорицатель переметнулся на знаменитостей. И мы знаем, что от того, умрет Звонарева или нет, зависела популярность блогера в Сети.

— И что? — Я решила поторопить Коробкова.

— А то! — торжествующе воскликнул хакер. — «Король Мар», «Кики», «Крошка Ру», «Крыска» и несколько яростно защищавших «Короля Мара» лиц — все находились в одном интернет-салоне. В одно и то же время.

— Ерунда какая-то, — поразилась я. — Были рядом и ничего друг о друге не знали?

— Ты не поняла? У них единый ай пи адрес! — заорал Коробок.

— Что? — переспросила я.

— Ладно, забудь, — опомнился Димон. — Все блогеры пользовались общим компом.

— Одновременно?! — поразилась я.

— Да!!! — перешел в диапазон ультразвука хакер.

— Чертовщина выходит, — окончательно растерялась я. — У них не хватило денег на аренду разных компьютеров? Компанией пользоваться компом дешевле? Они младшие школьники? Не сообразили, кто из них кто?

— Таняшка, шевели мозгами. Это один человек, — устало сказал Дима.

Но я совсем не разбираюсь ни в технике, ни в компьютерах, поэтому спросила:

— Кто?

— О великий Зевс, пошли мне спокойствие и терпение! — опять завел Коробков. — «Король Мар», «Кики», «Крошка Ру», «Крыска» и иже с ними — ники одного парня.

— Но их же вроде много? — чуть не заплакала я.

— В Инете можно завести хоть сто блогов, если хватит времени в них строчить. Хочешь обосную свою версию?

— Хочу, — на сей раз с настоящим интересом подтвердила я.

— Сначала в Сети появляется «Кики», пишет

ерунду, ничего интересного, ее блог еле-еле дышит, он никому не нужен. Спустя три месяца активизируется «Король Мар». Между ним и «Кики» возникает скандал, на который живо реагирует местное сообщество. «Кики» умирает. Рейтинг «Короля Мара» подогревается. Затем провидец начинает свариться с «Крошкой Ру», и та тоже лишается жизни. «Король Мар» уже имеет толпу почитателей. Обрати внимание на хорошо просматриваемую закономерность: о кончине «Кики» говорит «Крошка Ру», первая исчезает, вторая остается. О беде с «Крошкой Ру» объявляет «Крыска», первая пропадает из Сети, вторая остается. Но повторяю: адрес у них один и тот же.

— Поняла... — ахнула я. — Никто не умирал! Он их выдумал, чтобы получить авторитет в Сети!

— Молодец, — обрадовался хакер, — возьми с полки гребешок.

— Пирожок, — поправила я Димона.

— Без разницы, можешь прихватить артишок. Сообразила, какая игра?

— Но селебретис-то погибли по-настоящему, — напомнила я.

— Да. И тут, полагаю, прав «День-100», — замурлыкал Коробков. — Я влез в базу клиники имени Колосова. В учреждении есть лаборатория, где работают местные гении, они придумали лекарство от СПИДа и сейчас проводят его испытания. Добровольцы получают уколы и таблетки, есть у докторов и вип-отделение.

— Хочешь сказать, что и Ферн, и остальные умершие имели вирус иммунодефицита?

— В точку!

— Но никто из вышеперечисленных знаменитостей никогда не жаловался на эту заразу, — заметила я.

— Еще бы! У нас ведь как: только намекни на СПИД и превратишься в изгоя, — отрезал Коробок.

— И после их смерти информация об этом никуда не просочилась! — не успокаивалась я.

— Языки у врачей и медсестер в этой клинике хорошо привязаны, — вздохнул хакер. — Да, есть еще в Москве больницы, где не продают инфу «желтой» прессе, дорожат своей репутацией и жалеют недужных. И по документам все шито-крыто, причина смерти знаменитостей разная. Да и не пишут теперь в свидетельствах о кончине диагноз. Кстати, слова «СПИД» тоже не будет в документах. Несколько известных людей обратились в центр в последней надежде на выздоровление, но болезнь была в запущенном состоянии, и они долго не протянули. Экзитас леталис[1] не заставил ждать. Кто знал о нахождении Ферн и прочих в отлично охраняемом отделении? Только сотрудники: врач или медсестра. Кто-то из них и есть «Король Мар».

— А еще подойдет любой продвинутый пользователь Интернета, — вздохнула я. — Он залез, как ты, в их базу данных, пошарил по сусекам и наткнулся на сундук с чужими секретами.

— Э нет! Это маловероятно. У клиники отличная защита, я по пальцам могу пересчитать людей, способных прошмыгнуть в ту крохотную дырочку, через которую я туда проник, и они ерундой заниматься не станут. Поверь: «Король Мар» связан с

---

[1] Смерть, летальный исход (_лат._).

сотрудниками, и если ты прочешешь больницу, найдешь убийцу актрисы!

— Звезды погибали от болезни. «Король Мар» просто владел секретной информацией. Зная о состоянии здоровья знаменитостей, он прикинулся Дельфийским Оракулом, дабы получить признание в Интернете. Очень неэтично, гадко, но не преступно, — возразила я.

— А Эдита? — неожиданно спросил Коробков.

— При чем здесь Звонарева? Она никогда не болела СПИДом. И в клинику не попадала.

— Вот! Правильно! — обрадовался собеседник. — Здесь-то и зарыта жирафа!

— Прости, мне не понятен ход твоих мыслей, — растерялась я. — И в поговорке упоминается про собаку. Говорят: «Зарыта собака», а не жираф. Кстати, он мужского рода...

Димон, пропустив мое замечание мимо ушей, не дал мне договорить, гнул свое:

— «День-100» раскусил хитрость «Короля Мара». Очевидно, он тоже имеет отношение к больнице. Вот только, похоже, про СПИД этот юзер не знал.

Мне пришлось признать его правоту:

— Ну предположим.

— Предсказателю потребовалось отстоять свою репутацию, и он накаркал кончину Эдиты. Звонарева была выбрана по трем причинам! — почти кричал компьютерщик.

— Каким?

— Она никогда не лечилась в клинике имени Колосова, имела необычную популярность и...

Коробков сделал паузу.

— Говори скорей! — поторопила я.

— У него была возможность подстроить ее убийство, совершив его незаметно и выдав за естественную смерть. Дальше строим простое уравнение. «Король Мар» работает в клинике, Эдита ее не посещала, но блогер имеет доступ к звезде, вращается в ее окружении: гример, костюмер, звукооператор, шофер... Решишь задачку?

— Ну... не знаю! — сдалась я.

— Дурочка, — нежно пропел Димон, — курочка из переулочка... Надо прошерстить список сотрудников больницы и проверить тех, кто общался с актрисой. В конце концов, увидишь: ага, санитар Пупкин! Ранее служил в спецотделении, возил каталки со знаменитостями, скажем, на процедуры, а потом устроился к Звонаревой таскать чемоданы. Здоровская версия?

— Потрясающая, — покривила я душой. — А где мотив?

— Ты чем слушаешь? — обозлился Димон. — Или отит совсем разбушевался? «Король Мар» превратился в культовую личность! Смерть Эдиты вознесла его на невероятную высоту, и парня теперь оттуда ничто не сбросит. Кстати, убийца перестал вещать предсказания, пишет теперь тупые разглагольствования о неизбежности смерти, глубоких душевных ранах и горьком одиночестве. Привет, Маразм Маразмович! Но толпы восхищенных почитателей оставляют комменты: «Вы гений»; «Удивительный ум»; «Я люблю «Короля Мара». От никому не нужной «Кики» парень проделал путь до императорской короны среди тинейджеров. Основная масса его обожателей — подростки, которые прикидываются взрослыми людьми. Но меня-то им не обмануть, я не папа Карло! «Король Мар» таки стал королем!

— Ты мама Карло, — захихикала я. — Интернетом пользуется не столь уж много россиян. В нашей стране есть населенные пункты, где до сих пор нет электричества, отсутствуют газ и горячая вода, а позвонить по телефону бегают на почту. Нет, слабоват мотив. У «Короля Мара» не будет мирового господства.

— Ему хватит того, что есть, — настаивал Димон. — Сделай мне приятное, сходи в интернет-салон, там должны регистрировать всех посетителей. И потолкуй с народом. Сейчас эсэмэсну тебе адрес. Плиз! Моя версия супер! Разве я многого прошу? Если окажусь прав, то...

Коробков замолчал. А мне стало жаль хакера, который изо всех сил хочет попасть в число следователей.

— Ладно, сбегаю, сообщай координаты.

— О великая Кали, ты добра и всемогуща! — запел Коробков.

Меня охватило возмущение:

— Я похожа на отвратительно толстое, многорукое существо?

— Кали прекрасна! Ее стан строен, глаза подобны звездам, брови полумесяцу, щеки нежным персикам, — речитативом ответил новоявленный Шерлок Холмс.

— Хорошо, — смилостивилась я, — уговорил, сгоняю в салон. Но только в свободное время!

Глава 20

Гостиница «Зофья» располагалась в небольшом двухэтажном здании, построенном когда-то, очевидно, для детского сада. Я вошла в холл и подошла к рецепшен. Дежурная, полная женщина лет пятидесяти, оторвала взгляд от глянцевого журнала и, навесив на лицо улыбку, спросила:

— Номерок хотите? Оплата почасовая. Если на сутки берете, сделаем скидку.

— Спасибо, но мне нужно поговорить с Ириной Лисичкой, — вежливо ответила я.

Администратор окинула меня взглядом с головы до ног и в секунду растеряла всю любезность:

— Что надо?

Я тоже погасила улыбку:

— О цели беседы сообщу только Лисичке.

— Хозяйки сегодня нет, — отрезала тетка.

— А когда она появится? — не дрогнула я.

— Понятия не имею, — сухо сообщила мадам и демонстративно уткнулась в журнал.

Я решила показать бойцовский характер:

— Дайте мне домашний адрес Лисички.

— Я его не знаю, — буркнула толстуха.

Но от меня не так легко отделаться!

— Тогда скажите телефон.

— Я его не знаю, — повторила дежурная.

Вполне приятная с виду дама оказалась совсем не креативной, а вот я умею вести беседу и сейчас покажу мастер-класс.

— Ирина ведь владелица отеля, так?

— На законных основаниях! — забеспокоилась администратор.

— Неужели у дежурной нет никакой возможности связаться с хозяйкой? — очаровательно улыбнулась я.

— Именно так, — заглотила наживку не очень умная служащая.

— А если пожар? Визит налогового инспектора? Или в одном из номеров найдут труп? Лисичке не сообщат о форс-мажоре? — не успокаивалась я.

— У нас отличная охрана, — начала боевые действия дежурная, — бывшие менты. С ними вам лучше не знакомиться!

Я вытащила бордовое удостоверение и постучала им по стойке.

— Внимание на экран! Сюрприз! Угадайте, что в черном ящике?

Лицо администратора вытянулось, я поспешила успокоить неприятную бабу:

— Не надо нервничать, мой визит не имеет никакого отношения к деятельности отеля.

— Второй этаж, комната двадцать два, — нехотя произнесла собеседница. — Будите Иру, если совесть позволит. У нас здесь повальный грипп, Лисичка за всех пашет, домой не уходит. Она совсем недавно после бессонной ночи вздремнуть пошла.

Я не стала комментировать заявление дежурной, пошла к лестнице молча.

— Лена, заходи! — раздалось из комнаты после

того, как я деликатно поскреблась в дверь. — Я не сплю, просто валяюсь!

Номер оказался небольшим и совсем не уютным, он скорее походил на скромное офисное помещение, куда по недоразумению поставили потертые кресла и двуспальную кровать. На левой стороне ложа лежала прикрытая ядовито-зеленым пледом рыжая женщина с чуть раскосыми глазами, острым лицом и длинным носом. Фамилия Лисичка ей идеально подходила.

— Вы не Лена, — без тени испуга или недовольства констатировала хозяйка отеля.

— Таня Сергеева, — представилась я.

Женщина села на кровати, поежилась, набросила на плечи все тот же плед и пожаловалась:

— Если не высплюсь, меня колбасит в ознобе.

— Выпейте горячего чаю, — предложила я.

— Не поможет, — отмахнулась Ирина, — спасут только минуток шестьсот сна. Ты на место Лиды пришла? Тебя предупредили, что нужна временная горничная? Лидия в декрете, через полгода вернется. Да ты садись!

Я опустилась в жалобно скрипнувшее кресло и вынула удостоверение.

— Ясно, — кивнула хозяйка без всякого испуга. — Нас от местного отделения курирует Сергей Александрович Волощеков. А что, какие-то проблемы? За последний год в отеле никаких особых неприятностей не происходило. Так, пара драк да несколько постояльцев пытались убежать, не заплатив.

— Ничего криминального, — согласилась я.

— Здесь тихо, — вздохнула Лисичка. — В основном неверные супруги, кое-кто постоянно ходит.

Я решила взбодрить беседу:

— И проститутки с клиентами. Не ошибаюсь?

Ирина хитро улыбнулась.

— Приходит пара, оплачивает час, поднимается в номер и запирает дверь. Я в замочную скважину не подглядываю, кто с кем чем занимается, не выясняю.

— Вас не удивляет, когда одна и та же девушка по три-четыре раза за сутки сюда заглядывает и всегда с новым кавалером? — насмешливо перебила я хозяйку.

Лисичка выпуталась из пледа.

— У каждого свои причуды. Лучше спрашивайте конкретно. Я честный человек, занимаюсь легальным бизнесом, частные гостиницы разрешены законом, моя лицензия в полном порядке, дом оформлен в личную собственность, и захочешь придраться — да не к чему.

Я положила ногу на ногу.

— У меня совсем другой интерес. Что ж, тогда прямой вопрос. Вы ведь содержали публичный дом?

— Вранье, — твердо ответила Лисичка. — Клевета! Мне после развода досталось от бывшего мужа в качестве отступного одноэтажное здание. Представляете, я супруга кормила, поила, обхаживала, а он молодую завел! Справедливо его просто так кому-то подарить? Вот я и получила домик. Между прочим, он был в ужасном состоянии! Я хотела здание под офисы сдавать, начала ремонт, но деньги быстро закончились. Ну и как выкручиваться? Стала пускать девушек пожить, мне со студентками веселей, чем со старперами. Дело молодое, к ним парни таскались, отсюда и слушок пошел.

— А еще говорят, вы постоялицам роднее матери были! — усмехнулась я.

— А как же иначе? — заморгала Лисичка. — Жалко мне их было — одни в большом городе, еще обидит кто. Вот и помогала, за здоровьем их следила.

— Не помните случайно Марину Федькину? — задала я главный вопрос.

Ирина изобразила растерянность.

— Петькину?

— Федькину, — не теряя самообладания, поправила я.

— Карину? — тянула время хозяйка гостиницы.

Я проявила терпение буддистского монаха.

— Марину.

— Ну... э... нет, не помню. Давно же дело было. Потом я тот домик продала, другой купила и отель основала, куда старые жильцы подевались, не знаю. Марина, Марина... — кривлялась Лисичка.

— Она недавно приходила в «Зофью» вместе с кавалером, — уточнила я.

— Что вы говорите? — всплеснула руками Лисичка. — Жаль, я уехала в тот день в магазин, белье постельное покупала.

— Старое поизносилось? — заулыбалась я.

— Никакого качества! — запричитала содержательница гостиницы. — Простыни пару стирок выдерживают, и пододеяльники рвутся. С моим бизнесом одни убытки, прибыли с воробьиный клюв, и ту целиком в оборот вкладываю.

— Значит, вы не встретились, когда Федькина заглянула в «Зофью», потому что выбирали наволочки?

— И полотенца тоже, — озабоченно добавила Ирина.

— Откуда же вы узнали, когда Марина приходила? Почему решили, что это произошло именно в день вашего похода за бельишком? Марина явилась с мужчиной, как клиентка, она не хотела, чтобы о ее визите прослышали посторонние, а потому натянула парик и надела темные очки. Сомневаюсь, что, уходя, ваша бывшая «девочка» попросила портье: «Передайте Лисичке: заглядывала Федькина». Да и откуда бы ей знать, что вы тут хозяйничаете?

Ирина наморщила нос и рассмеялась. Заговорила вдруг панибратски:

— Ладно, ты меня подловила! Ну была она тут. И с мужиком, точно. Так, ничего особенного, не Брэд Питт и деньгами не нафарширован.

Я постаралась не показать свою радость и решила тоже перейти с Лисичкой на «ты»:

— Ты ее узнала?

— Ага, — кивнула Лисичка.

— Окликнула?

— Нет. Зачем смущать? Маринка ведь шифровалась. Да и не о чем нам говорить, сто лет не виделись, — фальшиво пригорюнилась бывшая бандерша.

Я погрозила ей пальцем:

— Ира! Не надо врать!

— Святая правда! — бесстрашно осенила себя лгунья крестным знамением.

Я откинулась на спинку кресла. Ладно, зайдем с другой стороны.

— Ты знаешь актрису Эдиту Звонареву?

— Это которая в сериалах играла и умерла недавно? Видела по телику, — последовал слишком быстрый ответ.

— Они с Федькиной похожи? — незамедлительно спросила я.

— Как ведро и пряник, — изящно выразилась Лисичка.

Нежелание дамочки понять, что ее игра проиграна, стало меня раздражать.

— Но ты их перепутала!

— Когда? — округлила глаза нахалка. — Кого?

Я осуждающе покачала головой.

— Ира, слушай внимательно. Твой отель курирует некий мент «с земли», но он прикрывает тебя от мелких неприятностей, а я — большая головная боль, с которой перцу из районного отделения не справиться. Посмотри хорошенько на мое удостоверение, прочитай слова «особая бригада по расследованию тяжких преступлений». Я не езжу туда, где сперли цветочный горшок! Сейчас нарисую возможный вариант развития событий: представь, ты стоишь на перекрестке у камня и читаешь выбитую на нем надпись: «Направо пойдешь — гостиницу закроют». Считаешь, что трудно отель прихлопнуть? Господи, да тут же нарушений найдется масса! В комнатах стоят электрочайники? Одной этой мелочи хватит, чтобы наложить солидный штраф. Можно прислать представителя санэпидемстанции, и он обнаружит, скажем, на стене в подвале плесень. О! Ужасный грибок, он наносит непоправимый вред здоровью человека! Разве можно разрешить функционирование...

— Ты говорила про перекресток, — остановила меня Лисичка. — Чего еще на каменюке выбито?

— Так-так, значит, путь направо тебе по вкусу не пришелся, — я потерла руки. — Слева дорога приятней: «Отвечай честно на вопросы Сергеевой и спокойно продолжай работать». Хорошее предложение?

— Жизнь идет, менты не меняются, — хмыкнула Лисичка. — Суставы выворачиваешь, заставляешь меня подругу продавать!

— Наоборот, предлагаю тебе помочь в поисках ее убийцы, — сурово отчеканила я.

Ирина вздрогнула:

— Газеты писали, что она от воспаления легких умерла!

— Звонарева? — провокационно уточнила я.

Лисичка вытащила сигареты.

— Хочешь?

— Спасибо, не курю, — отмахнулась я.

— Правильно, — одобрила Ирина, — приятнее умереть здоровой. Ладно, расскажу. Но больно неохота, чтобы о нашей беседе «желтуха» узнала.

— Если здесь нет записывающего устройства, то тебе опасаться нечего. Я не прячу в кармане диктофон.

— Значит, так, без протокола, — кивнула Лисичка. — Никаких вызовов в суд. Показаний не даю, это дружеский треп. И еще. Пару лет назад здесь драка приключилась. Ситуация сначала мне смешной показалась: мужик бабу привел, стоит у рецепшен, номер оформляет, а тут входит еще одна пара. И та женщина посмотрела на первого парня да как заорет: «Гад ползучий! Ты же на совещании сидишь». Оказалось, она мужа с любовницей застукала. Но сама-то не одна в «Зофью» завернула! В общем, начали они махаться. Охрана их разнимает, а я сдуру тоже в гущу полезла, ну и получила табуреткой по темечку.

Хм, некоторые люди обожают сообщать вам ворох ненужных сведений. Я решила пресечь глупую болтовню:

— Смешная байка, но непонятно, к чему она.

— Сотрясение мозга я тогда получила, справку имею. Память меня подводит: то все хорошо, а то заедает. Расскажу тебе про Маринку, а потом забуду. Больная я, ни один прокурор не заставит меня говорить, и рада бы помочь, да поврежденный мозг мешает. Показать бумажку от доктора? Там подпись профессора стоит! — издевательски заявила Ирина.

— Не надо, — ухмыльнулась я. — Я готова выслушать повествование о Федькиной, а потом твоя амнезия может разбушеваться по полной программе.

Хозяйка гостиницы кивнула, накинула на плечи плед и завела рассказ...

Пятнадцать лет назад Лисичка была вполне довольна своей судьбой. На заре перестройки Ирина перебралась в Москву на заработки, сначала бегала официанткой в придорожном кафе, потом работала в массажном салоне, сидела на рецепшен, встречала посетителей, там и познакомилась с богатым влиятельным человеком. Короче говоря, много чего довелось пережить молодой женщине, но наконец она стала владелицей небольшого дома, куда постоянно заглядывали обеспеченные мужчины, желавшие культурно провести досуг.

В отличие от большинства бандерш, считавших проституток рабочими лошадьми, из которых надо успеть выжать все соки, пока скотина не пала от болезни и непосильного труда, Лисичка своих девочек любила. Ирина образцово вела дела: «ночных бабочек» регулярно осматривал врач, их хорошо кормили, клиенты, в основном люди при чинах и положении, их не обижали, кое-кто даже делал им подарки. Девочки были лишены такой «радости», как «субботник» — вечер, когда одну или нескольких путан отдают в бесплатное пользование ментам или бандитам в качестве бонуса за крышевание. Ира была готова на расходы: если парни из отделения намекали, что им пора повеселиться, Лисичка не спорила, ехала к знакомому сутенеру и покупала у него «чужих» проституток, их и отсылала к похотливым мужикам. Своих Ире было жаль, а посторонних... Они же не «родные»!

Как-то раз зимой Лисичка прирулила к Косте, поставщику живого товара, и сказала:

— Нужна герла. Менты совсем обнаглели, двух недель не прошло, опять им десерт подавай. Есть кандидатка?

Костя заржал.

— А як же! Маринка, вали сюда!

В комнату вошла девочка-подросток, худая, бледная, вся в синяках и ссадинах.

— Забирай, — сказал Константин, — дешево отдам.

Лисичке товар не понравился.

— Больно страшная! Посимпатичней нет?

— Ментам сойдет, — не пошел на уступки Костя.

— Сколько ей лет? — брезгливо осведомилась покупательница.

— Восемнадцать, — не моргнув глазом заявил сутенер.

— А не врешь? — засомневалась Лисичка. — Мне неприятности не нужны!

— Не трясись, — хохотнул Константин. — Слышь, идея есть: бери ее насовсем.

— Спасибо, не надо, — скривилась Ирина, косясь на проститутку, которая во время торга стояла с безучастным видом.

— За фигом тебе лишнее платить? — начал соблазнять бандершу сутенер. — Ментяры через две недели опять развлечений потребуют, так ты разоришься...

— И что ты предлагаешь? — заинтересовалась Лисичка.

— Плати отступные и пользуйся этой. Пускай ее каждый раз по кругу, если над своими Машками дрожишь, — усмехнулся сутенер.

— Ее и на три субботника не хватит, — оценила девчонку Ира. — Видно, она тебе мало бабла приносит, раз мне втюхать решил.

— Дерьмо, а не девка, — признался Костя. — Вечно с кислой мордой, молчком, на клиента зырит как на врага. Ее мужики стороной огибают. Уж учил, учил дуру, да без толку. Зря кормлю. А ментам на субботник милое дело. Бери за сто баксов. Дешевле только гамбургер.

Лисичка еще раз посмотрела на девушку и внезапно согласилась.

— Давай ее паспорт.

Глава 21

Сев в машину, Ирина решила разговорить новое приобретение.

— Тебя как зовут?

— Марина Федькина, — тихо ответила девчонка.

— Чего тебя в Москву понесло? — спросила бандерша и услышала:

— В институт поступать хотела.

— Круто! — засмеялась Лисичка. — Хорошо экзамены сдала?

— Нет, не получилось, — прошептала Марина.

— Куда документы-то носила? — еще сильней развеселилась Ирина. — Хотя, погоди, сама угадаю: наверняка в театральный. Я права, на актрису учиться собралась?

— Ага, — прошептала Федькина.

— Ох и дура же ты, — покачала головой Лисичка. — А к Косте как загремела?

— Бабушка посоветовала, — неожиданно сообщила худышка.

— Кто? — вытаращила глаза Ирина.

— Абитуриентам общежитие положено, — внезапно разоткровенничалась Марина, — а когда провалишься — выгоняют. Идти мне было некуда, вот дежурная у входа и подсказала: «Дам тебе, внученька, телефон. Там хороший мальчик ответит, Костя. Он и работу даст, и жилье тебе устроит».

— Добрая старушка, — ухмыльнулась Лисичка. — И ты поперлась?

— Жить-то все равно негде. И деньги кончились, — безнадежно ответила Федькина.

— Лучше бы домой вернулась, — Ирина разозлилась на глупую девчонку, к которой неожиданно почувствовала расположение.

— Ни за что! — вдруг выпалила несостоявшаяся Мерилин Монро.

— Мать небось все глаза по дочурке выплакала, — нахмурилась Лисичка и замолчала.

Некоторое время в автомобиле стояла тишина, потом Марина робко спросила:

— Тетенька, вы меня на субботник везете? А сколько их там? Только не злитесь, я на третьем мужике в обморок падаю. Не нарочно, само получается. Поэтому Костик вам меня и продал.

Лисичка припарковала машину.

— Слушай внимательно. Сейчас мы приедем домой, вымоешься, наденешь приличное платье и вали к себе в деревню, или откуда ты там. Москва не для таких, как ты, здесь от сотого клиента нужно со счастливой улыбкой выскакивать, иначе не выжить. Да-да, езжай назад в свой Задрипанск, найди мужа и никогда никому не рассказывай, чем тут занималась. Куплю тебе билет и дам денег на жрачку. О'кей?

Федькина сглотнула слюну.

— Спасибо, тетенька. Но мне туда нельзя. Отец умер, когда я аттестат получила, а мачеха сказала: «Убирайся из моего дома и не возвращайся. Кормить тебя не стану, у меня своих трое, ты лишняя». Ой, тетенька, простите, меня тошнит...

Пролепетав последнюю фразу, Марина закрыла глаза и сползла по сиденью. Матерясь сквозь зубы, Лисичка нажала на педаль газа. С одной стороны, бандерше очень хотелось наподдать как следует Косте, который обманул старинную приятельницу, всучив ей некондиционный товар: Марина не подходит для субботника, она явно больна. С другой — Лисичке стало до слез жаль наивную, никому не нужную Федькину, и от этого она злилась уже на себя.

Спешно вызванный врач нашел у Марины крайнее истощение.

— Обморок от голода, — сообщил он Лисичке. — К тому же ее сильно били, сломаны два пальца на руке. И еще триппер. С последним справиться легко, конечность тоже заживет. В общем, особых проблем не вижу. Две недели в постели на хорошем питании, и девчонка оклемается.

Марина осталась в доме. Когда она слегка отъелась и повеселела, Ирина обнаружила у девушки таланты. Федькина обладала замечательным слухом: абсолютно не владея нотной грамотой, никогда не посещавшая музыкальную школу, девушка легко подбирала на пианино любую мелодию. И бог одарил ее приятным голосом. В отличие от других девочек Марина никогда не капризничала, была воспитанна, тактична, аккуратна, спустя полгода ее обожали и клиенты, и товарки.

Несколько лет Марина работала на Лисичку и казалась вполне счастливой. Ирина учитывала тонкую душевную организацию Федькиной и никогда не заставляла ее обслуживать тех, кто девушке не нравился. А потом Марине за все ее страдания выпал счастливый билет.

Как-то раз Лисичке позвонил один из самых влиятельных клиентов, адвокат Попов.

— Приеду сегодня вечером, — предупредил юрист, — но не один, с приятелем. Он у нас продюсер, эстет, сделай так, чтобы Марина была незанята, она Фазилю непременно понадобится.

Ирина предупредила Федькину, и та в десять вечера при полном параде спустилась в гостиную. В Лисичке явно пропал талантливый имиджмейкер, она ловко подчеркнула самое выигрышное во внешности девушки. Марина не имела пышных форм, ярких глаз, шикарных волос, если сравнить Федькину с картиной, это была бледная акварель, а не полотно Рубенса. Ирина покупала «доченьке» простые белые платья в цветочек, велела перехватывать светлые волосы лентой и не разрешала использовать яркий макияж.

— А вот и Мариночка, — радостно воскликнула Лисичка, когда девушка вошла в комнату. — Сыграй нам на пианино, пожалуйста.

Фазиль замер с чашкой в руке. Федькина ударила по клавишам и запела какую-то попсовую песню. Лисичка краем глаза косилась на нового посетителя. Фазиль произвел на бандершу большое впечатление: шикарный костюм, правильные часы, уверенный взгляд богатого человека. К тому же приятель Попова. Можно поздравить себя с приобретением выгодного постоянного посетителя, которому очень понравилась умница Мариночка. Сейчас Фазиль пойдет с ней в спальню и будет частенько заглядывать к Лисичке.

Но события развивались совсем по-другому... Фазиль поманил пальцем Ирину.

— Можно вас?

Хозяйка кокетливо повела плечом.

— Меня нет! И зачем вам старуха, когда есть Мариночка?

Фазиль прищурил правый глаз.

— О ней и пойдет речь. У вас есть кабинет? Давайте решим деловой вопрос.

— Хорошо, — удивилась Ирина, — пойдемте.

Едва они вошли в офис, как Фазиль спросил:

— Сколько стоит Марина?

— На ночь? — уточнила Лисичка.

— Навсегда, — спокойно ответил Фазиль.

Ира опешила, потом переспросила:

— На выезд? Марина работает исключительно здесь, дома. Иногда я делаю поблажку давним, хорошо проверенным клиентам и отпускаю к ним какую-нибудь девушку. Лена, например, недавно на Кипр летала. Но Марина отсюда не выходит, и вас я пока не знаю.

— Вы не поняли: я хочу ее выкупить, — внес ясность Фазиль.

— Это невозможно, — холодно ответила Лисичка.

— Почему? — спросил продюсер.

Ирина оперлась локтями на стол.

— Здесь не рынок, девушки не рабыни. У нас семья, хорошая, любящая, я никогда не отдам Федькину в чужие, злые руки.

— Мои руки добрые, — улыбнулся Фазиль.

— Возможно. Но она останется дома, — твердо ответила Лисичка.

Фазиль взял со стола бумажку, написал на ней цифру и протянул листок бандерше.

— Ну как?

Сумма была впечатляющей, однако Ирина мужественно заявила:

— Не продается.

Фазиль засмеялся и нацарапал новую строчку.

— А так?

На Лисичку напала жадность.

— Понимаете, — промямлила она наконец, — я в принципе не против, если девушка устраивает свою судьбу. Только... А зачем вам Федькина?

Каримов расстегнул пиджак.

— Я хочу изменить ее жизнь к лучшему, у меня огромные возможности.

— Не сомневаюсь, — пробормотала Ирина.

Фазиль перечеркнул вторую сумму и живо изобразил третью.

— Это последнее предложение, — заявил он. — Да или нет? Говорите, вы любите девочек?

— Верно, — кивнула Лисичка.

— Сколько Марина еще проработает? Год? Три? Пять? А потом куда? В дом инвалидов сексуального труда? Так такой пока не построили. Решайтесь! Я не маньяк, не сволочь, не садист, спросите у Попова. Мне просто очень понравилась девушка. И я хочу иметь ее исключительно в личном пользовании, — слишком нервно для пресыщенного человека заявил продюсер.

— Хорошо, — хлопнула ладонью по столешнице

Лисичка. — Но валюту я хочу получить наличкой, полностью, сразу всю сумму. И никаких рассрочек.

— Сейчас позвоню и деньги привезут, — кивнул Каримов.

— Сегодня? — удивилась бандерша.

— А зачем тянуть? — заморгал клиент.

— Есть одна проблема, — вздохнула Лисичка.

— Сейчас и ее решим, — без колебаний пообещал Фазиль.

— Если вы Марине не понравитесь, сделка не состоится.

Каримов встал.

— Начинаю верить в рассказы про любовь в вашем доме. Где комната девушки? Дайте нам побеседовать с глазу на глаз.

Лисичка отвела Фазиля в спальню к Федькиной, вернулась в кабинет и уставилась на листок с цифрами. Услышь сутенер Костя, какую сумму предложили за его «некондицию», он бы от злости прыгнул с Останкинской башни.

Не прошло и часа, как Марина примчалась к «маме».

— Мне можно с ним уйти? — с порога спросила она.

Лисичка с изумлением окинула девушку взглядом. Всегда спокойная, уравновешенная, даже флегматичная, сейчас Федькина стояла перед хозяйкой с ярким, натуральным румянцем на щеках, лихорадочно блестя глазами.

— Что, так хорош? — ухмыльнулась Ирина. — Мужчина твоей мечты? В кровати леопард?

— Он меня пальцем не тронул, — понизила голос Федькина. — Мы лишь разговаривали.

Лисичку распирало от любопытства:

— Что он тебе пообещал?

Марина прижала руки к груди:

— Исполнение мечты!

— И какое твое заветное желание? — решила выяснить Ирина.

Девушка открыла было рот, но потом спохватилась, обронила:

— Это секрет.

— Я совсем не знаю Фазиля, — предостерегла Лисичка подопечную.

— Зато я с ним успела подружиться! — воскликнула проститутка.

— Невозможно разобраться в человеке за столь короткий срок! — попыталась предостеречь ее Ирина.

— Отпустите меня, ну пожалуйста! — взмолилась Федькина. — Хотите на колени встану?

— Поглупее чего скажи, — скривилась Лисичка. — Ладно. Но помни: ты сама выбрала свою судьбу. Назад не приму, здесь не проходной двор, туда-сюда шнырять нельзя. Ушла, значит, ушла.

Марина взвизгнула, кинулась бандерше на шею, осыпала ее поцелуями и умчалась из кабинета, уронив на ходу напольную вазу с искусственными цветами.

Лисичка собрала с пола пластмассовые розы, выпрямилась и увидела входящего в кабинет Каримова с кейсом.

— Деньги, — коротко сказал он и стал вынимать пачки: — Считайте.

После окончания процесса купли-продажи Ирина таки не смогла сдержать изумления и поинтересовалась:

— Вы владеете гипнозом? Никогда не видела Марину в подобном состоянии. Даже не предполагала, что наша мышка способна на такой взрыв эмоций.

— В тихом омуте черти водятся, — улыбнулся Фазиль. — Я в отличие от вас правильно оценил потенциал Федькиной. Поверьте: ее ждет яркая, восхитительная судьба...

Лисичка замолчала, я быстро задала вопрос:

— Каримов увез Марину?

— Да, — подтвердила Ира.

Я уточнила:

— Куда?

— Не знаю, — глухо буркнула бывшая содержательница притона.

— Вы больше не встречались? — не успокаивалась я.

— Нет, — не захотела откровенничать Ирина.

— И что стало с девушкой?

— Понятия не имею, — в очередной раз соврала Лисичка.

— Ты не звонила Фазилю? — осведомилась я.

— Нет, да и телефона его я не знаю, — помотала головой бывшая бандерша.

— Но можно было взять номер у Попова! — подсказала я.

Лисичка изобразила удивление:

— Зачем?

Я растерялась.

— Из твоего рассказа следует, что Федькина была тебе небезразлична.

— Да, я очень любила девушку, — подтвердила Ирина.

— И отпустила ее в никуда с незнакомым мужиком? Вот уж странно!

— Она сама захотела, — напомнила Лисичка.

— Ладно, — сдалась я, — а потом вдруг через много лет Марина пришла в «Зофью»?

Лисичка кивнула. Я чуть наклонилась в кресле:

— Ты удивилась?

— Конечно, — вполне искренне ответила хозяйка гостиницы. — Вот уж кого не ожидала увидеть!

Я уставилась ей в лицо злым взглядом.

— Почему?

— Ну... так, — обтекаемо отозвалась Ирина.

— Почему? — настойчиво повторила я.

Лисичка отвернулась, я встала, обошла стол и положила руки ей на плечи.

— Хочешь, сама дам ответ на свой вопрос?

— Попробуй, — процедила бывшая бандерша.

— Ты любила Марину.

— Я не делала секрета из своего отношения к Федькиной, — хмыкнула собеседница. — Сто раз уже это говорила!

— В момент, когда пьяный посетитель «Зофьи» повалил одну из клиенток отеля на пол, с той слетели парик и очки. И ты закричала: «Марина! Федькина!» Имя и фамилия вылетели у тебя по неосторожности, от изумления, потом ты спохватилась и быстро добавила: «Знаю, кто ты! Не волнуйся, никому ничего не расскажу, я тебя люблю». Так?

Лисичка сдвинула брови.

— Не помню.

— Твои слова отлично запомнил спутник Марины, и они его сильно озадачили. А та женщина тебе не поверила, выбежала на улицу и там впала в истерику. Так вот, ты узнала в посетительнице известную актрису Эдиту Звонареву, но одновременно поняла, что она и Марина Федькина — одно и то же лицо. А теперь отвечай: зачем ты отравила свою бывшую девочку? Что вы не поделили?

Глава 22

— Дура! — зашипела Ирина. — Идиотка!

Я засмеялась.

— Значит, я угадала.

Лисичка покраснела.

— Можешь мне не верить, но я к своим девчонкам и правда относилась как к родным. Подойди к любому сутенеру и спроси: «Где те, кто работал на тебя, а потом заболел и сошел с дистанции?» Ни один не ответит! Выгнал больных на улицу и забыл. А уж сколько шлюх погибает, не считано! Я же за каждую отчет дать могу! Люся палаткой на рынке владеет, замуж вышла, Катя маникюр-педикюр в салоне делает, у нее двое детей, Лена в школе домоводство преподает, Алиса выучилась на бухгалтера... Никто не пропал, все хорошо устроились, семейные женщины, прошлое похоронено.

— Прямо идиллия, — скривилась я. — А по субботам вы вместе ходите в баню?

— Нет, — серьезно ответила Ирина, — мы никогда не встречаемся. А если случайно где увидимся, делаем вид, что не знакомы. Я хозяйка гостиницы, у меня грандиозные планы, сейчас хочу превратить «Зофью» в престижный отель для приличных постояльцев. А у бывших моих девочек семьи, дети, достойная работа — ни мне, ни им не нужны неприятности. Хотя, я уверена, изредка они вспоминают Лисичку добрым словом.

— Давай вернемся к Федькиной, — предложила я.

Ирина кивнула.

— Когда Звонарева начала в телепрограммах мелькать, я отметила, что она похожа на Марину. Прическа другая, цвет волос отличается, губы полнее, щеки более круглые, нос короче, но в целом сходство удивительное. А потом я купила журнал и там увидела большую фотографию Эдиты. Ясное дело, снимок на компьютере подчистили, но, наверное, художник про шею забыл. На Звонаревой было вечернее платье с декольте. Я на ее ключицы посмотрела и чуть не заорала: они разные — правая косточка вперед торчит, это отлично видно. Знаешь, у каждого человека в основании шеи есть ямка?

— Ну да, — согласилась я.

— Так вот, у Марины справа от углубления выступала кость, а слева нет. Постороннему человеку дефект не заметен, но я-то не чужая! Гляжу на эти разные ключицы, дышу носом. А рядом еще одна фотка — она с Фазилем в обнимку. И подпись: «Продюсер Каримов и любимица публики актриса Эдита Звонарева на премьере фильма «Реки любви». Тут-то меня и осенило. Вот почему Маринка тогда за незнакомым мужиком очертя голову кинулась, в кабинете у меня вся красная тряслась! Фазиль ей пообещал исполнение мечты! А чего она хотела? Куда поступать приехала?

— В театральный, — пробормотала я.

Ирина кивнула:

— Сложилась картинка. Вот только...

Собеседница вдруг замолчала.

— Что ты недоговариваешь? — забеспокоилась я.

Лисичка встала с кровати и устроилась в кресле.

— Не умри Маринка, никогда б тебе не рассказала! Считаешь, ее убили?

— Да, — твердо ответила я. — И чем дольше тебя слушаю, тем крепче моя уверенность.

Ирина втянула ноги на сиденье.

— Очень меня то фото в журнале заинтересовало. Я целый день думала: она — не она. Встречаются порой похожие люди, не родственники, чужие, а на одно лицо. Ну и решила я кой-чего проверить, пошарила в Интернете. Странную штуку обнаружила! Вот что ты о Звонаревой знаешь?

— Работала в детском театре, играла роли собачек, потом случайно встретила Фазиля и понеслась на реактивной тяге к славе, — я вкратце перечислила вехи творческого пути звезды.

Ирина почесала нос.

— Я-то сначала подумала, что Каримов дал Маринке документы, придумал новую биографию и стал снимать девчонку в кино. Ну разглядел он в ней талант, когда впервые ее увидел, и не ошибся. Но получается, Звонарева раньше жила на свете!

— Ты о чем? — поразилась я.

Лисичка сложила руки на коленях.

— Первый сериал с Эдитой появился за два года до прихода Фазиля в мой дом. Лента называлась «Рай в сердце», ее показывали по центральному каналу, Звонарева там снялась в главной роли. Не успел проект закончиться, как запустили новый, «Дети любви», с той же Эдитой. Интересная ситуация складывалась: включишь одну программу, там

«Рай в сердце», ткнешь другую кнопку — «Дети любви», перекинешься на третью — актриса вещает корреспонденту: «Сейчас я снимаюсь в новом фильме, криминальной драме «Банда ножей». Очень много Звонаревой везде было! А затем вдруг тишина. Старые киношки крутят, но самой Эдиты нет, новое «мыло» не появляется. Потом Каримов приходит ко мне в дом, выкупает Федькину и, пожалуйста! Очень скоро «Банда ножей» вышла, и Дита вновь на всех программах появилась.

Лисичка протянула руку, стащила с кровати плед, завернулась в него и продолжила:

— Они разные. Та актриса, что играла Алису в сериале «Рай в сердце», полнее, ходит иначе, взгляд другой и голос тоже стал чуть ниже. Я по пять раз все фильмы переглядела и теперь уверена: сначала в кино снималась Эдита Звонарева, а потом вместо нее Фазиль поставил Маришку.

— Зачем? — поразилась я.

Лисичка пожала плечами.

— Ничего путного в голову не приходит. Но у него наверняка была на то причина. Спроси у Фазиля!

— Он за границей, — с сожалением сказала я.

— И с детьми нестыковка, — задумчиво протянула хозяйка гостиницы. — Везде пишут, что у Звонаревой есть дочь и сын.

— Мальчик приемный, — уточнила я, — он ее племянник...

— Не о нем речь, — перебила меня Лисичка, — о девчонке сейчас говорю.

— О Ляле?

— Ага. Ей вроде пятнадцать? — спросила Ирина.

— Абсолютно верно, — подтвердила я.

— Пятнадцать лет назад Марина принимала клиентов в моем доме, она никогда не рожала детей. Откуда взялась Ляля? — вскинула брови моя собеседница.

— Действительно... — растерялась я. — Значит, ты перепутала.

— Нет, — твердо заявила Ирина. — Говорю же: пересмотрела сериалы много раз. В последних фильмах снималась не Звонарева, а Федькина. Актриса двигается как Маринка, улыбается так же, поворачивается, говорит. Внешность ей слегка изменили, в губы силикон вкачать и нос подправить — плевое дело, а вот манера, скажем, усмехаться, чуть склонив голову, не исчезла. Маринка, когда нервничала, никогда вида не показывала, но у нее начинала чуть-чуть дрожать правая бровь. Не подумай, что это был сильный тик, нет, легкое подрагивание. Так вот, в сериалах, когда у героини особо важная сцена, ее лицо крупно показывают, и тогда хорошо видно: бровь дергается.

— М-да... — крякнула я. — Допустим, ты права. Фазиль заменил одну актрису на другую. Но где же настоящая Звонарева? И неужели родная мать не заметила подмены?

— Не могу же я за тебя всю работу выполнять! — вдруг рассердилась хозяйка гостиницы. — Сама выясняй.

Оказавшись на улице, я позвонила Коробкову с сообщением:

— Есть новости.

— Сходила в интернет-салон? — обрадовался хакер.

— Пока нет, — остудила я его пыл.

— Понятно... — разочарованно протянул Димон.

— Но как раз туда собираюсь, — тут же обнаде-
жила я напарника.

— Супер! — воспрянул он духом.

— А ты пока приготовь мне все сведения об Эдите Звонаревой.

— Хоть сейчас расскажу! — бойко откликнулся
Коробок.

— Подожди. Теперь посмотри на все под другим
углом, — приказала я. — Вот, скажем, детский театр, в котором некогда играла Дита. Что с ним сейчас? Предположим, что биография Звонаревой фальшивка. Просвети ее под лупой, попытайся найти
хоть какие-то нестыковки.

— Разрешите выполнять, мой генерал? — заорал
Димон.

— Шагом марш! — ответила я и пошла к метро,
чувствуя в ухе боль и шуршание.

Если Коробков начал дурачиться, значит, к нему
вернулось отличное настроение. Грустный Димон —
настолько противоестественное явление, что я готова сгонять в интернет-салон, который, слава богу,
находится в самом центре, неподалеку от одного из
входов на станцию метро «Китай-город». Но сначала я зайду в кафе, перекушу, соединюсь с Чеславом,
отчитаюсь перед ним и попрошу разрешения по-
тратить некоторое время на версию Димона.

Первой мне на глаза попалась вывеска «Весе-
лый гамбургер». Прогнав из головы образ нагло
хохочущей в лицо едоку котлеты, я вошла в заведение и поняла, что отсюда невозможно позвонить
начальству. Вместо столов вдоль стен тянулись

длинные доски, около которых люди теснились почти впритык друг к другу. Я собралась развернуться и пойти искать тихое местечко, но в воздухе витал запах свежепожаренных котлет — мой желудок начал корчиться в голодных спазмах. У кассы не было посетителей, все уже получили свой обед.

Ноги сами понесли меня к симпатичной темноволосой девушке в красной форменной курточке.

— Делайте заказ, — предложила она.

— А что есть? — осведомилась я.

— Все! — воскликнула девчонка. — Меню слева.

— «Гамбургер по-космически»? — удивилась я, глядя на список. — А чем он отличается от бефбургера?

— В первом хрен, а во втором говядина, — заявила кассирша, она же продавщица.

Я заморгала. Неужели в космическом гамбургере нет ни грамма мяса? Он весь состоит из ядреного корня?

— Возьмите лучше «Мадагаскар по-московски», — посоветовала шатенка за прилавком. — Эксклюзив месяца!

— Странное название, — отметила я.

Продавщица поставила на прилавок пустой поднос.

— В честь мультфильма, — пояснила она. — Мы следим за культурой, стараемся не отставать от моды. В феврале готовили «Ледниковый период с майонезом». Людям понравился, кое-кто даже расстроился, когда его из меню убрали.

— Ладно, давайте «Мадагаскар», — согласилась я, — и кофе со сливками.

— Сто пятьдесят рублей, — возвестила кассирша.

Я протянула ей две купюры, увидела, что девушка кладет на тарелку пышную булочку с корицей, и воскликнула:

— Я не заказывала сдобу!

— У нас акция: купил «Мадагаскар» — получи выпечку, — доложила шатенка и протянула мне сотню и полтинник: — Вот ваша сдача.

— Девушка, с меня сто пятьдесят, — напомнила я.

— Ну? И чего вы хотите? Держите, — не поняла меня кассирша.

— Я дала вам двести рублей, — улыбнулась я.

Девчонка бросила купюры на прилавок.

— Хорошо, я вернула остаток. Что не так? Ваши сто пятьдесят.

— Нет, они ваши! — попыталась я объяснить.

Невысокий лобик продавщицы гамбургеров перечеркнула морщинка.

— Мои?

— Конечно. Я вынула из кошелька на пять десяток больше. Отнимите от двухсот сто пятьдесят, сколько получится? Сдача неправильная! — объяснила я.

— Может, я иногда съедаю котлетку бесплатно, но клиентов в жизни не обману, — обиделась кассирша.

Я взяла голубую купюру и схватила поднос.

— Эй, а сотню почему оставили? — занервничала служащая.

— Она ваша! — делая шаг от кассы, бросила я.

— Нам не разрешают брать чаевые, возьмите деньги, — твердо заявила шатенка.

— Мой обед стоил сто пятьдесят рублей, — безнадежно сказала я.

— Если думаете, что я жульничаю, — вспыхнула девочка, — то готова вам из своего кармана доплатить. Как не стыдно, нельзя всех людей поголовно ворами считать! Плохое притягивает плохое! Думайте исключительно о хорошем!

— Эх, вы тут долго бухтеть собрались? — визгливо спросили за моей спиной. — Не дома на кухне!

Делать нечего, пришлось забрать деньги. А еще кое-кто считает блондинок дурами... Сейчас я спорила с шатенкой!

Свободное местечко нашлось в углу, около двух мужиков, одетых в не очень чистые комбинезоны. Один из них жевал булку с котлетой, второй прихлебывал чай. Я пристроилась на краю доски, исполнявшей роль стола, и начала аккуратно разворачивать «Мадагаскар по-московски».

— Колян, ты бы пожрать купил, — с набитым ртом пробормотал рабочий, комкая бумажку из-под еды.

— Не, Серега, не буду, — ответил приятель.

— Вкусно, — причмокнул Сергей, — остренько. И хлеб мягкий. Попробуй!

— Неохота, — мрачно сказал Коля.

— Может, денег нет? Давай одолжу.

— Все у меня есть, отстань, — отрезал коллега.

— Странный ты человек, Колян. Видно ведь, что голодный, а жрачку не покупаешь. Стесняешься кого? — все не отставал друг.

— У меня Катя ревнивая, — неожиданно вздохнул Николай. — Прямо болезнь у нее! Чуть в сторону посмотрю, войну начинает.

— Я же тебе не бабу предлагаю, а котлету, — загоготал Сергей.

— Ты не женатый, — горько продолжал Николай, — поэтому баб не знаешь. Если припрусь домой пьяный, моя слова не проронит, утром рассолом угостит. Но стоит ей понять, что я где-то наелся... Тут убегай со стадиона!

— Катька твоя того? — повертел пальцем у виска Сергей. — Ваще-то бабы запах водки не переносят!

— Дурак ты! — с чувством превосходства объявил Колян. — Напиться можно в любом месте, купи в магазине литр и скушай в одно лицо. А вот если муж сыт, значит, точно от другой приехал, котлетами напихиваются только у любовницы.

Я чуть не зарыдала от смеха. У незнакомой мне Екатерины мысли в принципе текут в правильном направлении. Жаль, она забыла про сеть ларьков с фастфудом — ее сокровище легко может купить шаурму, и это не будет свидетельством измены. Лично мне бы совершенно не понравился пьяный муж, а если Гри откажется от ужина, я никогда не стану злиться, потому что великолепно понимаю: он не может целый день гонять по городу на голодный желудок. Странные, однако, встречаются женщины. Ну почему им в голову сразу лезут мысли об измене? Вот мои родители никогда не ругались на почве ревности, у них были другие болевые точки. Отец постоянно упрекал мать в неоправданных тратах, кричал:

— Я работаю на унитаз! Неужели нельзя более экономно вести хозяйство?

Услыхав его упрек, мать моментально бросилась в атаку:

— Получаешь три копейки и хочешь, чтобы мне
на все хватило? Если ты неудачник, то винить некого!

К сожалению, мои предки постоянно выясняли
отношения, спорили до хрипоты по любому поводу. Трогательное единодушие они проявляли лишь
в двух случаях: сообща ругали меня и вместе налетали на бабушку. Катализатором скандала могла
послужить любая мелочь: папа бросил носки в
комнате на пол или мама случайно смяла газету.
Для развязывания войны годилось все, вот только
о ревности никогда речи не было. Может, мать понимала, что отец абсолютно не привлекателен
внешне, а папа считал, что его жена фигурой похожа на Кутафью башню, да и характер у нее хуже,
чем у больной гиены? Или они просто не любили
друг друга? Правда, отец никогда не пил водку.

Неожиданно в голову пришло воспоминание
детства.

У нас были соседи Костровы, которые разве-
лись из-за новогоднего праздника. Тридцать первого декабря, не помню какого года, Катя сказала
своему мужу Володе:

— Купи для праздничного стола рыбу.

— Какую? — не поворачиваясь от телика, спросил супруг.

— Вкусную! — обозлилась жена. — И свежую!
Тухлятина нам не нужна. Владимир, иди живей,
соседи говорили, в продмаг карпа завезли.

— А? — с трудом оторвался от футбола Костров. — Чего?

— Ты можешь хоть что-нибудь сделать по хозяйству? Скоро гости придут, — привычно завелась Катерина. — Карпа специально перед закрытием выбросили!

Редкий мужчина любит жаркие семейные скандалы, Вова не принадлежал к числу мазохистов.

— Не злись, зая, — пробубнил он, — я все понял. Уже иду.

На улице, как назло, стоял зверский холод. Костров поежился, сделал пару шагов и налетел на другого нашего соседа, Леню Родионова.

— Куда тащишься? — спросил тот. — Ну и ветер! Прямо с ног сшибает! Хорошая хозяйка в такую погоду собаку на улицу не выгонит.

— Увы, я не пес, — мрачно ответил Костров. — Бим на диване остался, а меня в магазин отправили, за рыбой.

— Слушай, — оживился Родионов, — моя мегера уехала на праздник к матери. Пошли проводим старый год?

Володя заколебался.

— В магазине не протолкнуться, — голосом демона-искусителя продолжал Леонид, — народу — прорва. Тебе карп не достанется, там бабы за него дерутся. Лучше мирно посидим. А Катьке скажешь: давился в толпе. Она хитрая, сама не пошла. Сам подумай, что лучше: с народом давиться или в удовольствие рюмашку тяпнуть?

Ответ на коварный вопрос напрашивался сам собой, и Костров пошел к Родионову. «Пропущу один стопарик, и все», — сказал он себе...

Когда Володька открыл глаза, то почувствовал,

что ему в мозг будто воткнулась тупая палка, взор с огромным трудом сфокусировался на «пейзаже», и Костров сначала не понял, где он находится. Потом способность соображать к нему вернулась, мужик попытался принять вертикальное положение, обозрел стол с пустыми водочными бутылками, пару вспоротых жестянок из-под рыбных консервов и мирно храпящего на полу Леню. Взор снова переместился на остатки пиршества. Рыба!

Костров с трудом встал на ноги. Катька посылала его за свежей рыбкой к новогоднему столу, а он зашел к соседу, буквально на секундочку... Черт возьми, который сейчас час, купил ли он проклятого карпа? И вообще, как отреагирует жена, когда увидит благоверного не в лучшей форме?

Вовка покрылся холодным потом, с трудом сделал шаг и увидел большую круглую банку, в которой мирно плавало несколько рыбешек. Вздох облегчения вырвался из его груди. Слава богу, он выполнил поручение супруги. Костров схватил банку и побежал домой.

Когда спустя пару месяцев женщина-судья спросила Катю о причине развода, та уперла руки в бока и с чувством произнесла:

— А вы бы как поступили? Я попросила идиота тридцать первого декабря сходить за рыбкой к праздничному столу, а он вернулся второго января. Открываю дверь, стоит, держит в руках аквариум с золотыми рыбками и улыбается: «Милая, вот тебе самая свежая семга!»

— Да уж, шутник, — вздохнула судья и объявила брак расторгнутым.

Мораль сей басни проста: запасать продукты к

Новому году надо заранее, не отправляйте мужа в последний час за рыбными деликатесами.

Мой-то отец никогда бы не зарулил к приятелю и не стал бы пить водку. И еще — он не развелся со своей сварливой женой, ругался с ней до конца жизни. А Костров после того глупого случая обрел свободу и через пару лет женился на милой женщине, с которой был счастлив.

Вот и разберись теперь, что лучше: пить или не пить?

Я вынырнула из воспоминаний и услышала окончание разговора соседей по столику-доске.

— Послушаешь женатиков и порадуешься холостой жизни, — подытожил Сергей, вытирая руки салфеткой.

Я наконец-то достала из обертки «Мадагаскар по-московски» и поднесла его ко рту. Но зубы не успели впиться в ароматно пахнущую булочку, потому что я увидела... тонкий хвост, свисавший из-под верхнего слоя хлеба.

Глава 23

— Мама! — взвизгнула я.

Сергей обернулся.

— Зуб сломала? Сам недавно клыка лишился, купил батончик с орехами, хрясь — и нету красоты. Ничего, врач новый поставил, и не больно совсем.

— Мои челюсти в порядке, — дрожащим голосом пролепетала я, — но... там крыса!

— Эка новость, — вступил в беседу Николай. — Их повсюду полно! Не бойся, не тронут. Грызуны первыми на человека не нападают, ешь спокойно. Моя Катька тоже при виде мышей визжит. Смешно до жути!

— Она в еде, — я ткнула пальцем в картонную тарелку, куда бросила нетронутую булочку.

Мужики воззрились на бутерброд.

— Хвост, — спустя пару секунд констатировал Николай.

— И морда, — дополнил Сергей. — Вон, с той стороны нос вылезает.

Я издала визг и села под доску.

— Ваще! — протянул Николай.

— Круто! — подхватил Сергей.

— Эй, не шумите, — возмутилась девушка на кассе, — здесь выпивать нельзя. Идите к метро, бухальщики.

— Перестань орать, — наклонился ко мне Николай, — она жареная, укусить не может.

— Ты кого алкоголиками обзываешь? — возмутился между тем Сергей.

— Тебя, — охотно пояснила кассирша.

— Я ваще не употребляю! — покраснел рабочий. — На станке работаю, нельзя, чтобы пальцы тряслись.

— Расцвели в декабре ананасы... — подбочинилась девушка. — Случай для Книги рекордов Гиннесса: непьющий мужик.

— А вот мы сейчас ментов кликнем, — обозлился Николай. — Гляньте, народ, они здеся крысюками в булках торгуют!

Присутствующие начали перешептываться, несколько человек подошли к нам.

— Пасюк! — истошно заорала тетка в фиолетовом пуховике и забилась ко мне под столешницу.

— Люди добрые! — выводил чей-то визгливый дискант. — Значит, правду «желтуха» пишет про пельмени из собачатины! А тут крыса!

— Да еще синяя, — дополнил возмущенный бас. Далее невидимая мне пара продолжала дуэтом:

— Она ядом травленная, от того и кожа баклажановая.

— Охамели совсем, больных крыс жарят!

— Можно подумать, что бутерброд со здоровым грызуном вам понравился бы больше, — язвительно вклинился ломающийся баритон.

— А че, прикольно, — захихикал хрипловатый тенорок. — Мои родители в Париже лягушек пробовали. Тетенька, вы будете гамбургер доедать? Эй, тетя?

Я сообразила, что обращаются ко мне, подняла голову и увидела школьника лет тринадцати.

— Тетенька, вы будете его доедать? — повторил он вопрос.

Мой желудок поднялся к горлу.

— Никогда, — еле-еле выдавила я.

— Можно я возьму ваш гамбургер себе? — обрадовался тинейджер. — Все равно его выбросят!

— Нельзя есть крысу, — в изнеможении пролепетала я. — Если ты очень голодный, а денег нет, вот, держи сто рублей и купи себе в магазине шоколадку.

— Не, я хочу Раису Ивановну, русичку, угостить. Круто получится! — радостно объявил мальчик.

— Обкурились все? — возмутилась кассирша. — Что за бред несете?

— Это ты нам ответь, чем нас тут кормят! — перебил ее Коля. — В тарелку глянь!

— Ну и где крыса? — спросила девушка.

— Во! — хором ответил народ.

— Идиоты! Она же ненастоящая! — захохотала труженица прилавка.

Мы с теткой переглянулись и, кряхтя, вылезли на свет божий.

— Плюшевая? — изумился Сергей и потыкал в крысу пальцем. — Точно!

— Дебилы, — фыркнула кассирша. — Где вы синего мыша видели?

— Может, она у вас на кухне объедками обедает, оттого и посинела, — огрызнулся Сергей.

Я откашлялась.

— Простите, зачем засовывать в булку игрушку,

да еще в виде весьма натурально выполненного грызуна? Глупая шутка.

— Кто ж знал, что вы слепая? — отбила подачу кассирша. — Вон объява у кассы... Читать надо!

Я подошла к большому плакату и впилась взором в текст: «Дорогие посетители! Предлагаем вам новинку месяца, «Мадагаскар по-московски». Сочная котлета из стопроцентной, экологически чистой говядины, выращенной в лесах Подмосковья. Воздушная булочка, листья салата, ломтики помидоров, особый майонез, способствующий чистке сосудов, и... наш милый сюрприз. В каждом тысячном «Мадагаскаре» вы найдете героя мультика, которого абсолютно бесплатно получите в подарок. Приятного аппетита!»

— Теперь в голове рассвело? — издевательски осведомилась кассирша. — Мы плакат специально вывесили! А дундуки не видят, гребут мимо, потом народ пугают...

Меня охватило здоровое негодование.

— Первое. Говядину вырастить нельзя. Есть теленок, который растет и превращается в корову. Говядина — это мясо на прилавке. Второе. В Подмосковье давно нет экологически чистых лесов. Сомневаюсь, что они вообще сохранились на земном шаре. Третье. Буренки пасутся не в чаще, они гуляют по полям и лугам. Четвертое. Майонез — это жирный соус, к статинам[1] он отношения не имеет и не сделает сосуды здоровыми. Пятое. В булку нельзя засунуть героя мультфильма. Туда положи-

---

[1] С т а т и н ы — лекарства, понижающие уровень холестерина в крови.

ли игрушку, которая его изображает. Шестое. По-дарок на то и подарок, чтобы быть бесплатным. Текст писал малограмотный человек. А идея спря-тать в сандвич изделие из плюша глупая и антиса-нитарная. До свиданья.

Высоко вздернув голову, я направилась к выхо-ду, люди в забегаловке хранили молчание.

— Умная больно, — отмерев, бросила мне вдо-гонку кассирша.

Но я не стала поддаваться на провокацию, без звука вышла на улицу. И тут сообразила: приступ голода прошел, его поборол страх. Может, мне те-перь каждый раз, когда есть захочется, смотреть ужастик?

— Тетенька, — закричал, выбегая следом за мной, школьник, — вы еду забыли!

— Спасибо, расхотелось есть, — поблагодарила я заботливого паренька.

— Гамбургер вам правда не нужен? — уточнил он.

— Нет, — коротко бросила я.

— Можно я себе его заберу? — запрыгал от ра-дости подросток.

— Пожалуйста, — милостиво разрешила я.

— Вау! Круто! Раиса Ивановна инфаркт зарабо-тает. Откроет коробку, а там подарочек! — обрадо-вался мальчик.

— Оставь училку в покое, в противном случае окажешься у директора в кабинете, вместе с роди-телями, — предостерегла я.

— Уж не дурак, — кивнул милосердный отрок, — тайком ей на стол подсуну. Раиска жадная, ни с кем делиться не захочет. Прикол получится. А вы правы — в кафе работают дебилы. Я смотрел «Мадагаскар», и там никаких крыс нет, зато в «Ратутуе» есть. Перепутали они мультяшки!

Жалея о том, что не могу предупредить незнакомую Раису Ивановну о грозящей ей опасности, я
пошла к метро, по дороге поговорила с Чеславом,
получила разрешение проверить версию Димона и
ступила на ленту эскалатора.

Место, гордо называвшееся интернет-салоном
«Мир на ладони», находилось в полуподвальном
помещении, куда вели грязные выщербленные
ступени. Держась за металлические перила, я осторожно по ним спустилась и вошла в небольшой
предбанник. Справа стоял игровой автомат, возле
которого топтался мальчик, одетый в сильно поношенную куртку. Слева, за обшарпанным столом,
сидела толстая пожилая тетка с книгой в руке. Я кашлянула, в воздухе очень сильно пахло хлоркой. Очевидно, уборщица только что вымыла пол.

— Оплачивайте час, — мрачно заявила дежурная, не отрываясь от увлекательных похождений
Анжелики.

— Разрешите... — начала я. Но мадам не дала
мне договорить.

— Скидок нет, оплата вперед.

Я вынула удостоверение и положила его прямо
на текст романа.

— Думала, вы в Интернет хотите, — стала любезной тостуха.

— Вы записываете посетителей? — приступила
я к допросу.

— Нет, конечно. А зачем? Плати рубли, получай

номерок и иди в зал, — сообщила дежурная местные правила.

— А если клиент компьютер сломает? — предположила я.

— Они и так покойники, — спокойно ответила дежурная. — Инструкция хозяевами составлена, а они больше о чистоте заботятся, чем о технике, без конца велят с дезинфекцией столы и стулья мыть, заразы боятся.

Потерпев первую неудачу, я решила не сдаваться.

— Если назову ай пи адрес, покажете мне комп?

На круглом лице женщины появилось недоумевающее выражение.

— Ай чего? — переспросила она.

Мальчик у автомата рассмеялся и подошел ко мне.

— Лучше мне скажите, я здесь все знаю.

— Иди отсюда, вымогатель! — обозлилась тетка.

— Не гоните его, — строго приказала я.

— Я ничего плохого не делаю, — сказал подросток, — просто помогаю тем, кто не умеет.

— За деньги! — презрительно поджала губы дежурная.

— И вы, Анна Сергеевна, не за бесплатно тут сидите, — спокойно парировал школьник.

— Не хами, Павлик!

— Я правду говорю, — улыбнулся мальчик. — А вот вы иногда кое-кого за полцены пускаете, в журнале не отмечаете, а рубли в свой карман прячете.

Анна Сергеевна изменилась в лице.

— Сколько стоят твои услуги? — спросила я у Павлика.

— Сто рублей час.

Я протянула парнишке купюру и бумажку, где были записаны координаты компьютера.

— Сами из милиции, а поощряете жуликов, — ожила Анна Сергеевна. — Не пущу в салон! Плати шестьдесят целковых.

Получив деньги, толстуха сунула их в ящик стола и вновь уткнулась в книгу.

— А чек? — напомнила я. — У вас должен быть кассовый аппарат.

— Он сломался, только что, — лихо соврала дежурная.

— Тогда выписывайте квитанцию, иначе у вас будут неприятности с налоговой. И дайте жетон с номером компьютера, я заплатила сполна, имею право пользоваться Интернетом, — потребовала я.

Сопя от недовольства, Анна Сергеевна выполнила мои требования.

— Это комп Крота, — вдруг сказал Павлик, — я точно знаю. Только не спрашивайте, откуда мне адрес известен. Я вам объяснить не сумею, просто поверьте.

— Чей комп? — не поняла я.

Павел начал вводить меня в курс дела:

— Сюда ходит много постоянных посетителей. Каждому своя машина нравится. Жека садится по центру, Андрюха у двери, а Крот лезет в угол. Он вообще странный.

— Кто такой крот? — вновь удивилась я.

— Крот он и есть крот, — пожал плечами Павлик.

— Как его зовут?

— Крот, — повторил мальчик.

— Сомневаюсь, что именно это слово указано у

человека в паспорте в графе «имя», — вздохнула я. — Как вы к парню обращаетесь?

— А он с нами не общается, и мы с ним дел не имеем, — объявил Павел.

— Вообще? — усомнилась я.

— Совсем им не интересуемся, даже не здороваемся, — разоткровенничался подросток. — Он на нас не глядит, и мы к нему не вяжемся.

— Крот очень сильный? Боитесь, что он вас побьет? — предположила я.

Павлик засмеялся.

— Наоборот. Тощий как глист, больной и заразный, туберкулез у него. Генка так сказал. Крот здесь появился давным-давно, точно не помню когда. Вошел в зал, ни с кем не поздоровался и к компу. Андрюха тогда на стену полез: «Надо его проучить, не по понятиям поступает. Заявился на нашу территорию и ходит тут хозяином!»

— И вы его побили? — высказала я догадку. Но мое предположение оказалось ошибочным.

— Не, Генка запретил, он тут самый авторитетный. Приказал к новенькому не приближаться. «Вы, — говорит, — заразиться хотите? Он весь замотанный, на горле шарф, и кашляет часто. Псих туберкулезный, еще на вас харкнет, и помрете», — вот как он сказал, — возбужденно прошептал Павел.

Я молча его слушала. Интересно, знают ли родители мальчика, где он проводит досуг, каким образом зарабатывает себе на мелкие радости, типа часа сидения в Интернете? И как бы они отреагировали, узнав, что у соседнего компьютера стучит по клавиатуре подросток, страдающий опасным легочным заболеванием?

— Мы его Кротом прозвали за куртку, — продолжал Павлик, явно польщенный моим вниманием. — Черная такая, с капюшоном. Еще у него очки толстенные, значит, он слепой. И сидит он за самым неудобным компом, стол за колонной стоит, отдельно от остальных, туда вообще никто до него садиться не хотел. Приходит вечером, поздно, наши все уже разбегаться начинают. Наверное, как я, с бабкой живет, подождет, пока старуха заснет, и в салон. Я хоть всю ночь прогуляю, бабушка не чухнется, главное — до шести утра вернуться. Хотите Крота увидеть?

— Очень, — призналась я.

Павлик глянул на круглые часы на стене.

— Приходите к десяти, он точно тут нарисуется, покажу вам это чудо. Денег мне больше платить не надо, я еще первые не отработал.

— А ты честный, — похвалила я информатора.

Павлик поскреб в затылке.

— Сюда еще студенты ходят, из общежития, они за наши компы не лезут. Я сразу объясняю: «Здесь постоянные посетители сидят, видите бумажки «занято»? Еще я помогаю девчонкам, они путаются, не понимают, где чего в Инете искать. Я больше пользы приношу, чем Анна Сергеевна. Бабка принтер от системного блока не отличает, только деньги тырит и меня гоняет, за конкурента считает. Смешно!

Договорившись встретиться с Павликом в двадцать два часа у входа, я заглянула в расположенный неподалеку супермаркет, нашла кафетерий, купила стакан чая и два эклера. Потом спохватилась, спросила у продавщицы:

— Пирожные нормальные?

— Совсем не буйные, на людей с кулаками не бросаются, — язвительно ответила торговка.

— Внутри сюрпризов нет? В креме нет мышей? — уточнила я.

Девушка остолбенела. Я сообразила, что сморозила глупость, и быстро добавила:

— В смысле, подарков от фирмы внутри нет?

— Нет, — продавщица покачала головой и рассмеялась: — Сегодня в молочном дают гномов. Если хотите получить, поторопитесь туда. У них акция: купи восемьдесят пакетов сливок, получи одного карлика. Соберешь десять уродцев, тебе суперприз делают — керамическую жабу. Бесплатно!

— За деньги небось эту красотищу никто не приобретет, — предположила я, отошла в укромный уголок и вытащила мобильный.

Сначала мне удалось поболтать с Гри, который неожиданно оказался свободен, потом, услышав от мужа много приятных слов, я в самом чудесном настроении соединилась с Коробковым и рассказала хакеру о первом визите в интернет-салон. Затем поинтересовалась:

— Про Звонареву есть новости?

Глава 24

— Лишь один пустячок, — заявил хакер. — Я полазил по блогам, пошуршал в темных прудах и выловил странную рыбку: некая «Монтана» безуспешно пыталась соединиться с Дитой. Она просила у всех дать ей контакт со Звонаревой, сообщить телефон, адрес, номер аськи или е-майл. Но, похоже, так ничего и не получила. «Монтана» шарилась в официальном сайте Звонаревой, надеясь встретить Диту, но актриса в Интернет не выходила, за нее там отдувался нанятый айтишник. Я его знаю, ну и соединился с красавчиком. Слово за слово, Олег мне стал жаловаться: «Никогда больше не соглашусь звездные сайты вести. Фаны — это жесть. Правда, большая часть одинаковые вопросы задает, с ними легко: отослал стандартный ответ и гуляй, Вася. С теми, кто деньги клянчит, тоже без напряга разбираюсь. Но есть такие перцы, такие тупые козы! Например, «Монтана». Задолбала меня письмами! Сто раз ей отвечал: Эдита напрямую с незнакомыми не общается. Нет, снова шлет: «Дайте телефон Звонаревой! Срочное дело! Жизнь или смерть!» В конце концов, я избавился от липучки. Той какое-то время не было, а потом она новые послания набивать стала: «Дите — смерть, она людям не помогает»; «Подохнешь — на том свете попадешь в ад»; «Приду плюнуть на твою могилу». Вот такие дела.

— Очень интересно, — пробормотала я.

— Дальше — больше, — продолжал Димон. — Когда сообщили о смерти Звонаревой, «Монтана» тут же прислала сообщение: «Ура тому, кто убил суку! Око за око! Зуб за зуб!»

— Многие знаменитости сталкиваются с ненормальными людьми, — сказала я. — Сначала фанат благоговеет перед звездой, пытается вызвать ее на свидание, а когда терпит неудачу, впадает в ярость. Такие люди способны лишить жизни своего кумира. Вспомни Джона Леннона! Можно найти «Монтану»?

— В реале она Галина Юрьевна Адаскина, работает в фирме, занимающейся ландшафтным дизайном, в Интернет выходит со служебного компьютера, — мгновенно ответил Коробков.

— И как ты это узнал? — поразилась я.

Димон издал странный звук, похожий на хрюканье. И вдруг попросил:

— Танюха, объясни принцип работы мобильника.

— Нажимаешь на зеленую кнопочку, набираешь номер и разговаривай, — с недоумением ответила я.

Хакер радостно засмеялся.

— Не то! Как звук передается? Без проводов-то, а?

— Какая мне разница! Я же не физик, а простой потребитель, который пользуется телефоном. И про устройство автомобильного мотора не расскажу, а на машине езжу, сажусь на сиденье и прошу шофера рулить вперед.

— Правильно, умница, хорошая девочка, — рассыпался в похвалах Коробков. — Поэтому незачем спрашивать, как я раздобыл адресок Адаскиной, просто пользуйся моим умом.

— Ты прав, — согласилась я. — Завтра скатаюсь в фирму к садовникам, а сейчас возвращаюсь в интернет-салон, хочу поговорить с Кротом.

— Он может быть опасен! — предостерег Димон.

— Это школьник, и, похоже, у него слабое здоровье.

— Неважно, возраст здесь ни при чем. «Король Мар» убийца!

Я глянула на часы.

— Все, побежала. Не волнуйся, мой вес намного больше, чем у восьмиклассника, в случае крайней опасности сяду на тинейджера и раздавлю его. Если никак не получается согнать вес, надо его использовать!

Коробок опять хрюкнул. А потом сказал:

— Мне недавно Гри звонил, ему кое-что требовалось, в том числе фото одной мамзели. Выслал я ему снимок и спрашиваю: «Ну как красотка?» А твой муж отвечает: «Уродина. Отвратительно, когда женщина похожа на гнутую проволоку, для меня эталон красоты — Таня».

Меня затопила беспредельная радость, но спустя минуту я поняла: Димон врет, чтобы поднять мне настроение, фраза про эталон совсем не в духе Гри.

— Спасибо, — промямлила я в трубку.

— За что? — изобразил непонимание хакер. — Просто никогда не забывай: Гри любит тебя, ему нравятся пухленькие дамы. Кстати, мне тоже, жаль, что ты несвободна. Правда, у нас с тобой все равно бы ничего не вышло.

Я тоже решила сделать приятное дедушке с пирсингом:

— Почему? Ты симпатичный.

— Возраст! — коротко откликнулся Коробок.

У каждого человека свои комплексы. Я чувствую себя беременной слонихой, а Димон, оказывается, расстраивается из-за количества прожитых лет.

— Ерунда! — поспешила я его приободрить. — Ты выглядишь очень молодо.

— Не обо мне речь, — мягко сказал Коробков, — ты для меня уже старовата. Чао, бамбино!

Из трубки полетели гудки, а я непроизвольно сделала глотательное движение. Я слишком стара для нашего безумного дедули? С ума сойти! Димон давно смотрелся в зеркало? Да ему двести пятьдесят лет!

Кипя от негодования, я побежала в сторону интернет-салона, продолжая на ходу переживать. Несмотря на солидный вес, я бойко несусь по улице, не задыхаюсь, не устаю. И тут сердце запрыгало в груди, в правом боку закололо, пришлось остановиться и перевести дух. И все равно — это не признак почтенного возраста, я просто нетренированная. Вот запишусь в фитнес-клуб, начну заниматься на дорожке, сяду на диету, и через полгода посмотрим! Негодование стало утихать. Главное, поставить правильную цель и потом идти к ней не сворачивая с пути. Ну, Димон, погоди!

Павлик маячил у входа.

— Он тут, — заговорщицки прошептал паренек, — пошли.

Мы миновали стол, за которым мирно спала Анна Сергеевна, и очутились в просторном, ярко освещенном помещении, заставленном столами-кабинками. Мониторы у компьютеров здесь были не плоские, а большие, напоминающие телевизоры, и посетители сидели не в удобных, вертящихся креслах, а на обычных стульях.

— Оборудование неновое, — тихо сказала я Павлику, — и ремонт давно пора сделать.

Мальчик, кивнув, не удержался от замечания:

— Хозяин жмот!

Я оглядела людей, работавших в Интернете: два паренька и девушка лет двадцати.

— А где Крот?

Провожатый поманил меня пальцем:

— Сюда.

Мы миновали все столы, завернули налево и уперлись в толстый бетонный столб.

— Здесь, — объявил Павлик.

— Тут только колонна какая-то, — удивилась я.

Павлик чихнул.

— Обойдите ее справа.

Я повиновалась. Открылась ниша, а в ней стол, мерцающий экран, спина, обтянутая темной курткой.

— «Король Мар»? — спросила я.

Незнакомец, не оборачиваясь и даже не двигая головой, прикрытой большим капюшоном, глухим голосом пробормотал:

— Не мешайте.

— Вы «Король Мар»? — повторила я.

— Нет, уйдите! — невнятно прозвучало из-под темной ткани.

Я решила соврать:

— Странно. В Сети сейчас находится человек с этим напыщенным ником, и проверка определила его ай пи адрес, он принадлежит компьютеру, которым пользуетесь вы.

Монитор погас.

— Отвалите! — прошипел Крот.

Я попыталась увидеть лицо пользователя, но это оказалось невозможно. Кабинка находилась в нише, ни справа, ни слева к компьютеру нельзя было подойти. Да, «Король Мар», желая сохранить инкогнито, выбрал правильный закуток.

— Повернитесь! — приказала я.

Паренек сгорбился, но не послушался.

— Вставайте, вы задержаны! — рявкнула я.

Ноль эмоций.

— Долго мне ждать? — возмутилась я.

— Ладно, — неожиданно согласился юноша. — Только отойдите. Навалились на спину, как мне стул отодвинуть?

Я сделала пару шагов назад. «Король Мар» нехотя, очень медленно начал подниматься, потом вдруг резко развернулся и, проскользнув мимо меня, помчался в коридор. Я не ожидала такого развития событий, поэтому растерялась, упустила пару секунд драгоценного времени и лишь потом бросилась следом. С таким же успехом можно было соревноваться с борзой. А я, к сожалению, отнюдь не африканский спринтер.

Ни в зале, ни в коридоре «Короля Мара» уже не было, и в холл я входила не спеша, зная: упустила парня, у которого рыльце явно в пушку. Зачем ни в чем не повинному человеку удирать? Он мог спокойно ответить на мои вопросы и продолжить прогулку по Сети.

— Хулиганье! — раздался вдруг вопль Анны Сергеевны. — Прекратите! Вас сюда больше никогда не пустят! Милиция! Люди!

Я побежала, очутилась в холле и увидела на полу два сцепившихся тела. За столом, не делая попытки встать и разнять мальчишек, сидела и ругалась старуха.

Не долго думая я плюхнулась сверху на фигуру в темной курке. Вот уж не предполагала, что применю на практике метод, о котором сообщила Коробкову.

— Не отпускай его! — заорал Павлик.

Я изо всех сил попыталась удержать юркого, напоминавшего ящерицу школьника. Очки Крота валялись на значительном удалении — слетели во время драки с Павликом, но лица своего соперника я так и не видела, поскольку голова его лежала носом в пол и на ней по-прежнему был капюшон.

Кроту удалось выползти из-под меня больше чем наполовину, и я попыталась пересесть. Но мальчишка все же выскользнул и вскочил на ноги. И сразу был сбит Павликом. Я живо водрузилась на спину «Короля Мара», а мой помощник стукнул его по затылку. Крот вздрогнул и застыл.

Я перевела дух и укорила Павлика:

— Так нельзя!

— Он хотел удрать, — тяжело дыша, возразил тот. — А зачем сбегать, если ничего плохого не совершил?

— Логично, — согласилась я и стянула капюшон с головы поверженного.

Стали видны красивые блестящие волосы, прикрывающие уши. Прическа показалась мне знакомой.

— Сделай одолжение, — попросила я Павлика, — поверни его голову набок.

Мальчик выполнил указание и спросил:

— Шарф размотать? Он его выше носа натянул.

У меня не было слов, сил хватило лишь на быстрый кивок и на нажатие кнопки на телефоне. Сейчас на мониторе в квартире Димона высвечивается сообщение о том, что Татьяне Сергеевой необходима срочная помощь. Я никогда еще не пользовалась клавишей «SOS» и не знала, кто через короткое время сюда примчится: наряд милиции? Сам Чеслав? Группа десантников? Зато хорошо понимала, чью спину сейчас использую в качестве сиденья, — на грязном полу лежала Ляля, дочь Эдиты, внучка Зои Владимировны, милая, послушная девочка, глубоко переживающая безвременную кончину мамы.

На следующий день в пять часов вечера я сидела в кабинете Чеслава и слушала его рассказ.

— Ты была абсолютно права, предположив, что «Король Мар» задумал убить Эдиту, — сказал начальник.

Я замотала головой.

— Нет, не я! Это версия Коробкова. Я всего лишь проверила ее и обнаружила Лялю, дело раскрыл Дима, отчитываться о работе следует ему.

— Я вызвал тебя, — строго напомнил Чеслав, — говори.

Я заколебалась, но в бригаде не принято спорить с начальством. Оставалось только надеяться, что Коробков не обидится, не подумает, будто я решила присвоить себе его успех. Выхода у меня нет. Пожалуй, начну с психологической характеристики подозреваемой...

— Ляля очень обидчива и легко впадает в гнев, я видела истерику, которую девочка закатила бабушке по ничтожному поводу. Дочь Звонаревой никак не может наладить отношения со сверстниками, детский коллектив ее отторгает. Брата Веню Ляля не любит, она пытается скрыть свою неприязнь к мальчику, но та вырывается наружу. Я провела в квартире Звонаревых мало времени, но и его хватило, чтобы понять проблему. Зоя Владимировна, похоже, обожает внуков, но она много работает. Дита расшибалась ради семьи в лепешку, купила шикарную квартиру, построила дом за городом, вот только времени на пение колыбельных и выпекание сдобных булочек у нее не было. Веню и Лялю воспитывали домработницы. В жизни так уж устроено: если мать-одиночка ходит с тобой в театр-зооопарк-музей, укладывает спать, помогает с уроками и всегда находится на расстоянии протянутой руки, то не жди благополучия в семье, денег у вас не будет. Если же мать исполняет любые прихоти недоросля, тащит ему сумками подарки, одевает его, обувает как картинку, приобретает кровиночке компьютер, мобильный, айпод и прочие радости, тогда спать ребенка укладывает няня. Невозможно иметь одновременно все. Либо мама с тобой и вы, при отсутствии папы, будете нищими, либо семья обеспечена, но мамочка пашет за двоих.

Дети бывают разные. Одни, тоскуя по матери,

понимают, что она не от хорошей жизни гонится за заработком, и не устраивают дома истерик. Другие, как Ляля, копят обиду и регулярно шпыняют мать, на всякий случай, чтобы та ощущала свою вину. Думаю, посвяти Эдита свою жизнь дочери, та бы упрекала Звонареву в недостатке денег. Девочка крайне избалована, что и отталкивает от нее окружающих. С прислугой у Ляли отношения не складывались. Риту она ненавидела за излишнюю опеку, Зину — за пофигизм. При всем при том Веня, ходячее несчастье, а не ребенок, замечательно ладил с обеими.

Из обычной школы Лялю отправляют в супер-элитную гимназию имени Ландау, но там она продержалась всего год, Дита вновь изменила место обучения дочери, та очутилась в платном заведении, неподалеку от дома. Но и здесь Ляля не пользовалась популярностью. Она винит в своих неудачах мать, дескать, та не пришла к учителям на автограф-сессию, но, думаю, одноклассники чувствовали Лялину злость, поэтому держались от нее подальше. И куда деваться одинокому, обиженному на весь свет ребенку?

Девочка отправляется в Интернет, начинает под ником «Кики» вести блог. И опять провал! Теперь ее игнорирует сетевое сообщество. Любой другой подросток сообразил бы: если с тобой никто не хочет дружить, то виноваты не окружающие, а ты сам. Но только не Ляля, она далека от объективной оценки реальности. И все же девочка отчаянно пыталась исправить положение. Я не знаю, в какой момент дочь Эдиты придумала историю с предсказаниями, но она наконец-то получила желаемое.

Сценарий Ляля написала вдохновенно. Она сообразила, что не следует использовать домашний компьютер. Как только Зоя Владимировна засыпала, Ляля надевала куртку с капюшоном, очки, заматывала нижнюю часть лица шарфом и бежала в интернет-салон. Его завсегдатаи считали Лялю придурковатым больным парнем и не общались с ней. Дочь Звонаревой сидела в самом укромном и неудобном месте, на компьютер за бетонным столбом никто не претендовал. У девочки аллергия на хлор, а уборщица в салоне моет пол и протирает столы тряпкой, смоченной в дезинфицирующем средстве на базе этого летучего вещества. Вот почему Лялю постоянно душил изнурительный кашель, но она была готова терпеть приступы ради успеха в Интернете. А ребята из салона решили, что у странного парня, которого они прозвали Кротом, туберкулез, и опасались к нему приближаться.

Ляля безупречно разыгрывает комбинации, заводит блоги под разными никами, предрекает смерть их владельцам — и имитирует их гибель. А когда кое-кто стал яростно оспаривать ее талант оракула, она решила переориентироваться на звезд.

Зоя Владимировна работает в клинике имени Колосова, там расположена лаборатория, в которой разрабатывается лекарство от СПИДа и куда в последней надежде обращаются умирающие знаменитости. Конечно, бабушка не обсуждала с внучкой рабочие вопросы, но... Имеющий уши да услышит! Взрослые часто не обращают внимания на крутящихся под ногами детей, а те впитывают случайно оброненные слова, как губка. Наверное, Зоя

Владимировна беседовала с коллегами по телефону, и так Ляля узнавала нужные сведения.

Но, несмотря на предсказанную «Королем Маром» смерть актрисы Ферн и прочих селебретис, стопроцентного доверия к оракулу нет. Некий «День-100» раскусил хитрость Ляли. Он во всеуслышание кричит: «Люди, звезды тайно лечились в клинике, они были обречены!»

Весь тщательно выстроенный Лялей план летит в тартарары. И она решает убить Диту. Я не знаю, чем доченька отравила родную маму, но после похорон Звонаревой авторитет «Короля Мара» стал непререкаемым...

Глава 25

Чеслав стал медленно ходить по кабинету.

— Очень точный психологический портрет, — обронил он. — Ляля призналась в убийстве матери. О ее мотивации ты только что в деталях рассказала. Девочка явный социопат, с ней будут работать психиатры и психологи. Но есть пара моментов, о которых ты пока не знаешь. Зоя Владимировна действительно очень любит внуков, похоже, к дочери она относилась прохладнее, считала ее этакой волшебной палочкой, которая должна обеспечить ей и детям беззаботную, сытую жизнь. С другой стороны, ради Эдиты Зоя Владимировна бросила родной город, в котором имела хорошую работу и должность заведующей лабораторией, трехкомнатную квартиру, подруг. Старшая Звонарева переселилась в Москву, чтобы помочь Дите, которая родила ребенка без мужа. Ученой даме пришлось преодолеть много трудностей. После отличной квартиры в центре родного города она поселилась в убогой однушке на окраине, в неблагополучном районе столицы. И на работу Зою Владимировну взяли не сразу. Да, ей повезло попасть в клинику имени Колосова, но она там отнюдь не начальница. И что мы получаем, сложив эти данные? Зоя Владимировна проиграла в статусе, получила бытовые трудности, а у Эдиты начался карьерный взлет. Думаю, мать посчитала справедливым потребовать с дочери должок: мол, я потеряла из-за тебя хоромы, так теперь ты, став богатой и знаменитой, купи мне взамен новые.

— Странные отношения, — не сдержалась я. — С одной стороны, жертвенная любовь, с другой — буйная алчность. Как подобное уживается в одном человеке?

Чеслав пожал плечами.

— Вопрос интересный, но для нас сейчас не важный.

— Зоя Владимировна как будто разлюбила Диту, — не успокаивалась я. — Разве так бывает?

Чеслав встал лицом к окну.

— В моей семье было пятеро детей, я старший. Так вот, как только у матери появлялся новый младенец, она начисто вычеркивала из сферы своих интересов предыдущее дитя. Последним родился Миколас, он до сих пор у нее в любимчиках ходит, а остальным отпрыскам мама даже никогда не звонит.

Я поежилась. Первый раз начальник сообщил о себе некую личную деталь, похоже, детство у него было не очень счастливым.

— Зоя Владимировна иногда брала с собой в лабораторию Лялю, — продолжал Чеслав, усаживаясь в кресло. — Бабушка хотела, чтобы внучка ощутила хотя бы любопытство к ее работе. Пару лет Ляля летом по целому месяцу мыла в клинике пробирки, ее оформляли лаборанткой, поэтому девочка великолепно знала, что в учреждении хранятся яды. Задумав убийство, Ляля взяла из банки с термопсисом в бабушкином рабочем столе три пилюли, растолкла их в порошок, насыпала в чай и подала маме. Простуженная Эдита в тот вечер лежала в кровати с температурой, дочурка принесла ей чашку и сказала: «Мама, выпей, тебе сразу станет легче». Актриса послушалась — и через два часа скончалась.

— Ляля — чудовище, — прошептала я.

Чеслав сложил руки на груди.

— Тебя ничего не насторожило в моем рассказе?

— Ляля знала, где сотрудники держат ядовитые вещества, но воспользовалась таблетками от кашля. Она настолько глупа, что посчитала их отравой?

Чеслав кивнул, вынул из ящика диктофон и включил его. В комнате зазвучал незнакомый мужской голос:

— Ляля, почему ты взяла таблетки от кашля?

— Они отрава, — глухо ответила девочка.

— Термопсис никому не нанесет вреда, даже если съесть его в большом количестве, — возразил допрашивающий.

— Та трава ядовита, — заявила Ляля.

— Кто тебе сказал? — наседал на нее мужчина.

— Я знаю. Ею можно легко убить, и никто не поймет, как человек умер, он просто перестает дышать. Это ми-оре... ми-кса...

— Миорелаксанты? Средство, полностью расслабляющее мышцы? Некоторые из них способны парализовать дыхание? — догадался мужчина.

— Да, — шепнула Ляля.

— Именно оно было во флаконе?

— Да.

— Но зачем твоей бабушке этот препарат? — искренне удивился допрашивающий.

— Его применяют, когда хотят кому-то в горло ввести зонд или трубку. Если больной боится и процедура не получается, тогда ему дают это лекарство. Когда рядом стоит врач, ты не умрешь, — Лялечка продемонстрировала глубокие знания. — Препарат бывает в таблетках или в инъекциях, последний мгновенно действует. А таблетки можно так подобрать, что через час плохо станет, главное — дозу рассчитать.

— И у бабушки были именно эти пилюли? — бил в одну цель мужчина.

— Да, — подтвердила Ляля.

— Но почему в коробке из-под другого лекарства? — решил выяснить неизвестный мне человек.

— В больничную аптеку лекарства поступают в здоровенных упаковках, по тысяче штук, их потом врачам отсыпают, каждый день порцию выдают. Бабушка же сразу много взяла, для обезьян, на которых эксперименты проводят. Ей на складе таблетки в бумажный кулек насыпали. Вот она их и положила в баночку из-под термопсиса, у нее крышка хорошо завинчивается, — раздалось в ответ.

Чеслав выключил диктофон.

— Мило, — только и смогла произнести я.

— Самое интересное впереди, — порадовал меня Чеслав. — Вот акт о вскрытии Эдиты. Токсикология чистая. Хотя, надо отметить, что искали лишь стандартные яды. Но проверка не выявила ничего особенного. Следов уколов на теле нет, при патологоанатомическом исследовании обнаружена характерная картина пневмонии. И последнее: в столе у Зои Владимировны действительно находится большая туба, а в ней таблетки.

— Миорелаксант? — перебила я Чеслава.

Он улыбнулся.

— Знаешь, каков результат анализа таблеток? Трава термопсиса и немного соды, одно из самых простых лекарств, раньше блистер с ним стоил две копейки, сейчас небось пару рублей. Зоя Владимировна сообщила: «У меня порой начинается легкий кашель, вероятно, он носит аллергический характер, вот я и принимаю пилюли. Никакого сильного средства в рабочем столе я не храню. Это запрещено».

— Постойте-ка, что же получается? — забормотала я. — Ляля не убивала маму?

Чеслав ткнул пальцем в диктофон.

Вновь зазвучал тот же баритон:

— Ляля, сотрудники лаборатории сказали, что последние два года ты не появлялась у бабушки. Почему?

— Не хотела! — с вызовом ответила девочка. — Надоело! И там воняет! Когда я была маленькой, бабушка заставляла меня работать, хотела наукой увлечь. Фу! Но потом-то я повзрослела и отказалась.

— Как же ты тогда попала в лабораторию, чтобы взять пилюли? — изобразил недоумение допрашивающий.

Ляля хихикнула.

— Просто! Для бабушки обед — святое, она по часам в столовую ходит, желудок бережет. Я дождалась трех и позвонила Юрию Сергеевичу, он старший лаборант, сказала: «Дядя Юра, я к бабушке, она ждет». Он меня знает, потому и впустил. Ну а дальше легко, я отсыпала потихонечку нужное количество лекарства и заявила: «Пойду к бабуле в столовую». Юрий Сергеевич улыбнулся: «Ступай, солнышко, у нас тут не самый лучший аромат стоит». Наивный он очень! Я и убежала домой.

— И Юрий Сергеевич ничего не сказал Зое Владимировне о визите внучки? — усомнился дознаватель.

Ляля снова развеселилась.

— Он ваще ку-ку! Думает только о работе, может имя перепутать, меня то Лялей, то Леной, то Люсей зовет. Не, он тут же забыл о моем приходе. Говорю же, идиот, ку-ку!

— Тебе не жаль маму? — спросил мужчина.

— Нет! — с вызовом ответила дочурка. — Так ей и надо!

— Она тебя любила, — попытался воззвать к совести негодяйки мужчина.

— Вовсе нет! — агрессивно отреагировала малолетняя преступница.

— Покупала тебе вещи, дарила игрушки... — не успокаивался баритон.

— Вранье! — заорала Ляля.

Но дознавателя было трудно сбить с толку.

— Я был в твоей комнате, она очень уютная, у тебя много красивых платьев, кукол. Мама заботилась о тебе.

— Вранье! Она была не такая, как все думают. Она мне только вещи покупала, а на меня ей было плевать! — истерически завизжала девочка.

Потом повисла тишина.

— Продолжай, я очень внимательно тебя слушаю, — попросил мужчина.

— Она жадная, — выдавила Ляля. — Купила себе пижаму, очень красивую, штаники и маечка, все в мишках. Я попросила мне отдать. Зачем взрослой женщине детская вещь? Но мама не захотела, ответила: «Хватит с тебя того, что есть. Шмотье уже в шкаф не помещается. Это мое». Вон как запела! А у самой — целая гардеробная! Туфли, платья! Мишек не разрешила взять... А-а-а! Так ей и надо, в той пижаме она и умерла... А-а-а! Не хочу говорить! Не буду! А-а-а!

Крики перешли в вой. Чеслав остановил запись. В моей голове заворочалась какая-то очень важная, но пока не четкая мысль.

— Девочка явно больна психически, — покачал головой Чеслав. — Она хотела убить мать, планировала преступление и осуществила его. Вот только таблетки оказались простым средством от кашля. Но тяжесть проступка от ошибки меньше не делается. Лялю, конечно, будут лечить, но у меня нет радужных надежд. Девочке пятнадцать лет, и она, вероятно, научится, спустя энное количество времени, проведенное в психиатрической клинике, контролировать вспышки ярости, однако я не верю, что Ляля станет неопасной.

— В чае растворили термопсис, но... Звонарева-то умерла! — спохватилась я.

— Версия Коробкова подтвердилась, — согласился Чеслав, — Ляля попыталась убить свою мать, но... Не она лишила жизни актрису. Ищи настоящего преступника.

Ландшафтные дизайнеры не боялись ни грабителей, ни докучливых посетителей. Вход в офис никто не стерег, войти в здание мог любой человек. На рецепшен сидел пожилой мужчина, который, услышав мой вопрос о местонахождении Галины Адаскиной, махнул рукой в сторону коридора и сказал:

— Там поищите, авось найдете.

Безрезультатно подергав двери нескольких наглухо закрытых кабинетов, я добралась до большой комнаты и без всякой надежды на успех обратилась к полной даме, восседавшей за первым столом:

— Где я могу найти Адаскину?

— Галина! — громко заголосила тетка. — Клиент пришел!

Из-за шкафа, перегораживающего помещение, высунулась миловидная брюнетка.

— Идите сюда, — приветливо помахала она рукой. — Устраивайтесь поудобнее. Чай, кофе?

— Лучше сразу начнем с танца, — улыбнулась я.

Адаскина засмеялась.

— Прекрасно. Давайте познакомимся. Галина.

— Татьяна Сергеева, — представилась я в ответ.

— Где расположен ваш участок? — Дизайнер сразу взяла быка за рога.

— Пока он существует лишь в моих мечтах, — пошутила я.

Но дизайнер отреагировала неожиданно серьезно.

— Вот и отлично. Лучше подготовиться заранее, определиться с концепцией.

Я вынула удостоверение.

— Извините, речь пойдет не об альпийских горках.

— Милиция? — занервничала Адаскина. — А что случилось?

— Я не из районного отделения, — попыталась

я успокоить женщину, — особая бригада по расследованию тяжких преступлений.

— Еще лучше! — перепугалась Галина. Потом ахнула, прижала руки к груди и прошептала: — Ваня... Что-то случилось с моим мужем? Авария на дороге? Теракт на шоссе?

— Никаких происшествий с вашим супругом, — быстро заверила я, — давайте побеседуем о Звонаревой.

— Уф... — из груди Адаскиной вырвался вздох облегчения. — Но ведь Эдита умерла.

— Знаю, — кивнула я, — и вы грозились ее убить.

— Глупее ничего не слышала! — возмутилась Галя. — Мы были подруги!

— Ваши послания в Интернете никак нельзя причислить к категории милых и любезных, — напомнила я. — Обещания убить актрису сыпались из «Монтаны» как горох из дырявого мешка!

— Ах это... Ерунда, — улыбнулась Галя, — я в тот год очень нервничала. Понимаете...

Адаскина огляделась по сторонам, потом приложила палец к губам и крикнула:

— Эмма Густавовна, мы с клиенткой пойдем на выставку.

— Конечно, дорогая, ступайте, — ответил прокуренный голос.

Галина вскочила и быстрым шагом двинулась к двери, на ходу продолжая говорить:

— Сейчас внимательно изучите наши предложения. Лучше один раз увидеть, чем сто услышать, качество отменное, немецкое...

Очутившись за дверью, дизайнер мгновенно сменила тему.

— За углом открыт ресторанчик, — деловито сообщила она, — наши туда не заглядывают.

Заказав кофе, Адаскина отложила меню в сторону.

— Сейчас я разъясню ситуацию, и вы поймете: я не имею ни малейшего отношения к смерти Эдиты. Звонарева скончалась от воспаления легких.

Я подняла брови.

— А вы откуда знаете?

— Так ведь газеты писали! Я всегда внимательно читала статьи про Диту.

Естественно, я спросила:

— Почему?

— Честно? — склонила голову набок дизайнер.

Я кивнула:

— По возможности да.

— Из зависти. Ей удалось пробиться, а мне нет. Хотя большие шансы были и у актрисы Адаскиной, — грустно сказала Галя. — Дитке вообще-то следовало еще давно помереть, а она выжила и стала звездой. Главное, переспать с нужным человеком!

— Галочка, — нежно сказала я, — давайте по порядку. Почему Дита, по-вашему, должна была лишиться жизни?

Адаскина скривилась.

— Оцените мою порядочность: как только Эдька зазвездила, я могла ей сильно карьеру подпортить. Продать эксклюзив в «желтую» прессу и получить денежки. Но я вспомнила про проданное кольцо и смолчала.

— О каком украшении идет речь? — удивилась я.

Адаскина смутилась.

— Ладно, вы женщина, поймете. Мне аборт сделать понадобилось, а денег не было, ну ни копейки. Продать нечего, в долг взять негде... Я уже собралась с крыши сигать! И тут Эдита предложила свое кольцо очень красивое, с жемчугом. Она меня буквально спасла. Дитка никогда не была жадной. Безголовая, бесшабашная, это да, но не скопидомка.

Я решила не перебивать Галю. Есть люди, не способные излагать события последовательно, постоянно перескакивают с одного на другое, но, если такого человека остановить и попросить рассказывать по порядку, ничего хорошего не получится. Похоже, Адаскина принадлежит к этой категории. Ладно, пусть говорит как умеет, мало-помалу я сумею разобраться.

Глава 26

Театральные вузы страны ежегодно выпускают большое количество молодых артистов. Звездами становятся единицы. А какова судьба остальных? Вопрос этот встал во всей красе перед Галей Адаскиной, когда она, сжимая в руках диплом с отличием, начала бегать на показы по столичным театрам.

Неудача следовала за неудачей. Одному режиссеру не нравилась фигура соискательницы, другого раздражал голос, третий был доволен и внешностью, и тембром, но ему требовалась характерная актриса, а не лирическая героиня, четвертого устраивало все: он назвал Адаскину красавицей, талантливой умницей. Пообещал лучшие роли, но тут в зал вошла жена главрежа, по совместительству местная прима, и Галочке моментально указали на выход.

Постепенно девушке стало ясно: у нее есть два пути. Либо уезжать в провинцию и попытаться там стать звездой, либо устраиваться в столичный пятисортный коллектив. Адаскина не захотела покидать Москву, и в конце концов ей нашлось место в затрапезном детском театре при одном из дышавших на ладан домов культуры.

Каким образом труппа ухитрилась выжить в перестройку, никто не понимал. В зрительном зале было пятьдесят мест, публика состояла из воспитанников детских садов и младшеклассников. Актерам платили копейки, да еще и отдавали заработанные гроши не сразу. Единственным положительным моментом было наличие удостоверения, красивой темно-синей книжки, где имелась запись: «Адаскина Галина Юрьевна — актриса Московского детского театра имени Пушкина». Многие коллеги, в том числе и режиссеры, путали этот коллектив с Театром юного зрителя или Театром имени Пушкина, и на кастингах к Галочке относились с должным уважением. Правда, к себе в труппу ее так никто и не взял.

— Ничего, — утешала себя Галя, — вспомним про Смоктуновского! Приехал в Москву из медвежьего угла, ходил летом в лыжном костюме, не имел ни жилья, ни знакомств, его не брали ни в один театр. А потом — стремительный взлет: я дождусь удачи!

Мечтая о славе, Адаскина играла пятого бегемота в «Айболите», прыгала шестым гномом в «Белоснежке», изображала крота в «Дюймовочке». Последней ролью Галя гордилась — у подземного жителя было много реплик, и дети живо реагировали на отрицательный персонаж.

Через год в театр пришла другая юная выпускница, Эдита Звонарева. Девушки подружились и решили держаться вместе.

В отличие от сироты Гали у Диты была страстно любящая ее мама. Зоя Владимировна регулярно присылала доченьке со знакомым проводником посылки, но вот что странно: Дита всегда была недовольна подарками.

— Черт, — ныла она, — опять в шесть утра вставать! Поезд в семь тридцать прибывает! Ненавижу!

Если Зоя Владимировна присылала банки с вареньем, Эдита стонала:

— Неужели непонятно? Я актриса, забочусь о фигуре, не надо присылать сладкое.

Коли мать отправляла в столицу домашние копчености, доченька опять возмущалась:

— Фу, свинина! Гадость! Так хочется компотика!

Угодить капризуле было практически невозможно. Особенное негодование у Звонаревой вызывали вещи, которые Зоя Владимировна приобретала для горячо любимой доченьки.

— Нет, только посмотри на эту деревню! — злилась Эдита, вытаскивая очередную кофту. — Купила красоту с люрексом! Ни вкуса, ни ума у матери!

Один раз Галя заглянула в письмо, которое подруга писала домой в гримерке (Звонареву позвали к главрежу, она ушла, оставив на столике лист бумаги). Конечно, некрасиво читать адресованные не тебе послания, но Адаскина не удержалась. Почерк у Эдиты был крупный, аккуратный, наверное, в школе она имела по чистописанию твердую пятерку.

«Мама! Мне нужны деньги. Вышли сколько можешь, лучше побольше. Актриса непременно должна иметь шубу. Только не вздумай покупать на местном рынке доху, я не стану носить уродство! Маринованные овощи мне не нужны, хочу конфеты «Метеорит». И неужели трудно запомнить размер моей ноги? У меня 38-й, а не 37-й! С какой дурости ты сунула в посылку духи? Мама, я пользуюсь только «Шанель». Пришлешь денег, сама их куплю. И последнее. Договорись с другим проводником. Если опять посылка прикатит на рассвете, она уедет обратно. Эдита».

Послание произвело на Галину сильное впечатление. Звонарева не задала матери даже дежурного вопроса про здоровье, просто предъявила ей требования, как прислуге.

Несмотря на крайний эгоизм, проявляемый Дитой в отношениях с матерью, как подруга она была безупречна. Охотно ссужала в долг деньги, угощала содержимым посылок, давала поносить свои вещи и всегда находила для частенько впадавшей в отчаяние Гали слова утешения.

— Сегодня не получилось, — весело улыбалась Эдита, — завтра повезет. И вообще, прекращай бегать на показы, так в хороший театр не попадешь. Лучший способ получить роль — заиметь богатого мужика. Вот я такого непременно найду!

Адаскина категорически не соглашалась с подругой, и каждая из девушек шла своим путем: Галя пыталась понравиться главрежам, а Эдита усиленно посещала тусовки. И Звонаревой внезапно повезло — она познакомилась с богатым папиком, охмурила его и забеременела.

Когда подруга радостно сообщила Галине новость, Адаскина тут же закричала:

— Иди скорей на аборт.

— Никогда! — топнула ногой Дита. — Вот он, мой шанс!

— Это твоя погибель, — возразила неудачливая актриса, — останешься одна с малышом.

— Нет, — загадочно улыбнулась Эдя. — Толя

женат, он своей крысы боится и, чтобы я молчала, все сделает. Я получу роль в сериале! Главную!

— Младенец не котенок, его одного не бросишь, — вздохнула Адаскина.

Звонарева широко раскрыла глаза.

— Подумаешь! Мама в Москву переедет. Перестань меня поучать, на себя посмотри! Ты кого себе нашла, Макса? Хорош вариант...

Галина удрученно замолчала. Эдита ткнула ее в самое больное место. Адаскина влюбилась в красавца Максима, бесшабашного гуляку и безудержного мота. Галочка понимала, что парень приспособлен для семейной жизни, как лом для плавания, но ничего со своим чувством поделать не могла.

Далее события развивались по сценарию, написанному Эдитой. Похоже, у Звонаревой было два ангела-хранителя: когда первый отдыхал от тяжких трудов, на вахту заступал второй и отгонял от Диты тучи. Зоя Владимировна перебралась в столицу, Эдя родила девочку, сдала ее на руки маме и начала сниматься в сериале. Звонарева была актрисой одной эмоции и двух жестов, но папик дал денег на съемку «мыла», поэтому и режиссер, и сценарист, и оператор, и другие исполнители Дите улыбались.

Когда начался показ ленты, Галя уселась у телевизора. Через неделю Адаскину охватила зависть. Ну почему Дите досталось все — любящая мама, богатый спонсор, а теперь еще и слава? Дита не обладает особой красотой, Галина внешне намного интереснее, актриса из Звонаревой, как из навоза конфета, но народу кино понравилось, а талантливая Адаскина так и будет играть девятого зайца в седьмом лесу на заднем плане. Чем Дита приманивает к себе удачу?

Не успел сериал триумфально пройти по телеэкранам, как на Диту обрушилась слава. Какой бы журнал, какую бы газету ни покупала Галина, какой бы канал ни включала, какое бы радио ни слушала, повсюду наталкивалась на изображение коллеги и слышала голос некогда лучшей подруги. Очень скоро продюсер «выстрелил» новой лентой со Звонаревой. Испытывая мазохистское наслаждение, Галя посмотрела и это «мыло». Ей стало понятно: Дита везде одинакова, но тем не менее находится на вершине успеха и съезжать оттуда не собирается.

У самой Адаскиной дела шли совсем не радостно. Детский театр в конце концов прогорел, и Галя оказалась на улице. Максим, за которого неудачливая актриса вышла замуж, подсел на кокаин, а потом начал употреблять и героин. Денег совсем не было, со съемной квартиры их выгнали, Галя с мужем жили в крохотном деревянном домике-сторожке, куда их бесплатно пустили хозяева в обмен на уборку их дачного участка и пригляд за своим большим, всегда пустым особняком.

Один раз Адаскина в полном отчаянии попыталась дозвониться до Звонаревой. После долгих поисков она получила какой-то номер и, позвонив, услышала вежливый мужской голос:

— Я пресс-секретарь Эдиты, как только сможет, она с вами свяжется.

Но звезда так и не соединилась с бывшей коллегой.

В общем, Галя очутилась на самом дне, все заработанные тяжелым трудом копейки отнимал у нее Макс, практически потерявший человеческий облик. Адаскина исхудала до состояния скелета, пару раз ей пришлось воровать еду в магазинах. Единственное, что радовало Галину, так это неожиданное исчезновение Диты, Звонарева пропала с экранов, не давала интервью, не снималась для прессы.

— Наверное, у спонсора деньги закончились, — злорадно подумала Адаскина. — А вот не все собачке мозговая косточка, придется и камушки облизывать...

Накануне Нового года Галина побрела в магазин (она теперь служила костюмершей в затрапезном театре, оставив мечты о сцене). Полученный перед праздником заработок Галя не рискнула нести в дом, там сидел в ломке Макс, она решила купить продукты.

Подходя к супермаркету, Адаскина увидела, как шедшая перед ней дама, поскользнувшись, упала на обледенелый тротуар, и помогла ей встать.

— Спасибо, милочка, — хорошо знакомым голосом сказала Галине пострадавшая. Затем вгляделась в лицо доброй прохожей и спросила: — Кажется, я с вами знакома?

В то же мгновение бывшая актриса узнала жертву гололеда и ахнула:

— Зоя Владимировна! Какими судьбами?

— Мы здесь живем, — пояснила мама Звонаревой, — вон в том доме у нас однушка. И вообще...

По щекам Зои Владимировны потекли слезы. Галя испугалась:

— Что случилось?

Звонарева опустила голову и прошептала:

— Фазиль меня убьет, если расскажу. Он надеется, что все обойдется, но мое сердце чует беду.

— Вы боитесь продюсера Каримова? — догадалась Адаскина.

— Ой, кровь! — испугалась Зоя Владимировна, посмотрев на свою ногу в порванном чулке и с поцарапанным коленом.

— Давайте я до дома вас доведу, — предложила Галя.

— Хорошо, — после недолгого колебания согласилась Звонарева-старшая.

Галя помогла Зое Владимировне подняться на пятый этаж. Ей стало понятно, что семья звезды отнюдь не купается в роскоши. Дом, в который они пришли, был самый затрапезный, квартира маленькая, мебель дешевая...

— А где ваша внучка? — поинтересовалась Адаскина, стаскивая с дамы сапоги.

— Она в садике, вечером заберу, — пояснила бабушка.

— Эдита, наверное, на съемках? — предположила Галя. — Хотелось бы с ней повидаться.

Из глаз матери вновь полились слезы.

— Горе у меня, Галя, ой, какое горе!

— Эдька умерла? — в ужасе предположила Адаскина.

Зоя Владимировна испуганно перекрестилась.

— Нет, но одной ногой в могиле.

— Рак? — предположила актриса.

— Хуже, — прошептала Звонарева. — Ох, нельзя рассказывать!

— Я по натуре сейф без ключа, — сказала Галя, — и давно уже в актерской среде не варюсь, со мной можно поделиться.

Наверное, Зоя Владимировна слишком измучилась, она схватила Адаскину за плечо и начала говорить без остановки...

После первого сериала Дита возомнила себя гениальной, потому что ее стали приглашать на все тусовки, премьеры, презентации, вручения премий. Едва Звонарева появлялась на пороге, как журналисты, забыв об остальных гостях, бросались к ней. Веселье продолжалось подчас до утра, естественно, Эдита не отказывала себе в удовольствии попробовать шампанское или коктейли.

Производство сериала — это процесс, напоминающий выплавку стали, мартеновская печь должна постоянно работать, и на съемочной площадке тоже невозможны простои. Пару раз Фазиль простил Дите опоздание и помятый вид, но потом, сообразив, что она слишком загордилась, сказал:

— Хватит гулять, иначе никакой спонсор тебе не поможет. Кстати, деньги твоего папика заканчиваются, больше он лавэ не даст, теперь все зависит лишь от тебя. Имей в виду: я готов вкладывать бабки в кино со Звонаревой, ты делаешь кассу, но... Со звездами это случается — как зажглась, так и потухла!

Эдита испугалась, но лишиться веселья не захотела, в ход пошел белый порошок. Протусовавшись ночь, Дита быстро нюхала кокаин, опрокидывала в желудок пару баночек энергетического напитка и на волне допинга неслась на съемки. Ни Фазиль, ни Зоя Владимировна не подозревали, чем подстегивает себя молодая женщина. А Дите, как всем наркоманам, казалось: «снег» — ерунда, в любую минуту она может порвать с пагубным пристрастием.

Когда на экраны вышел второй сериал, популярность Эдиты зашкалила. Ее назвали открытием года, Интернет переполнился дискуссиями о Звонаревой, газеты, телевидение, радио хотели интервью, и, естественно, приглашения на вечеринки лились водопадом. Звезду звали на открытие магазинов, приглашали на выставки, дни рождения. Пришлось увеличивать дозу кокаина, потом порошок перестал помогать, в ход пошли уколы героина...

Остается лишь удивляться невнимательности Фазиля, который, решив ковать железо, пока оно горячо, затеял съемки следующего сериала. Деньги отца Ляли закончились, но Эдита уже стала звездой, поэтому продюсер вложил в новый проект собственные средства. Ладно, Зоя Владимировна, та и предположить не могла, что дочь превратилась в наркоманку, но Фазиль-то куда смотрел... Он же великолепно знал, чем балуют себя многие лицедеи! Почему продюсер догадался о проблеме слишком поздно?

А мать беспокоили постоянный насморк Диты, ее бледный вид, синяки под глазами, отсутствие аппетита и калейдоскопическая смена настроения.

Но, с другой стороны, Эдита никогда не отличалась умением держать себя в руках, она много работала, мало спала, поэтому Зоя Владимировна полагала, что дочь очень устает, отсюда бесконечные простуды, изможденность и истерики.

Беда грянула в самый разгар съемок. В середине дня сделали перерыв на обед, актеры получили «кинокорм» — пластиковые коробочки с салатами — и разбрелись кто куда. Эдита легла в своей гримерной на диван, заснула... и не вышла на площадку вовремя. Хорошо, что обозленный на недисциплинированную звезду Фазиль решил поставить ей клизму с гвоздями и сам пошел пнуть Эдиту, а не послал за ней помрежа.

Глава 27

Комната была заперта, но у продюсера имелся запасной ключ. Каримов открыл дверь и гаркнул:

— Какого черта!

Дита, лежавшая на диване, даже не пошевелилась. Фазиль подошел к актрисе, потряс ее и сообразил: дело неладно. Тут же была вызвана «Скорая помощь», врач, осмотрев больную, тихо сказал Фазилю:

— Передоз.

— Что? — не поверил продюсер.

— Ее надо срочно везти в клинику, — по-прежнему не повышая голоса, предложил доктор. — Вам нужен шум?

— Нет, конечно! — замахал руками Каримов. — Все должно умереть в этой комнате. Постойте, а где следы от инъекций?

— В паху, — пожал плечами медик. — Многие актеры не портят вены на руках или ногах. И пупок не трогают. А вот между ног публика пока не заглядывает. Ну как? Договариваемся? Я молчу, или...

Фазиль вынул бумажник.

— О'кей! Сейчас соображу, куда ее лучше отправить.

— Могу подсказать адресок, — услужливо откликнулся врач, пряча гонорар. — Не место, а кладовая секретов, ничего наружу не просочится.

Съемочной группе объявили, что у Диты перитонит, случившийся из-за вовремя не обнаруженного аппендицита. Фазиль надеялся, что медицина приведет Звонареву в порядок за неделю, но прошло десять дней, а молодая женщина все не поправлялась...

— Ужасно, — плакала сейчас Зоя Владимировна. — Фазиль рвет и мечет. Я плохая мать — упустила девочку! Хорошо хоть Ляля маленькая и не задает лишних вопросов, она маму и раньше один час в месяц видела. Неужели Эдита умрет?

Галя как могла утешила пожилую даму и поехала домой. Впервые в жизни Адаскиной стало жаль подругу.

Во что превращается человек, злоупотребляющий наркотиками, она видела на примере собственного мужа. Маловероятно, что Эдита сможет поправиться и вернется на съемочную площадку, Звонарева профукала свой шанс...

Но через некоторое время Дита вновь появилась на телеэкранах и стала раздавать интервью.

— Аппендицит отвратительная вещь, — щебетала она в камеру, — очень больно потом перевязки делать. Фу!

Стоило Звонаревой приступить к съемкам, как полетели слухи: никакого перитонита у звезды не было. Фазиль отправил подопечную к пластическому хирургу, и тот слегка подправил красавице внешность и чуть увеличил грудь. А еще Дита немного изменила цвет волос. Но самое главное — у Звонаревой открылся талант! Очередной сериал с ее участием производил странное впечатление: первые пять фильмов, снятые до «операции аппендицита», явили зрителю прежнюю Звонареву, актрису одной эмоции, а в следующих двадцати сериях она выглядела живой, искренней, настоящей. Изменилось и отношение Диты к работе, она перестала носиться по тусовкам, избегала прежних приятелей, была вежлива и мила с представителями прессы, браталась с фанатами и в каждом интервью говорила:

— Главное для женщины — семья.

Потом стало известно, что Звонарева взяла на воспитание осиротевшего племянника и все свободное время проводит со своими детьми. Мало-помалу образ отвязной тусовщицы померк, его место занял имидж милой, интеллигентной, доброй Эдиты, готовой ради родных на любые подвиги.

Галина схватила принесенный официанткой кофе и залпом опустошила чашку.

— И вам ничего не показалось странным? — спросила я. — Разве взрослый человек способен столь кардинально измениться?

Адаскина навалилась на стол.

— Думаю, дело обстояло так: Фазиль сначала избавил Эдю от наркозависимости, а потом отправил на пластику. Грудь у нее, определенно, стала на размер больше.

— Ладно, — согласилась я, — внешность изменил умелый хирург. Но талант! Он-то откуда взялся?

Адаскина сложила руки на столе, от чего стала похожа на послушную первоклассницу.

— В Москве есть врач, психотерапевт, о нем легенды ходят. Денег берет грузовиками, благотворительностью не занимается, но с людьми чудеса творит. Забирает опустившегося бомжа, а возвращает великого художника или гениального писателя. И Дитку, наверное, тот специалист перелопатил. Знаете, у нее был слабый вестибулярный аппарат, а в детском театре, в спектакле «Белоснежка», действие происходило на крутящейся сцене. Так Эдька ужасно мучилась — ее в антракте прямо наизнанку выворачивало. А после того как она у психотерапевта побывала, про морскую болезнь забыла, в одном из сериалов, снятых после ее выздоровления, у Звонаревой полно сцен на качелях и карусели. Вот, что бывает!

— Верится с трудом, — вздохнула я, и тут вспомнила рассказ Ляли о походе с мамой в парк развлечений и о том, с какой радостью Дита каталась на всех аттракционах.

— Это правда! — уперлась дизайнер.

— Почему тогда у нас такое множество маргиналов и по пальцам пересчитать талантливых живописцев и литераторов? — ввязалась я в ненужный спор.

— Психотерапевт один на всю страну, — с готовностью ответила Галина, — его телефон только избранным сообщают, и гонорар врач астрономический просит. Но с Дитой он работал! Из-за него я с катушек и слетела, стала ей гадости на сайт писать.

— Не вижу связи между вашими угрозами и психотерапией!

Адаскина обхватила плечи руками.

— Я, когда обновленную Диту увидела, подумала, что тоже могу измениться. Решила навсегда забыть про карьеру актрисы и дала объявление в бесплатную газету: «Сажаю цветы на участке. Недорого». У меня всегда хорошо растения приживались. Представляете, сразу три человека позвонили! Вот так и началось. Потом я деньжонок собрала, курсы окончила, в приличную фирму устроилась. Очень быстро жизнь поменялась, вот только Макс прежним остался. Я за год из нищеты выползла, стала карьеру дизайнера строить, а он лишь о наркоте думал и в конце концов очутился в больнице. Ну совсем ему плохо было! Тогда я начала искать Диту.

Я задала разумный вопрос:

— Зачем?

Лицо Адаскиной порозовело, и она выдала неожиданную фразу:

— Она была обязана мне помочь — дать телефон того чудо-врача и денег на курс лечения.

— Обязана? — повторила я.

— Да, именно так! — вспыхнула Галина. — Сейчас я кое-что скрыла. Знаете, как Эдька с папиком познакомилась, ну с тем, от которого Лялю родила? Она вокруг мужика долго крутилась, но он на нее чихать хотел. В общем, один раз она меня попросила: «Галка, дай браслет твоей мамы, папик собирает ювелирку, хочу его на украшение поймать»...

Оказывается, у Адаскиной была единственная ценная вещь, оставшаяся от покойной матери. Та получила браслет от своей бабушки, сколько лет насчитывали камни в золотой оправе, нынешняя владелица понятия не имела. Знала только, что за драгоценность можно выручить немалую сумму, но продавать ее не собиралась. Не хотелось ей давать дорогую штучку подруге. Но Дита ныла, плакала и в конце концов победила.

Через три дня Галя потребовала у старлетки:

— Верни мое украшение!

И услышала в ответ:

— Прости, прости! Я его отдала. Понимаешь, подошла к мужику, повертела перед ним рукой и спросила: «Вам не нужен браслетик? Недорого стоит». Так мы и познакомились. Сегодня едем в клуб. Не переживай, он мне назад украшение вернет, и я его тебе принесу. Ну не дуйся! Я просто использовала свой шанс! И потом, долг платежом красен: я же когда-то лишилась кольца из-за твоего аборта. Считай, что ты мне отплатила...

Услышав эту историю, я удивилась и не удержалась от комментария:

— И вы продолжали общаться со Звонаревой? Она же фактически вас обокрала! Да еще бестактно напомнила вам о неприятной ситуации.

Адаскина скривилась.

— Она обещала вернуть браслет. А потом вдруг исчезла из моей жизни. Теперь вы понимаете, почему я считала Эдиту обязанной заплатить за лечение Макса? Но я ее не нашла. В квартире, где я утешала Зою Владимировну, оказались другие жильцы, телефоны, которые я достала, принадлежали пресс-секретарю и другим помощникам актрисы. А Максу делалось все хуже, и в конце концов он умер.

Адаскина опустила голову, тяжело вздохнула.

— Мне буквально сорвало крышу! Начала в Интернете гадости писать, успокоиться не могла. Дита украла у меня браслет, получила за него счастье, деньги, славу... Ужасная несправедливость!

— И вы решили исправить положение? — вкрадчиво осведомилась я. — Мне бы точно захотелось отомстить за подобный поступок.

Галя отшатнулась.

— Считаете, я ее убила? Нет, что вы! Я никогда бы на такое не пошла! Не скрою: мне было очень плохо, крючило и ломало от горя и злости. Но именно в этот момент я познакомилась с Ваней. Он верующий, в церковь ходит, посты соблюдает. Ванюша мое мировоззрение кардинально изменил, я крестилась и простила Диту. Никакой злости на нее сегодня не держу. На все божья воля, Господь посылает испытания лишь тому, кого любит. Я счастливая замужняя женщина, надеюсь родить ребенка, занимаюсь любимым делом. Прошлое навсегда забыто, прежней Адаскиной нет. Кстати, даже оказавшись в шаге от Эдиты, я ей ничего не сказала.

— Вы виделись со Звонаревой? — напряглась я. — Когда?

Дизайнер побарабанила пальцами по столу.

— Случайно столкнулись недели за три до ее смерти. Эдита показалась мне уставшей, но умирающей она не выглядела. Встреча произошла в магазине, она покупала пижаму. Вернее, комплект брал ее спутник, стройный мужчина, с бородкой, очень приятный с виду.

— И вы не окликнули бывшую подругу? — недоверчиво спросила я. — Не воспользовались предоставившимся моментом? Так долго хотели отыскать Диту, а увидев ее, ушли? Не похоже это на правду. Я бы непременно к ней кинулась.

— А смысл? — пожала плечами Галина.

— Для начала напомнить про украденный браслет. Ну и можно было попросить помочь в получении роли в сериале. Эдита — звезда, она вполне могла заявить режиссеру-постановщику: «Соглашусь выйти на площадку в вашем проекте лишь при одном условии: второй героиней должна стать Адаскина».

Моя собеседница улыбнулась.

— Похоже, вы не слушаете, что вам говорят.

— До недавнего времени я обладала замечательным слухом, — неожиданно призналась я, — но пару дней назад заполучила отит.

— Слышать и слушать — разные глаголы, — тихо произнесла бывшая актриса. — Повторяю: я полностью отринула прошлую жизнь, работа ландшафтного дизайнера приносит мне и хорошие деньги, и моральное удовлетворение. А с Эдей я не захотела общаться по нескольким причинам. Место, где случилась нечаянная встреча, — небольшой магазинчик, куда пускают по предварительной записи исключительно своих. Ни вывески, ни таблички на двери нет, обслуживают посетителей сами хозяева: Женя и Вера, муж и жена. Они умеют хранить чужие тайны, поэтому к ним частенько заглядывают за покупками... хм... несемейные пары. Понимаете, о чем я? Я давно дружу с Верой и в тот день по ее просьбе оформляла цветочными композициями одну из примерочных кабинок. Была как раз в кабинке, когда услышала знакомый голос: «Верочка, извини, я приехала на часок раньше. Надеюсь, никого у тебя нет?» Вера громко ответила: «Доброе утро, Эдита, жду вас. К сожалению, одно помещение для примерки сегодня не работает». Я сразу поняла, что Верка дает мне понять: сиди, мол, не высовывайся. Имя Эдита редкое, Верунчик обслуживает только супер-пупер-звезд, вывод напрашивался сам собой: сейчас в торговом зале Звонарева. И я чуть раздвинула драпировки, закрывающие вход в примерочную.

— Ну да, — кивнула я, — вы повели себя как любопытная соседка по коммунальной квартире.

Адаскина склонила голову к плечу.

— Любопытство грех, но мне с ним справиться не удалось. Эдька купила пару свитерочков, явно не себе, они были большого размера и мрачноватых оттенков, похоже, она заботилась о гардеробе Зои Владимировны. И я еще подумала, что Дита явно изменилась к лучшему, в прошлом-то она маму в расчет не принимала. Слушайте дальше...

Мужчина, который стоял около Звонаревой, неожиданно сказал:

— Какой симпатичный костюм! На улицу в нем выйти нельзя, а дома в самый раз.

— Это же пижама, — засмеялась Дита, — причем детская.

— Нет, — возразила Вера, — одежда предназначена для взрослой женщины. Изделие новой фирмы, которая специализируется на прикольных шмотках. Вон, на кронштейне платье с кошками от того же производителя.

— Оно вульгарное, — возразил мужчина, — а пижама милая. И очень приятное сочетание цветов: розового и коричневого. Я возьму тебе этот комплект.

— Не надо, — стала отнекиваться актриса.

Повисла тишина, потом Эдита тихо сказала:

— Ну спасибо, буду надевать ее каждую ночь.

Адаскина просидела в пустой примерочной еще долго, никакого соблазна выйти и громко заявить: «Привет. Эдита. Как дела?» — она не испытывала.

Галя, встретив Ивана, изменилась кардинальным образом, возвращаться на сцену она не желала. А сейчас ей не хотелось ставить в неудобное положение Веру, которая сообщила, будто в магазине никого нет. Маловероятно, что Звонарева обрадуется, увидев старинную подругу. Многие люди, успешно сделав карьеру, стараются забыть о годах нищеты и вычеркивают из круга общения тех, кто может напомнить о прежних временах. И о чем Гале говорить с Дитой? Восхищаться ее сериалами? Рассказывать о своем замужестве? Напоминать о браслете? Высунется Адаскина из примерочной, произойдет конфуз, Звонарева легко способна изобразить полнейшее равнодушие. И, что еще хуже, она подумает, что Галине нужны деньги и ее протекция. Если бы, став звездой, она хоть изредка вспоминала об Адаскиной, давно бы сама разыскала подругу, но, видимо, не захотела будить спящую собаку. И Эдита, и Галя теперь не юные девушки, игравшие роли зверюшек и гномиков, они стали взрослыми людьми, и им лучше зачеркнуть прошлое.

Вечером Адаскина откровенно рассказала о своих чувствах супругу. Ваня объяснил Гале: не следует никому делать плохо, не надо рассказывать об Эдите журналистам, а о браслете пора забыть, он как бы плата за сегодняшнее счастье...

Дизайнер хлопнула ладонью по столу.

— Собственно говоря, это все. Не отрицаю: одно время я выказывала в Интернете агрессию, но потом устыдилась. Я не имею ни малейшего отношения к смерти Эдиты. Как и все, я считала, что Звонарева умерла вследствие запущенной болезни. Но вы, кажется, утверждаете другое?

— Ее убили, — мрачно подтвердила я.

— Тогда, очевидно, необходимо искать того, кто извлек выгоду от смерти Диты. Я не получила от нее ничего — ни по работе, ни лично. Она не упомянула меня в завещании, я не претендовала на роли в сериале и не желала отбить у звезды любовников. Какой толк мне нападать на Звонареву? Живу счастливо, глупо лишиться всего и очутиться в тюрьме. Но еще хуже божий суд, убийство — смертный грех.

— А вы видели пижаму, которую приобрела Звонарева? — спросила я.

— Нет, — удивилась Галя. — Но потом, когда Эдита со своим спутником ушла, Вера показала мне ночнушку: на нежно-розовом фоне разбросаны коричневые мишки — и предложила купить ее по оптовой цене. Я отказалась, объяснив, что не люблю рубашки, предпочитаю пижамки.

Вера тогда вздохнула:

— Последнюю пижаму только что забрали. Жаль, что тебе не понравилась сорочка, материал великолепного качества, и рисунок забавный.

— Забавный... — повторила я и ойкнула.

— Что случилось? — вздрогнула Адаскина.

— Голову неудачно повернула, и тут же в ухе щелкнуло, — пожаловалась я.

Галина сочувственно кивнула.

— Знакомая ситуация, год назад я очень мучилась от боли в ушах. Едва вылечусь, попаду на сквозняк — и опять все начинается заново. Слава создателю, Ваня подсказал обратиться к матушке Марфе, та один раз сделала мне массаж, и я забыла об отите. Хотите дам телефон знахарки?

— Сколько стоит прием? — деловито осведомилась я.

Адаскина перекрестилась.

— Матушка Марфа денег не берет, целителю нельзя наживаться на своем даре. Принесите ей зефир или конфет шоколадных. Она сладкое обожает, но сама его покупать не хочет, чтобы чревоугодию не потакать. Но раз уж в подарок принесли, непременно съест — вроде как нельзя обижать человека, который заботу о вас проявил.

Глава 28

Распрощавшись с Галиной, я вышла на улицу. В голове неожиданно возник вопрос: почему Марина-Эдита, никогда не представлявшая Влада широкой публике, пошла с ним в бутик? Тут же появился ответ: торговая точка предназначена не для всех, клиентов принимают только по записи, а хозяева умеют держать рот на замке — от этого зависит их бизнес.

Я сделала пару шагов и вытащила мобильный, чтобы связаться с Коробковым.

— Добрый день, — мрачно ответил Димон.

— Ты заболел? — испугалась я.

— Здоров, — коротко сообщил хакер.

— А почему грустный?

— Нормальный, — вяло процедил компьютерщик. А потом сердито добавил: — Я идиот, придумал ерунду.

— Ты просто гениально разобрался с «Королем Маром»! — принялась я утешать Димона. — Никаких ошибок! Ляля хотела убить мать, разработала хитрый план, подсыпала ей в чай таблетки. Ты вычислил преступницу, и никто, даже гениальный Шерлок Холмс вкупе с Эркюлем Пуаро и миссис Марпл, не смог бы сообразить, что девочка по глупости возьмет средство от кашля и случится невероятное совпадение: Диту решит отправить на тот свет еще один человек.

— Ты так считаешь? — чуть повеселел Коробков.

— Естественно! Посыпать голову пеплом нужно мне, потому что я упорно не желала понимать, насколько некоторым людям необходимо иметь высокий статус в Интернете. Я не пользуюсь Сетью, вот и недооценила серьезность ситуации.

— Чего желаешь от джинна? — уже в обычной своей манере прогудел Димон.

— Не встречал ли ты в разных блогах упоминания о психотерапевте, который самым чудесным образом влияет на наркоманов? Вроде специалист берет огромные деньги за услуги, но буквально переворачивает сознание человека. В кабинет врача входит опустившийся маргинал, а выходит художник, писатель, композитор.

— Крутая фенька, — хмыкнул Коробков.

— Если такой спец существует, мне необходимо его найти, причем как можно быстрее. Попытайся отыскать его координаты.

— Ща пошарю, поболтаю на албанском, — пообещал хакер, — мне тут одна мысль в голову пришла.

— Единственная? — ехидно уточнила я.

— Я всегда лишь одну думу думаю, — не стал обижаться Димон, — двум под черепом тесно. А почему Ляля взяла таблетки от кашля?

— Она посчитала их ядом, неужели ты не понял? — удивилась я.

— Почему? — упорно твердил Димон. — Дай логичное объяснение, от чего юная паразитка пришла к такому мнению. Что ее потащило к столу бабки?

— Она так думала, — растерянно ответила я. — Ну... просто так считала.

— Странно, однако! Зоя Владимировна хотела, чтобы девочка пошла по ее стопам. Ученая дама пыталась заинтересовать подростка своей работой, приводила в лабораторию несколько раз, во время каникул Ляля даже превращалась в сотрудницу. Девочка что, полная дура? — запальчиво спросил Коробок.

Не понимая, куда он клонит, я возразила:

— Глупой Лялю назвать нельзя. Она с большими психологическими проблемами, не очень успевает в школе, но отнюдь не кретинка.

— Тогда неужели, будучи своим человеком в лаборатории, она не знала, что яды хранят в сейфе, ключ от которого есть лишь у нескольких людей? Окажись Ляля в клинике впервые, она могла бы перепутать банки, но школьница в курсе всех местных правил. Полный идиотизм брать термопсис! Не находишь?

— Диковато, — согласилась я.

— У меня есть только одно объяснение произошедшему, — ажитированно продолжал Димон. — Ляля полезла в бабушкин стол, потому что знала: в коробке из-под пилюль от кашля находится яд.

Я вошла в здание метро и громко чихнула прямо в трубку.

— Ё-моё, оглушила! — возмутился Коробков. — Первое правило: закрывай микрофон рукой, если издаешь неприличные звуки.

— Хорошая теория, — я решила не обращать внимания на брюзжание хакера, — но и она вызывает недоумение: какого рожна Ляля решила, что в тубе опасное лекарство? На упаковке четко написано: «Средство от кашля».

— Супер! — заорал Коробков.

— Эй, потише, у меня ухо болит, — попросила я. Но Димон продолжал радоваться:

— Отличный вопрос! Могу предложить правильный ответ. Раньше в пластмассовой коробочке хранили отраву. И Ляля пребывала в уверенности, что яд до сих пор там. Более того, девчонка знала: лекарство убойное, в прямом смысле этого слова. И знаешь, откуда у нашей Красной Шапочки появилась сия уверенность? Она уже один раз кого-то отравила при помощи пилюлек из бабушкиного стола. Эдите предстояло стать второй жертвой. Стопудово!

Я сначала оторопела, а потом стала возражать:

— Ляля неприятный человек, но не стоит делать из нее Джека Потрошителя.

— Я абсолютно в этом уверен, — уперся Коробков.

Мне стало грустно. Дима очень хочет работать следователем, он опять придумал свою версию, но Чеслав не разрешит хакеру отойти от компьютера. Да и Димон сейчас перегнул палку. Я вздохнула:

— Хорошо, назови имя первой жертвы.

Димон кашлянул.

— Не знаю, пока не выяснил, но непременно расколю орешек.

— Ладно, — сдалась я, — занимайся решением интересных проблем, только в свободное время. Мир до сих пор гадает: кто же приказал убить Джона Кеннеди, да и в покушении на Владимира Ильича Ленина нет полной ясности. А сейчас поищи в Сети координаты гениального психотерапевта.

— Перезвоню, — бросил Коробок и отсоединился.

Я в недоумении топталась у касс. Если врач существует, то мне необходимо с ним поговорить. В голове выстроилась четкая картина произошедшего. Эдита Звонарева, капризная, избалованная чрезмерно любящей мамой девица, перенеся операцию по удалению аппендицита, превратилась в заботливую мамочку и нежную дочь. Ранее не отличавшаяся чадолюбием, родившая младенца исключительно из корыстных соображений, а потом сбросившая малышку на руки родительнице, Дита, вернувшись из больницы, стала усиленно зарабатывать деньги, то есть буквально пахать на свою семью. Да еще у нее в придачу окреп вестибулярный аппарат. Адаскина говорила, что от игры на вертевшейся сцене Звонаревой стало плохо, а Ляля вспоминала про то, как мама со счастливой улыбкой опробовала в парке все аттракционы. Отчего с актрисой случилась такая метаморфоза? На ее совесть столь радикальным образом подействовал наркоз? Или скальпель хирурга удалил из организма актрисы опухоль эгоизма, одновременно подарив ей любовь к американским горкам?

Конечно, нет, похоже, все обстояло иначе. Звонарева быстро стала законченной наркоманкой, и Фазиль, вложивший в съемки собственные деньги, впал в ярость. Вероятно, Каримов отправил отбившуюся от рук звезду к тому самому психотерапевту-волшебнику, но ничего хорошего не получилось. Звонарева не смогла побороть зависимость. Фазиль запаниковал, не вышедший на экраны сериал грозил ему разорением, заменить главную героиню продюсер не мог, кино создавалось под Эдиту, простой народ хотел видеть любимую актрису.

Видимо, на пике стресса Фазиль решил хоть чуть-чуть расслабиться, поэтому поехал вместе со своим другом, адвокатом Поповым, в дом к Лисичке. Представляете, какую огромную радость испытал Каримов, когда увидел Марину Федькину, как две капли воды похожую на Эдиту? Конечно, девушки не являлись близнецами, в частности, у Федькиной был больший размер груди, другая форма носа, более круглые щеки. Но, если изменить Марине прическу, скорректировать макияж и распустить слух о том, что Звонарева «подправила» внешность, Федькина запросто заменит пропитанную героином звезду. Эдита не имела близких подруг, из-за вздорного характера не установила хороших отношений ни с кем из коллег, и Фазиль решил воспользоваться этим обстоятельством.

Я не знаю, как именно поступил Каримов, но предполагаю, что вначале он запустил «утку» о посещении Эдитой пластического хирурга, потом уволил всех гримеров-костюмеров, работавших со Звонаревой, и пригласил других, никогда не имевших дела с настоящей Эдитой, а потом явил миру обновленную звезду.

Зое Владимировне Каримов заявил:

— Вам придется жить с эрзац-дочерью в одной квартире и играть роль мамы, тогда вы будете в шоколаде. Популярность Диты сейчас на взлете, лет десять-пятнадцать она продержится на волне, зритель настроен к Звонаревой крайне благожелательно. Если не захотите участвовать в истории —

ваше право. Но поймите: в первом случае вы получите деньги, статус матери популярной актрисы, а Ляля будет хорошо обеспеченным ребенком. Во втором — вас ждет нищета, а Лялю муниципальная школа.

И Зоя Владимировна приняла правильное решение. Вот почему она беззастенчиво выматывала Диту финансовыми просьбами! А Марина Федькина, стихийно превратившись из проститутки в кумира миллионов, испытывала и к «маме», и к Фазилю, и к Ляле невероятную благодарность. Федькина обладала несомненным актерским талантом, а еще она была тихой, нестервозной девушкой, с большим комплексом неполноценности. Новая Эдита изо всех сил старалась оправдать доверие своих благодетелей: Зои Владимировны и Фазиля, поэтому работала до изнеможения. Возможно, «мамочка» не забывала напоминать «дочурке»:

— Начнешь лениться, конец карьере.

И псевдо-Эдита выбивалась из сил, создавая красивую жизнь семье и продюсеру. Вот почему она, полюбив Влада Ткаченко, боялась привести его в свой дом, вот почему актриса говорила ювелиру:

— Ты не знаешь, что ради меня сделала мама!

Деликатная Марина-Эдита считала себя по гроб жизни обязанной и Зое, и Ляле, и даже Вене.

Знали ли дети правду? Нет. Веня появился в семье уже после всех трансформаций Эдиты, а Ляля считала Федькину своей мамой. Как же вышло, что ребенок не заметил подмены? Это легко объяснимо. В год, когда Фазиль совершил рокировку, Лялечка еще ходила в детский сад. Маму она видела крайне редко, в основном малышкой занималась бабушка, а потом няни. Ляля практически не встречалась с Эдитой. Вот вам и ответ на вопрос.

Зато Зоя Владимировна расцвела. Родная дочь совсем не баловала ученую даму вниманием, а Марина исполняла любые желания пожилой капризницы. Хотите квартиру в центре? Пожалуйста. Нужна машина с шофером? Сейчас пригоним. Построить загородный дом? Уже бегу к риелторам искать участок. Принять в семью Веню, ребенка от «мамочкиного» сына-пьяницы? Нет проблем, везите его в Москву.

По какой причине Марина не возмутилась и не ушла от хищных гарпий? Ответ лежит на поверхности: едва лже-Эдита дернется, пообещает рассказать в телешоу правду о себе, как ее карьера рухнет, образ любимой народом, заботливой дочери и матери рассыплется в прах. Занятия проституцией не лучшее прошлое для звезды. А еще, думаю, Федькина не хотела причинить вред ни Зое Владимировне, ни Фазилю.

И кто же ее убил? Почему? Или за что? Каков мотив преступления?

В спину неожиданно ткнулось что-то острое, я вздрогнула.

— Встала тут на дороге... — зашумела толстая бабка, обмотанная сразу несколькими платками. — Здесь метро, а не танцульки!

Я безропотно отодвинулась в сторону, потом вышла на улицу. Надо где-то переждать, пока Коробков шарит в Интернете... В глаза бросилась вывеска кинотеатра «Фильм А». В ту же секунду в голове созрело решение: куплю билет и посижу, глядя на экран. Это все лучше, чем идти в кафе, лишние калории мне не нужны.

«Фильм А» демонстрировал ленту псевдоисторического содержания под названием «Месть королей». Мелодраму сняли во Франции, и в ней было все необходимое для бешеного успеха у публики. Создатели действа намеренно не упомянули название книги, по которой писался сценарий, на экране просто появилась на пару секунд надпись: «Фильм снят по мотивам произведений великого писателя Александра Дюма». То, что в литературе существовали два прозаика с таким именем, никого не смутило. Зато в картине были шикарные костюмы, роскошные интерьеры, красивые актрисы с пышными бюстами, породистые лошади, шпаги, мушкетеры, дуэли, дворцовые заговоры, бриллианты и колдунья, травившая народ ядом. Ведьма действовала весьма изобретательно. Воспользовавшись существовавшим тогда обычаем постоянно носить нитяные перчатки, колдунья опускала эти изделия в особый состав, сушила их, а потом подкладывала жертве. Обреченный человек надевал перчаточки, от тепла тела отрава «оживала» и начинала впитываться в кожу несчастного. Ну а дальше уж кому как повезет — одни герои гибли сразу, другие мучились месяцами.

На пятнадцатом трупе я начала отчаянно зевать. Вроде бы бойкое действие, и красота на экране немыслимая, а скучно. Правда, остальные зрители были очень довольны. Около меня сидела миловидная девушка, которая даже открыла рот, следя за событиями фильма.

В конце концов, мне надоело наблюдать за мельканием пышных юбок и шляп с перьями. Очень осторожно, чтобы не помешать остальным зрителям, я выползла в холл... и увидела буфет.

Моя совесть удивительно похожа на белку: она либо глубоко спит, либо грызет меня вместо орешков. В данный момент совесть бодрствовала и тихий внутренний голос заунывно завыл: «Уходи быстро прочь! Здорового питания в этом месте не купить. Здесь булочки с кремом, кола и попкорн».

Умом понимая правильность сомнений, я подскочила к прилавку и попросила:

— Ватрушку и чай без сахара.

В жизни ведь всегда можно найти компромисс! И совесть умолкла, и желудок доволен, а все потому, что я не купила плюшку с заварным кремом, ограничилась малокалорийной выпечкой с творогом.

Не успела я проглотить кусочек, как ожил мобильный.

— Я нашел Гиппократа, его зовут Евдюкин Егор Сергеевич, — отчитался Димон. — О нем ходят легенды. Судя по блогам, никто у него лично не лечился, зато все знают, что именно Евдюкин избавил от наркозависимости поп-звезду Рикки. Якобы сей певун сильно изменился после общения с мозгоправом, отринул шприцы и начал писать гениальные рассказы. Сообщают и о сумме гонорара — триста тысяч долларов.

— Круто. Но похоже на вранье, — не поверила я.

— Уж не знаю... — протянул Коробков, — в Сети вывешен список знаменитостей, лежавших в клинике Евдюкина. А еще в Рунете полно сообщений от родителей и супругов наркоманов, которые мечтают попасть на прием к гуру, но не могут собрать денег. Евдюкин удивительный тип. У него есть сайт, где изложен жизненный принцип нарколога. Зачитываю... «За хороший результат надо платить. Если вы бедные неудачники, то идите в районный наркодиспансер. Там вашим драгоценным торчкам совсем не помогут, и это хорошо, потому что наркоманы — отбросы общества. Незачем им жить, еще размножаться начнут. Вопреки мнению своих коллег я не считаю тех, кто сел на иглу, несчастненькими больными зайчиками. Сам в руки шприц схватил, самому и отвечать. И нечего объяснять пагубное пристрастие к героину и кокаину тяжелым детством, плохими родителями и сложными душевными переживаниями. Сотни тысяч школьников терпели в детстве побои и выросли замечательными людьми. Моя методика приносит стопроцентное выздоровление. Героин и прочую «радость» люди бросают навсегда, за двадцать лет практики я не имел ни единого случая рецидива. Почему я заламываю неподъемную цену? Из жадности. По какой причине беру только знаменитых? Потому что так хочу. Если человек смог достичь успеха, а потом, желая повысить свою работоспособность, схватился за кокаин, — он жертва собственного трудолюбия и вполне хорош для общества. Если же «дурь» вы принимаете от скуки и тупости, то отправляйтесь побыстрее на кладбище. Внимание: нищих придурков не приму. Упрашивать меня бесполезно, не надейтесь получить согласие на бесплатную помощь, залив мою приемную слезами. Для обеспеченных людей адрес и часы приема на сайте».

Глава 29

— Ну и декларация! — воскликнула я. — Обычно врачи не столь откровенны.

— Похоже, Евдюкину плевать на общественное мнение, — подытожил Димон. — Спорим: у него гайка в пупке, а на шее татушка в виде скорпиона?

— Это уж ты слишком, — улыбнулась я. — Экстремисты не всегда шокируют окружающих внешним видом, многие бесшабашные личности носят классический костюм с галстуком.

— Спорим на сто баксов! — оживился Коробков. — Моя серьга и наколка против твоего пиджака с самовязом! О'кей?

— Далеко к душеправу ехать? — занервничала я.

— Центр, метро «Кропоткинская», а там полквартала по бульвару, — объяснил хакер. — Есть у него и телефон. Советую сначала позвонить — похоже, Егор Сергеевич человек суровый, такой и послать может, если без записи явишься. Только не забудь сказать, что ты владелица алмазных копей, иначе он с тобой беседовать не станет.

— Логично, — согласилась я. — Диктуй номер...

Трубку в офисе психотерапевта сняли моментально.

— Да, — коротко ответил скрипучий голос.

— Позовите, пожалуйста, Егора Сергеевича, — вежливо попросила я.

— Его нет, — зло гаркнули в ответ.

Но мне очень нужно было побеседовать с Евдюкиным, поэтому я не стала обижаться на его секретаря-хама.

— А когда будет врач?

— Вам какое дело? — совсем обнаглели на другом конце провода.

Эта грубость меня удивила и разозлила, но я решила не хамить в ответ.

— Хочу записаться к доктору на прием.

— Нет! — с яростью взвизгнул мужчина.

— Простите? — окончательно растерялась я.

— У вас уши болят? — спросил незнакомец.

— Да, — от неожиданности я ответила правду, — подхватила отит, теперь мучаюсь.

Из трубки вдруг послышался нервный смешок.

— Ладно, извините. Этот идиот съехал. Мы купили его жилплощадь, и ни одна сволочь в риелторской конторе не предупредила, что прежний жилец вел в квартире прием больных. С ума сойти можно! Знаете, сколько стоит телефонный номер поменять?

— Сочувствую, — протянула я. — А скажите...

— Куда перебрался врач, понятия не имею, — перебил меня мужчина, — как с ним связаться, не представляю. Баста!

Последнее слово было сказано так громко, что мое бедное ухо снова защелкало.

Подождав пару минут, пока утихнут неприятные ощущения, я перезвонила Коробкову, велела отыскать новые координаты Егора Сергеевича и решила зайти в книжный магазин, находящийся по пути к метро. Насколько я знаю, при нем открыто кафе, где можно взять чашку кофе и почитать какую-нибудь литературу. Надеюсь, там мне не подадут гамбургер с плюшевой крысой и публика окажется относительно интеллигентной, все-таки пьяницы и другие опустившиеся люди не покупают книги и учебники, они в основном тратят свои средства на водку.

Действительность оправдала мои ожидания. Я устроилась за небольшим столиком с уютной зеленой лампой, получила невкусный капучино и попыталась привести мысли в порядок.

Кому выгодна смерть лже-Эдиты? Фазилю? Никогда! Он вкладывал в производство сериалов со Звонаревой свои деньги и получал миллионы прибыли. Зое Владимировне? Тоже нет. Дита исполняла любой каприз старухи, осыпала ее подарками. Правда, после смерти «доченьки» ученая дама не растерялась и подсунула Каримову внучку Настю, очевидно, решив завести себе еще одну овцу для стрижки. Но глупо думать, что пожилая женщина решила лишить жизни Диту, чтобы раскрутить дочь непутевого сына. Я общалась с Анастасией всего один раз, но успела понять: девушка заносчива, груба, она, еще не став звездой, уже обзавелась самыми худшими привычками селебретис. Думаю, Стю не будет послушно таскать в клювике золотишко в семейную кассу. На месте Зои Владимировны я бы сдувала с Марины-Эдиты пылинки.

Кто у нас еще есть? Ляля? Ну с ней понятно: девочка имела мотив и осуществила свой замысел, только кто-то успел отравить Звонареву раньше.

Веня? Ну и чушь лезет мне в голову! Бывшая бандерша Лисичка? Нет смысла. Галина Адаскина? Ландшафтный дизайнер кажется вполне счастливым человеком, имеет интересную работу, любимого мужа и ко всему прочему стала верующим человеком. Вероятно, я до чего-то не докопалась. Может, у Лисички или Галины есть некие секреты и они не желали, чтобы Марина-Эдита о них растрепала?

Я окинула взглядом абсолютно пустое кафе. Посетителей в магазине мало, и все они бродят по торговому залу, подбирают себе книги. Так кому была выгодна смерть актрисы? Я пока не могу назвать никого, кроме... самой Диты, той, настоящей Звонаревой, ставшей наркоманкой. Куда она подевалась? Судя по тому, что Федькина не один год успешно исполняла роль звезды, родная дочь Зои Владимировны до сих пор лечится, врачам, вероятно, не удается справиться с ее пагубной привычкой к наркотикам. Женщину держат в клинике или она живет в специально снятой квартире под присмотром медсестры. Вот уж кто должен ненавидеть Федькину! Наверное, несчастная наркоманка полагает, что Марина отняла у нее славу и деньги. Рано или поздно у любого человека, пристрастившегося к «дури», начинаются проблемы с психикой, а такие люди очень изворотливы, могут удрать из-под надзора, совершить преступление и как ни в чем не бывало вернуться назад.

Я взяла чайную ложечку и принялась ковырять кофейную гущу. Хорошо, пусть настоящая Дита сумела сбежать от сиделки, ухитрилась проникнуть в квартиру к маме и отравила свою «дублершу». Естественно, тут же возникают следующие вопросы: где наркоманка взяла яд? Каким образом она ввела его Федькиной? Почему эксперт не заметил на теле умершей никаких следов насилия?

Ответы непременно найдутся, как только я отыщу убежище Эдиты. Думаю, Фазиль и Зоя Владимировна могут назвать и улицу, и номер дома, в котором обитает безумная женщина, но они этого никогда не сделают...

— Вау! — вдруг воскликнул кто-то рядом.

Я повернулась на голос и увидела девушку-официантку.

— Что случилось?

Та плаксиво ответила, тыча рукой в табуретку:

— Поставили сюда мебель, которая меня старше... Тут сиденье откидывается, а под ним, блин, ящик. Зачем это сделали? Вечно о крышке забываю, беру чертову деревяшку за верх и палец прищемляю!

Я хотела посочувствовать бедняжке, но вдруг насторожилась. В памяти ожило воспоминание: когда я была ребенком, у наших соседей имелась точь-в-точь такая табуретка, и если к родителям приходило много гостей, мама шла в рядом расположенную квартиру, брала у Семеновых недостающие стулья и табуретки. Кстати, я тоже прихлопывала себе пальцы поднимающимся сиденьем. Почему я не вспомнила об этом раньше, когда Раиса демонстрировала тайник? Черт подери, я, похоже, сглупила...

— Свет не видывал такого непослушного негодника, как ты! — раздался раздраженный женский голос. — Сколько раз говорила: не смей грязными руками книги хватать!

— Ма, это случайно вышло, — захныкал ребенок.

Я повернулась на звук и увидела мальчика лет десяти и худенькую женщину, одетую в дешевую куртку.

— Знаешь, сколько стоит словарь, который ты запачкал? — кипятилась мамаша. — Три тысячи рублей! Самое дорогое издание в магазине!

— Не сердись, — бубнил сынишка, — на первом уроке у меня шариковая ручка протекла, на пальцы паста попала. Я руки мыл!

— Сиди здесь, — прошипела мать. — Такие деньжищи! Где их взять?

— Ну я же не хотел... — захныкал мальчик.

— Странно получается, — еще сильнее обозлилась женщина, — каждый день говоришь, что хочешь хорошо учиться, но ни черта не выходит, одни двойки таскаешь. Зато словарь испачкать не хотел, а изгваздал. Удивительное у тебя хотение! Похоже, оно наоборот работает! Ну все, накушалась я твоих шалостей, отвезу тебя в школу для идиотов. Будешь сидеть в интернате взаперти, оттуда легко не отпустят.

— Мама! — в голос зарыдал шалун. — Не надо!

Тетка еще громче заорала на несчастного ребенка, но я перестала улавливать смысл ее злобных тирад. В мозг ввинтилась фраза, которой мать решила испугать двоечника: «Будешь сидеть в интернате взаперти, оттуда легко не отпустят». Моментально в памяти всплыл разговор с Владом Ткаченко. Он тогда обронил: «Эдита не объясняла мне причин, по которым Ляля сменила учебное заведение. Она лишь сказала: дочь отпустили из гимназии имени Ландау, девочка пойдет в другую школу».

Помнится, меня почему-то удивила фраза, оброненная ювелиром, но я не стала разбираться в собственных ощущениях. В конце концов, какая разница, где подросток получает знания? Но сейчас я неожиданно поняла, отчего сделала стойку, беседуя с Владом: из образовательного заведения могут выгнать, вытурить, вышвырнуть, школу оканчивают, меняют или бросают. Глагол «отпустить» никак не употребляют в ситуации, когда ребенка решили перевести из одной цитадели знаний в другую. Отпускают заключенных. Ну еще изредка отпускают с уроков, но ведь не из школы! Если Влад точно повторил слова Эдиты, значит, Ляля оказалась в каком-то спецучреждении для подростков, где провела целый год. По какой причине девочку наказали? Если вспомнить, как горячо Зоя Владимировна любит внучку, станет понятно: школьница сотворила нечто очень гадкое, раз бабушка пошла на такую меру.

Я схватила телефон. Если выясню, что сделала ее горячо любимая Ляля, то смогу заявить Звонаревой: «Говорите, где прячется ваша настоящая дочь, и тогда никто не узнает неприятной правды о внучке. Школьнице предстоит лечиться у психиатра за попытку убийства актрисы, но, оказывается, в прошлом у нее есть и другие тайны. Хотите, чтобы я держала рот на замке и своим рассказом не усугубила положение Ляли, немедленно назовите адрес, где находится настоящая Эдита».

Считаете мою идею некрасивой? Ну да, абсолютно верно, это шантаж. Но другим путем мне к убийце не подобраться.

Я вытащила из сумки телефон, набрала нужный номер.

— Волшебная палочка ушла ужинать! — гаркнул Димон. — И вообще...

— Немедленно отыщи гимназию имени Ландау, — перебила я хакера. — Я почти на сто процентов уверена, что она не имеет никакого отношения к великому физику Льву Ландау.

— Слышал я про собак, которые одновременно с хозяином инфаркт получают, — вдруг брякнул Коробков.

Даже на фоне обычных нелепых замечаний компьютерщика его последняя фраза звучала весьма странно.

— При чем здесь псы? — изумилась я. — Димон, у твоего компа хороший защитный экран? Похоже, излучение от монитора повлияло на мозг пользователя.

— Идет мужик домой, — спокойно продолжал Коробков, — а его четвероногий хвостатый друг чует: хозяину плохо. Бац! И оба в больнице. Мужчина и Жучка. Вот так и мы с тобой!

— Может, возьмешь градусник? — забеспокоилась я. И тут же разозлилась: — Постой-ка! Если ты существо сильного пола, то Жучка — это я?!

— Какая разница? — фыркнул Димон. — Внучка, мышка, репка... Стоило мне разработать свою версию и начать копать под гимназию Ландау, как тут же звонит Таня с просьбой отыскать это заведение. У нас с тобой телепатическая связь, как у мужика с Жучкой.

— Мне больше нравится сравнение, как у женщины и Полкана, — парировала я. — Так ты уже нарыл что-то про учебное заведение?

— Ландау — не такая уж и редкая фамилия, — завел Коробков, — зря мы решили, что Лялю отдали обучаться математике и физике. Основателя гимназии зовут Иосиф Яковлевич Ландау. Интересное, скажу тебе, местечко, нечто вроде клиники коррекции поведения. Я влез в их документы. Жесть! За большие деньги в школе пытаются справиться с асоциальными детьми. Контингент там — малолетние воришки, насильники, грабители, угонщики машин, и все они, как один, из богатых семей, с родителями, готовыми выложить не фиговые доллары за искоренение криминальных задатков у отпрысков. Сейчас в школе пятнадцать учеников, у них индивидуальные программы, дети друг с другом практически не пересекаются, к каждому приставлен личный воспитатель, психолог с дипломом. Десять ребят живут в гимназии постоянно, пятеро уезжают на ночь домой.

— Меня интересует только Ляля, — быстро сказала я.

Димон вздохнул.

— Не торопись.

— За что она попала в интернат? — не успокаивалась я.

— Звонарева не была пансионеркой, ее привозили утром и забирали вечером.

— Несущественная подробность. Назови причину помещения девчонки под наблюдение специалистов, — занервничала я.

— Не знаю, — нехотя признался Коробок.

Я сразу догадалась, почему наш компьютерный гений приуныл.

— Ты же лазил по архиву?

— Ага, — подтвердил собеседник.

— И не смог прочитать ее дело! — с некоторой долей злорадства констатировала я.

— Там ничего нет. Просто обычная анкета, отметки и нормальная характеристика. Еще приложено два заявления от Эдиты Звонаревой: «Прошу принять в гимназию мою дочь для углубленного изучения английского языка» и «Прошу отчислить мою дочь. Ребенку тяжело тратить на дорогу в школу более трех часов в день». Или они уничтожают все документы после того, как воспитанник покидает стены спецшколы, или хранят их в таком месте, куда даже я не смог залезть. Хотя, вероятно, папки с рукописными бумагами просто лежат под замком в шкафу у директора. Иногда так прятать секреты надежнее, чем помещать их в компьютер, — чересчур многословно оправдывался Дима.

— Давай все координаты гимназии! — закричала я.

— Зачем? Хочешь туда поехать? — удивился Коробок.

— Нет, собираюсь послать им поздравительную открытку к Дню святого Валентина, — фыркнула я, — а в конце сделаю приписку: сообщите мне всю правду о Ляле Звонаревой.

— Отличный ход, — одобрил Димон, — но он не сработает. Полагаю, тебя даже не пустят на территорию гимназии. Коллектив умеет хранить тайны, иначе к ним никто не обратится. Болтунов в таком месте держать не станут, и без рекомендации от хорошо известных администрации лиц с родителями предполагаемых пансионеров беседовать не захотят.

— Но как-то же туда устраиваются ученики! — справедливо заметила я.

— Безусловно, можно найти подход к директору, но могу подсказать более простой и легкий путь выяснения подробностей о Ляле, — предложил Коробков.

— Какой?

— Помнишь, я говорил, что у каждого ученика есть личный воспитатель?

— Да.

— Лялей занималась Людмила Николаевна Середко. Через пару месяцев после ухода девочки психолога со скандалом уволили — у нее случился конфликт со школьником Федором Соломатиным, с которым Середко стала заниматься после младшей Звонаревой. Воспитательница была очень недовольна, бомбардировала администрацию заявлениями, требовала выплаты трехмесячного оклада, грозилась восстановиться по суду. А потом вдруг успокоилась. Очевидно, конфликт разрешился. Дам тебе все координаты Середко, которая, думаю, до сих пор зла на хозяев гимназии и с удовольствием расскажет правду о тамошних порядках, сообщит секреты Звонаревой...

Несмотря на то, что на Москву опустился поздний вечер, я решила не откладывать беседу с Середко в долгий ящик и, наплевав на приличия, быстро набрала номер ее телефона.

— Алло, — звонко ответил молодой, прямо-та-ки девичий голос.

— Позовите, пожалуйста, Людмилу Николаев-ну, — попросила я, думая, что трубку сняла дочь психолога.

Но в ответ услышала:

— Слушаю вас.

Следовало продемонстрировать хорошее воспи-тание, и я сказала:

— Извините за беспокойство.

— Ерунда, я поздно ложусь спать, — быстро пе-ребила меня девушка.

— Меня зовут Татьяна Сергеева, мы с вами не знакомы.

— Это поправимо, — засмеялась психолог.

Я откашлялась.

— Обратиться к вам меня побудила большая проблема. Личная. Она связана с поведением мое-го сына Володи. Очень надеюсь на вашу профес-сиональную помощь и готова заплатить любые деньги за консультацию. Пожалуйста, не отказы-вайте мне.

— Вы сейчас свободны? — деловито осведоми-лась Середко.

Как вы думаете, что она услышала от меня в от-вет?

— Абсолютно!

— Тогда приезжайте ко мне, — распорядилась Людмила Николаевна. — Беседовать лучше, глядя друг другу в глаза.

Глава 30

Памятуя о звонком голосе психолога, я ожидала увидеть вчерашнюю выпускницу вуза, но передо мной оказалась женщина лет сорока. Хозяйка проводила гостью в просторный кабинет, усадила в удобное кресло, сама устроилась напротив и сказала:

— Сейчас такое сложное время, требуется осторожность при выборе клиентов, поэтому я вынуждена задать вам вопрос: кто вам меня порекомендовал?

— Зоя Владимировна Звонарева. Вы очень помогли ее внучке Ляле, — без запинки отрапортовала я.

Людмила Николаевна взяла с журнального столика очки, водрузила их на нос и покачала головой.

— Вот уж странность!

— Вас удивляет факт моего знакомства с матерью актрисы? — Я прикинулась дурой.

— Нет. Думала, она никогда не скажет обо мне хорошего слова, — ответила Середко. — Значит, ошиблась, хотя редко неверно прогнозирую чужое поведение. Как там Ляля?

— Ответить честно? — спросила я.

— Конечно! — погасив улыбку, сказала психолог.

— С одной стороны, хорошо, с другой — плохо. Девочка задержана за совершение преступления, ей предстоит лечение у психиатра. Извините, если огорошила вас этим сообщением.

— Для меня в нем ничего удивительного нет, я ожидала подобного развития событий, — кивнула Середко. — А какая информация хорошая?

— Раз Ляля под пристальным вниманием врачей, ей не удастся совершить третье преступление, — четко произнесла я.

— Третье? — переспросила Людмила Николаевна, приподняв бровь.

Я кивнула.

— Ну да. За первое ее отправили в гимназию Ландау, за второе задержали на днях. Хотите знать, в чем обвиняют Лялю?

Середко сняла очки.

— Вы из милиции? Родители, у которых проблемы с детьми, никогда не интересуются чужими бедами. Могу предположить, что Звонарева кого-то убила. Ведь так?

— И да, и нет, — кивнула я, вынимая удостоверение. — Пожалуйста, выслушайте меня...

Когда мой рассказ о смерти Эдиты иссяк, Людмила Николаевна снова водрузила очки на нос.

— Я предвидела нечто похожее, — сказала она. — Ляля очень хитра, работать с ней было невероятно трудно. Впрочем, в гимназию Ландау не попадают беспроблемные дети. Но даже на их фоне Звонарева выглядела экзотическим цветком.

— Такая грубая и невоспитанная?

— Наоборот, — махнула рукой психолог, — вежливая, милая, всегда сохраняла невозмутимость. Но я ощущала, что под пеплом тлеют угли. Да только Иосиф Яковлевич ей верил. А она обвела старика вокруг пальца, вот так!

— Людмила Николаевна, милая, — взмолилась я, — речь идет об убийстве. Пожалуйста, расскажите все, что знаете. С одной стороны, правда поможет врачам, которые будут работать с Лялей, с другой — я сумею найти того, кто отравил Эдиту. Никаких протоколов или диктофонов нет, можете обыскать мои карманы и сумку. Сообщенная вами информация никогда не попадет ни к посторонним людям, ни на страницы газет.

Психолог вытянула губы трубочкой, пару раз чмокнула ими и решилась на откровенный разговор.

— Лялю привезла к нам бабушка. Отца девочка не знала, даже имени его не слышала, но особенно от отсутствия оного не страдала. Отношений с матерью у нее практически не было, та ни разу не появилась в гимназии. Я хотела побеседовать с актрисой, но Зоя Владимировна категорически заявила: «Дочь очень занята, ей некогда приезжать в школу. Эдита обожает девочку, но у нее мало времени на общение с ребенком. Все проблемы Ляли решаю я».

Середко примолкла.

Я решила ускорить процесс беседы:

— Наверное, вас удивило поведение матери?

— Нет, — спокойно возразила психолог. — Увы, это весьма распространенное явление. Взрослые занимаются зарабатыванием денег, детей воспитывает прислуга. И мать, и отец спокойны: вроде отпрыск под наблюдением, занят целый день: школа, спорт, танцы, изучение иностранных языков, компьютер. Кое-кто из детей в такой ситуации чувствует себя комфортно, но многим не хватает самого элементарного: маминого поцелуя на ночь, поездки с папой на рыбалку, совместного воскресного обеда. В гимназии Ландау подавляющее количество ребят из обеспеченных семей, они сыты, роскошно одеты, имеют мобильные с бриллиантами и летают в каникулы на личном самолете отца с гувернером на виллы в теплые страны, но тем не менее они абсолютно беспризорные. Парадоксальный момент: за подростком постоянно наблюдают, исполняют все его желания, а он испытывает одиночество. Отсюда и воровство, как способ привлечь к себе внимание родителей. Но, увы, ни отец, ни мать этого не понимают, кричат с негодованием: «Вот мерзавец! Да у меня в его возрасте ничего не было, я мечтал о новом велике!» Правильно, материальные ценности отсутствовали, зато была мама, которая пекла на кухне пирожки, а сын крутился рядом, отщипывая сырое тесто. Или он с папой чинил в гараже автомобиль. Была семья, а не облагороженный вариант приюта, где за школьником ухаживают посторонние люди. Пусть даже комната ребенка битком набита дорогостоящим барахлом, оно не заменит присутствия родителей.

— Давайте вернемся к Ляле, — попросила я.

Психолог склонила голову.

— Звонарева-младшая не умела управлять своим гневом. Вернее, она прикидывалась тихоней, а потом вдруг бабах! Происходил взрыв эмоций. Его мог вызвать самый незначительный повод. Один раз Ляля раскрашивала картинку, и я похвалила ее работу: «Красное платье здесь очень красиво смотрится, ты подобрала правильный фломастер». А девочка надулась: «Одежда розовая». — «Нет, — возразила я, — это цвет пожара». Знаете, я никогда не повышаю голоса на воспитанников, да и в разговоре ничего обидного не было, простой треп. Но Ляля вскочила, разорвала картинку и с воплем: «Меня все ненавидят!» — убежала прочь.

— Что все-таки сделала девочка? За какой проступок ее поместили в учреждение, где содержались дети с криминальными наклонностями? — упорно нажимала я на одну и ту же педаль.

Середко потерла лоб рукой.

— Зоя Владимировна пыталась приучить Лялю к труду. Она брала девочку с собой на работу... ну... и там...

Я решила помочь психологу:

— Наверное, Ляля украла что-то у бабушки?

Людмила Николаевна кивнула.

— Понимаете, Звонарева-старшая занимается разработкой новых лекарств. Подробностей я, конечно, не знаю, но таблетки тестируют на животных, в лаборатории много всяких препаратов. Зоя Владимировна не предполагала, чем обернется ее невинное желание заинтересовать любимую внучку делом всей своей жизни. Она рассказывала девочке о лекарствах, в частности о миорелаксантах, которые...

— Я знаю об их действии, — перебила я психолога, — препараты этой группы могут привести к смерти от остановки дыхания, их следует принимать только в клинике, в присутствии врача.

Середко вздохнула.

— Верно. В то время в семье Звонаревых служила домработницей некая Маргарита, очень ответственная женщина, фанатка Эдиты. Из лучших побуждений она делала Ляле огромное количество замечаний, воспитывала девочку так, как принято в простой семье: «не бери», «нельзя», «ложись вовремя спать», «ешь суп до дна» ну и далее в подобном духе. Ляля считала замечания Маргариты унизительными для себя и однажды потребовала у матери ее уволить. Но та, всегда спешившая исполнить желание капризницы, неожиданно сказала: «Найти хорошую прислугу очень трудно. Рита честная, старательная, и она очень любит тебя». Девочка фыркнула и решила самостоятельно разобраться с прислугой.

— Понимаю, — пробормотала я. — Ляля вытащила из тубы несколько таблеток, растолкла их и посыпала порошком шпроты, которые обожала Маргарита?

— Именно так, вы правы, — с удивлением согласилась психолог. — Меня поразили коварство и злость девочки. Она за полчаса до конца рабочего дня домработницы попросила вскрыть для себя банку, скушала одну рыбку, затем сказала: «Фу, противно пахнет! Рита, забирай консервы домой. Я их больше есть не стану, Веня шпроты ненавидит, бабушке нельзя, мама фигуру бережет!» Маргарита аккуратно переложила рыбок из жестяной банки в стеклянную, завернула крышку и минут через двадцать ушла домой. Ляля великолепно знала: Рита не устоит перед шпротами, она их обожает, поэтому из множества консервов в кладовке девочка выбрала именно эти.

Я удрученно молчала. Вот теперь нашелся ответ на вопрос: почему Ляля, желая отравить актрису, взяла таблетки от кашля. Да потому что она предполагала, что в тубе по-прежнему миорелаксант. Один раз пилюли подействовали, помогли ей избавиться от надоедливой женщины, и девочка решила пойти проторенным путем, убить мать, на которую она затаила злобу, уже испытанным способом. Коробков был прав, когда предположил, что Ляля уже совершала преступления. Димон оказался настоящим психологом!

— Домработница скончалась, но ее смерть не вызвала у медиков никаких подозрений, — продолжала Середко. — Ляля сама себя выдала, она так бурно радовалась избавлению от Маргариты, что у Зои Владимировны зародились сомнения. Та начала расспрашивать внучку и в конце концов услышала признание.

— Представляю, как испугалась бабушка, — покачала я головой, — таблетки взяты из ее лаборатории, ученую даму могли уволить за халатное отношение к хранению опасных препаратов. И даже более того — отправить за решетку. Зоя Владимировна насыпала в такую же тубу таблетки от кашля и более не приводила Лялю в лабораторию. Девочку быстро отправили на перевоспитание в гимназию Ландау, Звонарева оплатила похороны Маргариты, дала денег ее родственникам и молилась, чтобы никто ни о чем не заподозрил.

Людмила Николаевна пожала плечами.

— Не знаю насчет ее обращений к богу, а в остальном все правильно. Я работала с Лялей год. Она вела себя безупречно, за исключением пары маленьких скандалов, никаких проблем не возникло. Полнейшее раскаяние, признание своей вины, муки совести, мечты отправиться в монастырь, чтобы молиться за душу Риты, — весь джентльменский набор был выставлен на продажу. Иосиф Яковлевич, узнав о душевном состоянии ребенка, сказал: «Девочка полностью осознала содеянное! Никаких проблем с ней в дальнейшем не вижу!» Но я понимала: Ляля великолепная актриса, она обведет вокруг пальца кого угодно, включая и старика Ландау, поэтому попросила задержать подростка еще хотя бы на год. Но Иосиф Яковлевич уперся. Он очень авторитарен и не терпим к чужому мнению, в особенности, если его высказывает женщина.

Людмила Николаевна поправила кружевную салфетку, украшавшую журнальный столик.

— Я чувствую себя виноватой за то, что сейчас случилось с Лялей. Следовало отстаивать собственную позицию, убедить Ландау еще понаблюдать за школьницей, поговорить с Зоей Владимировной, хотя... Там такая странная семья!

— Чем же? — поинтересовалась я.

Психолог положила ногу на ногу.

— Мать я вообще не видела. Даже самые равнодушные родители хоть один раз да приезжали в гимназию, а она никогда не появилась.

Я пожала плечами, если учесть, что роль Эдиты исполняла Марина Федькина, ничего удивительного в этом нет. Впрочем, бывшая проститутка была, кажется, хорошим человеком. Влад вспоминал, что она, рассказывая о переводе дочери в гимназию Ландау, пожаловалась на новые финансовые заботы, а он посоветовал ей не заморачиваться с дорогим учебным заведением, поместить Лялю в самую обычную школу. Влад справедливо полагал, что объевшейся сладким девчонке будет полезна касторка, считал неправильным покупку машин и наем шофера для сопровождения капризницы на занятия. Но ювелир ничего не знал об убийстве Риты, а Эдита тогда воскликнула: «Нет, нет! Ляля отправится в гимназию Ландау, я так виновата перед ней!»

В чем винила себя Марина? В том, что не сумела, притворившись матерью Ляли, уберечь ее от совершения преступления? Ругала себя за недостаточное внимание к девочке? Интересно, Федькина в самом деле любила Влада? Почему не сообщила ему правду ни о себе, ни о Ляле? Хотя Марина была, похоже, благородным человеком, она полагала, что не имеет права рассказывать кому бы то ни было о чужих тайнах, и была безмерно благодарна Фазилю и Зое Владимировне за предоставленную возможность стать звездой.

— Бабушка тоже оригинальная личность, — продолжала ничего не подозревавшая о моих мыслях Середко. — Вроде она очень любит Лялю, постаралась оказать малолетней убийце психологическую помощь, привезла ее в спецгимназию, потратила огромные деньги... Но между тем Звонарева мало думала о Ляле.

— Вы ошибаетесь, — не согласилась я с психологом, — внучка для нее — свет в окошке!

— Так ли это? — ехидно усмехнулась Людмила Николаевна. — В тот год, когда Ляля очутилась у нас, Зоя Владимировна как раз завершала испытание нового лекарства. Не знаю, от чего оно, но ученая дама постоянно твердила об особой форме средства, не таблетки, не уколы, а некие наклейки.

— Слышала о таких, — моментально вспомнила я о санитаре «Скорой помощи», жалевшим о том, что ему приходится делать уколы, тогда как у его коллег есть чудо-пластыри, и о женщине из аптеки, покупавшей для детей полоски, пропитанные составом от гриппа.

— Я сообщаю Зое Владимировне, какие успехи делает Ляля, — продолжала Середко, — а бабушка кивает с отсутствующим видом, мыслями витает невесть где. Один раз я не выдержала и спросила: «Вам неинтересно?» Звонарева тут же начала суетиться: «Что вы! Просто сейчас у меня на работе сложный период...» И давай о своем лекарстве лекцию читать. Я еще подумала тогда: ничего нового в этой идее нет. Насколько помню, в каком-то из романов Дюма есть описание отравлений, когда в ход шли перчатки, носовые платки или рубашки, пропитанные ядом. Если через кожу легко получить отраву, то почему бы не использовать такой метод в благих целях и не давать этим же способом лекарства пациенту?

— Я видела кино, — кивнула я, — как раз...

Слова застряли в горле. Эдита перед смертью кашляла, бледнела, худела... пижама с забавными зверюшками... домработница Зина тащила у хозяев разные мелочи... Валентина кричала: «Мишки спрятаны»... А еще она прошептала, когда приняла меня в больнице за свою ожившую дочь: «Лежат там, где Раиса хранит сладкое».

— Что с вами? — вздрогнула Середко.

Я очнулась:

— Рука и руки... Есть разница?

— Ну да, — растерянно ответила Людмила Николаевна, — единственное и множественное число.

Я вскочила.

— Спасибо вам. У меня все сложилось! Единственное и множественное число, не следует их путать! А еще, сладкое не всегда конфеты, ведь так?

Психолог предпочла согласиться с эксцентричной посетительницей.

— Верно. Бывают торты, зефир, мороженое, желе.

— Некоторые люди, говоря «сладкий кусочек», имеют в виду женщину или деньги, — добавила я и помчалась в прихожую, совершенно не заботясь о впечатлении, которое произвело мое поведение на хозяйку.

Глава 31

— На часы-то смотрели? — сердито спросила Раиса, распахивая дверь.

— Слава богу, вы живы! — выдохнула я, приваливаясь к косяку.

Раиса неожиданно покраснела.

— С чего мне помирать? Еще лет десять спокойно проскриплю.

Я вздрогнула и, бесцеремонно отодвинув хозяйку, вошла в крохотную прихожую.

— Послушайте, это уж слишком! — обозлилась тетка.

— Как себя чувствует Валентина? — не обращая внимания на негодование Раисы, спросила я.

— Она умерла, — испуганно ответила хозяйка. — Вы разве не знаете?

— Где у вас тайник? — налетела я на нее.

— Вы про табуретку? — прикинулась идиоткой хозяйка. — Так она на обычном месте, в кухне.

Я сняла куртку, повесила ее на крючок, без колебаний прошла в комнату, села на диван и заявила:

— Вы меня обманули.

Раиса изобразила изумление:

— О чем речь?

— В этой квартире есть настоящий тайник, куда Валентина положила некую вещь. Рискну предположить, что ваша подруга спрятала пижаму, то есть курточку и брюки, все розового цвета, с картинками в виде коричневых мишек. Лучше сами покажите место, где она лежит.

— Ей-богу, не понимаю, о чем ведете речь, — упорствовала женщина.

Я начала загибать пальцы:

— Эдита Звонарева — раз. Зинаида — два, Валентина — три. Вы — четвертая!

— Чего? — обомлела Раиса.

— Актрису убили. Затем убрали Зину, потому что она знала о насильственной смерти Эдиты, — что-то увидела или услышала. Вот только преступник ошибся! Он не хотел, чтобы домработница скончалась в квартире Звонаревой, Зина должна была добраться до дома. И девушка добралась, но доза оказалась слабоватой, Зинаида успела поделиться подозрениями с мамой. Валентина, похоронив дочь, через некоторое время поняла, что к ней в руки приплыла удача: Зину убили, и надо потребовать денег за свое молчание. Можно сказать, жадина сама себе уготовила смерть, ее не хотели убирать, но пришлось. Вы тоже знаете, в чем дело, и тоже надумали поживиться. Вот только пижама крайне опасна! Она до сих пор может убить того, кто возьмет ее в руки!

— Ничего не понимаю, — прошептала Раиса.

Я откинулась на спинку дивана.

— По чистой случайности я оказалась в больнице в тот момент, когда прохожий привел туда еле живую Валентину. Матери Зинаиды было очень плохо, у нее мутился рассудок, поэтому она приняла меня за свою покойную дочь и сказала: «Мишки там, где у Раисы сладкое». И в квартире у Звонаревых Куницына тоже заорала: «Мишки спрятаны!» Сначала я подумала, что Валентина говорит о плюшевых игрушках. И правда, актрисе часто дарили самых разных Топтыгиных, в гардеробной стоят сумки, набитые ими. Но потом, вспомнив фразу про тайник, я пришла к вам и попросила показать место, куда Валя складировала свои ценности. Вы, услыхав от меня слово «мишка», конечно, сообразили, о чем идет речь, и, не моргнув глазом, напели про больную внучку, про свою любовь к шоколаду, продемонстрировав «хитрую» табуретку. Остается лишь позавидовать вашему, Раиса, умению быстро соображать. Валя не имела от вас тайн, она рассказала об украденном Зиной кольце, и вы решили направить меня по ложному следу. Сцена была искусно разыграна, я вам поверила. Кстати, спасибо, благодаря вам я вышла на Влада Ткаченко и докопалась до истины. А сегодня увидела точь-в-точь такую же табуретку с откидывающимся сиденьем и вдруг вспомнила: я встречала такую раньше, это вовсе не ваш муж оборудовал тайник. И еще: Валентина говорила «мишки» во множественном числе, а на кольце был единственный мишка. Влад же купил Эдите пижаму, украшенную изображениями мишек, Топтыгиных на куртке и брючках было много. А говоря: «Там, где Раиса хранит сладкое», Валя имела в виду не конфеты, а ценности, «лакомые кусочки». Короче, показывайте тайник, или сейчас сюда приедут специалисты и разберут вашу квартиру по досочкам. Вы прячете важнейшую улику!

Раиса заплакала.

— Я не собиралась требовать денег. И Валю убеждала этого не делать. Но она словно с цепи сорвалась, твердила безостановочно: «Столько с Зинкой намучилась, теперь хочу компенсацию получить». Ой, вы не поймете!

Я решила успокоить пожилую женщину и, ласково улыбнувшись ей, сказала:

— Если откроете всю правду, я непременно разберусь в произошедшем.

Раиса сложила руки на коленях и повела довольно сбивчивый рассказ, но уже через пять минут я начала ориентироваться в ситуации.

Зиночка могла взять у хозяев какую-нибудь ерунду. Воровством это нельзя было считать, иногда девушка прихватывала симпатичные жестяные коробочки из-под чая или кофе, порой уносила игрушки, которые Дите дарили поклонники. Актриса абсолютно не дорожила медведями и однажды, заметив, с каким восторгом Зина смотрит на презенты, сказала домработнице:

— Хочешь, забирай все, мне они без надобности.

Справедливости ради следует отметить, что порой девушка утаскивала продукты из холодильника, прихватывала глянцевые журналы. Но ведь прессу все равно выкидывали, а колбасу или йогурты Зина брала лишь залежавшиеся, когда покупали новые. Зоя Владимировна сама приказывала отправлять продукты в помойку, значит, они были ей не нужны. Какое же это воровство?

В день, когда умерла Эдита, Зиночка, как всегда, явилась на службу к семи утра и застала в доме полнейший переполох. В квартире толпились врачи и милиция. После того как тело актрисы унесли, Зоя Владимировна нервно приказала Зине:

— Убери в спальне моей дочери и разбери чемодан. Но сначала непременно вынеси мусор!

Хозяйка укатила с милиционерами и Зина послушно отправилась исполнять приказ. Рассказывая маме о происшествии, она сообщила:

— Кровать Эдиты была застелена чистым бельем. Вот мне повезло! Не пришлось одеялом и подушками трясти.

Зиночку не удивило, что Зоя Владимировна, отличавшаяся редким пофигизмом в отношении быта, вдруг, спустя очень короткое время после смерти дочери, сама решила заменить простыню с пододеяльником. Зина просто порадовалась, что ей досталось меньше работы.

Прислуга собирала разбросанные по комнате вещи. Потом внезапно вспомнила про мусор, пошла на кухню и обнаружила в ведре всего один, тщательно завязанный, набитый чем-то мягким пакет. Зинаида была любопытна как кошка, поэтому немедленно открыла пластиковый мешок и нашла там скомканную пижаму. На простыню и прочее Зина не польстилась, а симпатичные курточка и брючки, розовые, украшенные коричневыми мишками, очень понравились девушке. Она недолго думая положила их в другой пакет, чтобы унести к себе домой. Эдита же разрешила домработнице брать Топтыгиных, вот глуповатая Зина и решила, что пижаму в мишках легко можно приравнять к игрушкам.

Затем домработница обнаружила в углу спальни чемодан. Актриса часто уезжала на съемки, поэтому Зинаида не удивилась, а просто стала разбирать и раскладывать вещи по местам. Среди прочего она нашла мешочек с очаровательным украшением (это была копия изделия «Айрон Наша», сделанная Владом Ткаченко). Перстенек безумно нравился Зине, Эдита часто его носила. Но хозяйка умерла, зачем ей теперь колечко? К тому же в виде мишки, а мишек ей брать разрешили.

Вечером, так и не дождавшись Зои Владимировны, Зина ушла домой. У Валентины накануне был день рождения, сегодня ее собрались поздравлять коллеги по работе, и мать предупредила дочь:

— Я слегка задержусь, куплю торт и угощу девочек.

Зинаида, не испытывая никакой брезгливости, вытащила из пакета пижаму, надела ее на себя, украсила палец колечком с мишкой и легла на диван смотреть телевизор. Валя работала в третью смену, в час ночи она закрыла кассу и поспешила домой. В квартиру вошла около двух, в руках у нее был букет цветов, который кассирше подарили товарки.

Увидав дочь на диване дремлющей под мерное бормотание телевизора, Валя обозлилась и воскликнула:

— Вот безобразие! Почему ты не разложила себе

постель? Завтра, между прочим, рабочий день! Вернее, уже сегодня.

Зина открыла глаза и пробормотала:

— Очень голова болит.

— Немудрено! — фыркнула мать. — Столько часов в экран пялилась... И что на тебе надето?

— Пижамка, — прошептала Зина.

— Где взяла? — строго поинтересовалась Валентина.

Зиночка закашлялась и сказала:

— Мне плохо.

Но мать заставила ее рассказать правду и пришла в ужас.

— Ты хоть понимаешь, что нацепила?

— Костюмчик, — отчаянно кашляя, заявила Зина.

— Ой, дура! — заорала Валя. — Эдита небось в нем спать легла, а потом ей плохо стало. Врачи, приехав, пижаму стянули, когда больную реанимировали. Зоя Владимировна ведь ее выкинула! Сейчас же скидывай пижаму!

— Нет, — заплакала Зина, — не отдам.

На девушку снова напал кашель. Она схватилась руками за горло, Валентина увидела кольцо и пришла в еще большее негодование.

Крик в квартире соседей разбудил Раису, та сообразила, что у Зины и Вали случилось нечто экстраординарное, и бросилась к подруге. Валя, тяжело дыша, открыла дверь и, продемонстрировав соседке злополучную пижаму, объяснила суть дела.

— Оставь Зину в покое, — посоветовала Рая, — она по уму семилетка.

— Ее обвинят в воровстве, — не успокаивалась Валя, — кольцо не кусок колбасы.

— Завтра пойдет на работу и вернет перстень, — пожала плечами Раиса. — Зоя Владимировна небось в шоке, она ничего не заметила, ей сегодня не придет в голову пересчитывать драгоценности умершей дочери. А на ерундовую пижаму и вовсе плевать. Она ее в мусор отправила, из помойки взять не грех.

— Твоя правда, — слегка успокоилась Валя. И тут из комнаты донесся то ли хрип, то ли храп. Раиса быстро пошла на звук и увидела, что Зине очень плохо. Лицо девушки приобрело синюшный оттенок, губы побелели, из груди вырывались сиплые звуки.

— Валя, зови скорей врача! — завопила Раиса, кидаясь к Зинаиде.

«Скорая» приехала через полтора часа. Больная, правда, дожила до появления медиков, но спасти ей жизнь им не удалось.

Когда настал девятый день после смерти дочери, Валя позвала соседку помянуть Зину. Опрокинув пару рюмок, Валентина зашептала:

— Есть у меня одно соображение, хочу им с тобой поделиться: Зина умерла не от воспаления легких.

Раиса изумилась:

— Да? И какова же причина смерти?

— Нет, я не так выразилась. Пневмония была результатом отравления!

Рая с сочувствием посмотрела на подругу.

— Ты сама заболела от горя.

— Мою дочь отравили! — повторила Валентина с нажимом. — Я эти дни места себе не находила, не знала, куда от тоски деваться, и решила какое-нибудь кино посмотреть. Веня отдавал Зинке диски, которые сам проглядел. Там приключения, детективы, вот я и надумала отвлечься. Порылась в коробках, нашла фильм по роману Дюма и включила. Ерундовина полная, но там одна дама всех травит. Дает недругам то перчатки, пропитанные ядом, то носовой платок...

Я вздрогнула и перебила рассказчицу:

— Ну надо же! Я недавно видела либо тот же, либо похожий фильм.

Раиса закивала.

— Сейчас всякой чепухи навалом. Сериалы гонят, как две капли воды друг на друга похожие. Вы дальше слушайте...

В ленте, которую просмотрела Валя, был такой эпизод. Главная героиня дарит очередной жертве шейный платок, но мужчина, вместо того чтобы тут же воспользоваться красивой обновкой, бросает ее около вазы с цветами. От паров яда розы моментально почернели и, случайно оставшийся в живых аристократ понял: платок — орудие убийства.

И тут у Вали в голове моментально сложилась картинка.

Коллеги преподнесли ей на день рождения красивую композицию из гербер. Войдя в дом, Валя положила цветы на тумбочку у входа, потом стала ругать Зину, стащила с дочери пижаму, собралась отнести ее в мусорное ведро, но услышала звонок в дверь. Впустила Раису, потом Зина захрипела, и

Валя испугалась, швырнула одежду куда-то не гля-дя и помчалась в комнату.

Когда «Скорая» увезла Зину, Валентина стала собираться в больницу. В машину врачи мать не посадили, и кассирша решила поехать в клинику на первом поезде метро. Валя подошла к тумбе и удивилась. Оказывается, перед тем как побежать к дочери, она швырнула пижаму на герберы, и те-перь три цветка из пяти завяли.

Но разбираться с этим времени не было, Вален-тина уехала. Домой она вернулась в обморочном состоянии — дочка умерла. Проплакала до вечера, потом постаралась взять себя в руки. Букет и пи-жама по-прежнему лежали на тумбе. Три герберы, которые прикрывали штанишки с мишками, по-чернели так, словно их облили кислотой, а два цветка, на которые ткань не попала, сохранили свежесть. Герберы отличаются редкостной вынос-ливостью, они способны продержаться в вазе дол-гое время, и Валя не поняла, почему букет принял столь странный вид.

Она запихнула и костюм, и цветы в мусорное ведро, вызвала из ритуальной конторы агента и за-нялась скорбными процедурами. После ухода гро-бовщика заснуть Валентине не удалось, и она вклю-чила DVD-проигрыватель...

Раиса прервала рассказ и уставилась на меня.

— Понимаете? Валя никогда не была дурой. Она моментально сообразила: пижама с секретом — одежду пропитали ядом. Зину убили!

Я помотала головой.

— Нет, лишить жизни задумали Эдиту, костюм

приготовили для нее. Теперь мне понятно: Зина погибла случайно, надев чужую вещь. Домработницу не собирались убивать, она случайная жертва.

Рая сморщилась, потом зачастила:

— Вале было плевать на актрису, она хотела получить компенсацию за дочь. Поэтому поехала к Зое Владимировне и заявила: «Вы мне должны денег!» Старуха спокойно ответила: «Я заплатила вам хорошую сумму, дала трехмесячный оклад вашей дочери. Куда уж больше!» Валя не стала продолжать беседу. Мы с ней обсудили ситуацию, и я ей не советовала заниматься шантажом. Ведь если в той семье люди близкого убили, то и она жизнью рискует. Валентина вроде согласилась с моими доводами, но попросила спрятать пижаму. Вы правы: в моей квартире есть тайник, его оборудовал мой покойный муж. Так вот, мы с подругой надели резиновые перчатки, запихнули комплект в несколько полиэтиленовых пакетов, положили все в брезентовый мешок и убрали туда. Мне казалось, что Валентина забыла обо всем, что с ней приключилось, но две недели назад, в связи с кризисом, ее уволили с работы, и подруга вновь стала звонить Зое Владимировне и требовать денег.

— И как реагировала Звонарева? — заинтересовалась я.

— Равнодушно. Сначала просто говорила: «Мы давно в расчете», потом посоветовала Вале обратиться к врачу, дескать, ей надо попить успокоительное. Валентина жутко обозлилась и сказала мне: «Пора вытаскивать пижаму».

— Ясно, — кивнула я, — вы ее хранили до сих

пор... Наверняка собирались подзаработать! Тоже хотели шантажировать Зою Владимировну?

— Господь с вами! — слишком быстро ответила Раиса. — Я думала, Валя выздоровеет и заберет.

— Хорошо хоть, что не успели позвонить Звонаревой, — вздохнула я, — иначе появился бы еще один труп.

Глава 32

В среду Чеслав вызвал меня в кабинет и бодро сказал:

— Молодец! Зоя Владимировна призналась в двух убийствах.

— Марины-Эдиты и Валентины?

— Да, — кивнул начальник.

— Смерть Зины тоже на совести старухи, — не успокаивалась я.

— В принципе ты права, — согласился Чеслав, — но домработницу Звонарева не хотела лишать жизни, да и Валентину убрала лишь после того, как та нагло вломилась к ней в дом и стала громко требовать миллион долларов.

— В старшей Звонаревой явно погибла актриса, — заметила я, — мне она абсолютно спокойно сообщила о неадекватности Валентины и ушла на работу. Кстати, а зачем она мать Зины убила? Разве та не умерла бы сама, отравленная ядом из пижамы? Она не раз ведь ее трогала.

— Но Зоя-то Владимировна не знала об этом. Напуганная звонком Ляли, она принесла с собой из лаборатории шприц, наполненный лекарством. Она поняла, что если мать домработницы приехала к ней домой, то от нее необходимо побыстрей избавиться, времени на приготовление платка, шарфа или кофты, пропитанных ядом, у Звонаревой не было. Валентина явно пошла вразнос и могла заявить в милицию. Поэтому Зоя Владимировна догнала ее на улице, пообещала ей миллион, сказала: «Сию секунду еду в банк! Ступайте домой и ждите меня». Укол она сделала ей в ладонь, та даже не поняла, что случилось.

— Неужели? — удивилась я.

— Это методика, разработанная для животных, — пояснил Чеслав. — Если зверь живет в лаборатории, он очень быстро понимает, что такое шприц, и активно сопротивляется при виде исследователя. Можешь мне не верить, но многие ученые очень не любят причинять своим подопечным боль. Поэтому два немецких зоолога изобрели некую, грубо говоря, капсулу. Она крепится у человека на ладони, ты подходишь к объекту и либо протягиваешь ему руку, либо гладишь по спине. Необходимо произвести легкое сжатие, тогда из капсулы впрыскивается через кожу лекарство. Практически никаких болевых ощущений. Конечно, я весьма приблизительно описал механизм действия такого «шприца». Кстати! Сейчас такую методику активно применяют в косметологии, это так называемая безыгольная мезотерапия. Ранее врач колол пациентке в кожу лица витамины, и оставались синяки, поэтому далеко не все женщины соглашались на эффективную, но очень неприятную по ощущениям процедуру. А теперь просто прижимают ко лбу или щекам такие капсулы, и готово. И никаких следов. Не пробовала?

— Нет, — ответила я. И не смогла удержаться от ядовитого замечания: — Надо у Марты спросить.

Вот она точно не упустила возможность освежить мордочку!

Чеслав исподлобья глянул на меня и продолжил:

— Зоя Владимировна пожала Валентине руку и быстро ушла. Очевидно, Звонарева неправильно рассчитала дозу — хотела, чтобы сердечный приступ начался у матери Зинаиды дома, но лекарство подействовало слишком быстро.

— Ей стало плохо на улице, — перебила я его, — из последних сил она перешла через дорогу, зная, что там находится больница.

Чеслав кашлянул.

— Ну да, а ты как раз привела к травматологу Веню. Чем дольше я работаю, тем яснее понимаю: есть на свете провидение, которое помогает поймать преступника.

Я не сумела скрыть удивления:

— Вы верите в подобную чепуху?

— Нет, конечно, — быстро ответил начальник, — но независимо от моего отношения к этому явлению оно существует.

— Весьма логичный вывод, — усмехнулась я. — Можно вопрос? Даже два. Почему Зоя Владимировна решила убить Марину-Эдиту?

Чеслав крякнул.

— Неужели ты не сообразила? Марина верой и правдой служила Звонаревой и Фазилю. Федькина оказалась талантливой и очень благодарной. О себе она не думала, работала на износ, обеспечивала семье и продюсеру благополучие. А потом в ее жизни появился Влад. Ткаченко ждал несколько лет, но в конце концов ему надоело скрывать свою любовь, и ювелир позвонил Зое Владимировне. Влад не знал, что его любимая живет под чужим именем, он наивно полагал, что мать будет рада известию о браке дочери. А дальше было так...

Звонарева-старшая, услыхав о матримониальных планах псевдодочери, пришла в бешенство и устроила актрисе взбучку. А под конец приказала:

— Немедленно разорви отношения с этим человеком, иначе вновь очутишься на панели.

Марина испугалась, позвонила Владу, тот позвал ее в «Зофью». Разговор у любовников получился невеселый, актриса не смогла категорично сказать: «Все, роман завершен». Она на самом деле любила ювелира, поэтому мямлила, отказывалась идти в загс, не хотела уезжать в Венгрию.

На выходе из гостиницы Марина столкнулась с Лисичкой. Бывшая бандерша узнала «девочку», и та тоже моментально поняла, кто находится за стойкой рецепшен. У актрисы случилась истерика, она потребовала от Влада немедленно улететь с ней в Венгрию, потом бросилась домой и накинулась на Зою Владимировну.

Всегда спокойная, улыбчивая и тихая Марина превратилась в злобную фурию. Чего она только не наговорила Звонаревой! Кричала о своем немедленном отъезде, отказывалась работать, обещала рассказать всем правду о себе, говорила, что устала исполнять чужую роль, хочет любви и обычного счастья, что не один год содержит старуху и двух детей и давно расплатилась за все оказанные ей благодеяния...

Зоя Владимировна обняла «дочку», пообещала не препятствовать исполнению всех ее желаний и проявила трогательную заботу: подала ей пижаму с мишками.

Подарок Ткаченко Марина считала своим талисманом. Безудержно балуя Лялю, Эдита категорически запретила той брать комплект. Бедная Федькина и предположить не могла, что Зоя Владимировна именно пижаму превратила в орудие убийства.

Ученая дама поступила хитро.

Сначала она нежно прижала к себе бьющуюся в истерике Диту, потом отвела ее в ванную, собственноручно наполнила чашу теплой водой и ласково сказала:

— Полежи часок в пене, расслабься, а я пока тебе постелю. Завтра все будет хорошо. Ты очень устала и абсолютно права — необходимо сделать перерыв в съемках.

Когда Марина-Эдита залезла в приготовленную ванну, Зоя со скоростью ветра понеслась в клинику. Одной из причин, по которой Звонарева хотела жить именно в центре, было то, что ее место работы находилось совсем недалеко от квартиры. И старуха знала: лже-Эдита обожает нежиться в ванне, меньше часа она там не проведет. Времени хватит, чтобы пропитать ядом пижаму...

— Минуточку! — удивилась я и перебила рассказчика: — Но Федькина купила машину и специально наняла шофера, чтобы тот возил ее на службу! Как она ночью сумела туда добраться? Неужели не побоялась сесть к частнику?

Чеслав хмуро кивнул.

— Зоя Владимировна не сразу стала откровенной на допросе. Когда я спросил: «Вы пошли в лабораторию, взяли там яд, пропитали им часть пижамной куртки, высушили ее в специальном барабане, вернулись в квартиру и дали ее актрисе?» — старуха, не моргнув глазом, ответила вопросом на вопрос: «Интересно, как бы я попала к себе на службу? Водить машину я не умею, не вызывать же шофера ночью...» В общем, я тоже удивился. Но потом взял атлас Москвы и сообразил: в центре полно проходных дворов. На автомобиле от дома до клиники Зое Владимировне надо ехать не меньше получаса, ведь почти все улицы с односторонним движением, приходится кружить. Но если идти пешком, то доберешься за две минуты, нужно только воспользоваться узким проходом около монастыря, и вот она, клиника. Но повторяю: ни одна легковушка там не протиснется. И еще. Попасть в лабораторию, которая находится на пятом этаже, можно через парадный вход, который вечером запирают, но можно и через приемный покой, который круглосуточно открыт для скоропомощных больных. Зоя Владимировна отлично знает местные порядки, вот она и сумела проскользнуть незамеченной.

— Неужели в той части больницы, где расположен исследовательский центр с находящимися в разработке новыми лекарствами и ядами, не было охраны? — недоумевала я.

Чеслав пожал плечами.

— В России финансовый кризис, клиника вместе со всеми испытывает его тяготы. И встал вопрос: либо свернуть одну исследовательскую программу, либо остаться временно без секьюрити, чтобы сэкономить деньги. Ученые решили пожертвовать безопасностью, понадеялись на современные замки, которыми оборудованы двери. Вероятно, электронные устройства не по зубам мелким воришкам и наркоманам, но у Зои Владимировны, штатного сотрудника, имелись ключи. Итак, идем дальше.

Марина-Эдита надела на распаренное после ванны тело пижаму, и яд очень быстро проник через кожу в кровь. Незадолго до этого актриса сильно простудилась, но, как обычно, не обратилась к врачу, переносила недуг на ногах и постоянно кашляла, температурила.

— Влад говорил, что Дита похудела и чувствовала себя очень плохо, — снова вмешалась я, — у ослабленного организма не было никаких шансов справиться с отравой. Думаю, яд воздействует на систему дыхания. Зоя Владимировна знала, чем следует убить «доченьку», чтобы ее смерть выглядела естественной! На теле нет уколов, в желудке никаких лекарств, а токсикология ничего не выявит, потому что эксперт будет делать стандартное исследование и вскрытие покажет запущенную пневмонию. Да еще вся съемочная группа безоговорочно подтвердит: Дита в последнее время кашляла, потеряла в весе и пила жаропонижающие средства. Когда актриса умерла, Зоя Владимировна сняла с трупа пижаму и натянула на тело ночную сорочку. Но тут она совершила ошибку. Правда, еще большую оплошность допустила я. Ведь я заметила: что-то не так, но потом отвлеклась на Веню и забыла про ярлычки.

— Прости, не понял? — с удивлением спросил Чеслав.

Я сказала:

— Сейчас объясню. На одежду, с внутренней стороны, как правило, пришивают ярлык. Производитель указывает на нем массу информации: название фирмы, размер, состав ткани, способ стирки-чистки. Обычно эти ярлыки длинные, очень часто они больно царапают кожу, и многие женщины их без сожаления отрезают. Марина-Эдита была из их числа, в ее гардеробной практически не было вещей с маркировкой. А когда я читала документы из ее дела, там давалось описание ночнушки, в которую была одета актриса в момент смерти, и имелось фото сорочки. Было видно, что к вороту пришит длинный ярлык. Но всенародная любимица непременно бы убрала его. Думаю, сорочка была совершенно новой, Федькина не успела отрезать ярлык, а Зоя Владимировна не подумала о такой мелочи.

— Интересное наблюдение, — кивнул Чеслав. — А вообще-то Звонарева человек предусмотрительный — велела утром Зинаиде разобрать чемодан, который сложила актриса. Марина же собиралась ехать к Владу, а не готовилась к отъезду на очередные съемки. Но домработница этого, естественно, не знала. Зоя Владимировна приложила титанические усилия, чтобы скрыть следы преступления. Она понимала, что смерть звезды непременно привлечет внимание милиции, поэтому переодела труп и сменила белье. Трудная задача для пожилой дамы. И в физическом, и в моральном плане. Но Зоя Владимировна справилась. Она ведь спасала еще и любимую Лялю! Потому что в пылу скандала Марина-Эдита заявила старухе: «Девочка — убийца!

Если вы не отпустите меня к Владу, я расскажу, по какой причине она очутилась в гимназии Ландау».

— Это совсем не похоже на Федькину, — усомнилась я, — не в ее характере.

— В момент истерики люди часто говорят то, что никогда бы не произнесли в нормальных обстоятельствах, — не согласился со мной Чеслав. — Зоя Владимировна совершила ряд ошибок. Она вызвала «Скорую», а потом вдруг сообразила: надо перестелить белье и переодеть тело. Времени у нее было мало, она не успела уложить труп под одеяло, а в дверь уже позвонили. Зоя Владимировна живо запихнула кучу белья и пижаму в пакет, который сунула в мусорное ведро, и бросилась в прихожую.

Звонарева хотела их выкинуть, когда уедет «Скорая», но сходить на помойку ей не удалось — прибыли медики, милиция, потом пришлось уехать с членами бригады. Пижама осталась вместе с бельем в пакете, и хозяйка успела лишь приказать Зине выбросить мусор. Не стоило полагаться на глупую и любопытную домработницу, но сказалось нервное напряжение, все-таки старая дама не профессиональный киллер, ночь выдалась непростая, отсюда и «косяк». Собственно, преступники всегда совершают ошибки.

— Действительно, — тихо сказала я. — Вот только, думается мне, нервы у Зои Владимировны крепкие, зато ее жадность не знает предела. А Фазиль? Он подозревал, что звезду убили?

— Нет, — покачал головой Чеслав.

— А почему он взялся раскручивать Настю?

— Зоя Владимировна загнала продюсера шантажом в угол. Звонарева понимала, что со смертью актрисы лишается финансовой поддержки, и поставила Каримову условие: у нее есть старшая внучка, она обязана стать успешной певицей, чтобы содержать бабушку. К сожалению, у Анастасии нет актерских задатков, зато есть слух и неплохой голосок.

— Но почему не Ляля? — продолжала недоумевать я. — И чем Зоя Владимировна могла шантажировать Фазиля?

Чеслав вскинул брови.

— Ляля избалована, не имеет никаких талантов, упряма, капризна, с ней трудно справиться, не говоря уже о том, что девочка психически нестабильна и покушалась на убийство. А вот Настя, девушка из провинции, считает за счастье выступать на сцене. Зоя Владимировна думала, что Настя будет ей благодарна, как Марина. Но просчиталась, у Насти совсем другой характер, девчонка моментально «зажгла звезду». Правда, пока она выделывается только перед Лялей, Веней и прислугой, побаивается бабушку и продюсера. Но, думаю, через годик Стю устроит им фейерверк. А насчет шантажа... Где Эдита? Куда подевалась настоящая дочь Звонаревой?

— Не знаю, — честно ответила я. — Наверное, лежит в какой-нибудь клинике.

— Столько лет? Каримов очень не хотел огласки, а в лечебных учреждениях, даже частных, слишком много посторонних ушей и глаз. «Желтая» пресса хорошо платит за сенсации, вдруг некая медсестра решит продать информацию об именитой наркоманке, очутившейся в клинике? Фазиль не мог рисковать, он отвез Эдиту к себе на дачу и пригласил врача, в молчании которого был абсолютно уверен. Доктор попытался вывести наркоманку из комы, но не сумел, Дита умерла. Тело ее Каримов зарыл у себя на участке.

— Зоя Владимировна знала о смерти дочери! — ахнула я.

— Да, — подтвердил Чеслав. — Но у Звонаревой есть внуки, которых она обожает, ради них она и согласилась на появление новой Эдиты.

— Так утверждает сама Зоя Владимировна? — скривилась я. — Она только прикрывается нежными чувствами к детям. А как же ее личные требования: хочу машину, шофера, шикарную квартиру, прислугу...

Чеслав поднял руку, остановив меня.

— Спокойно. Наша часть работы выполнена, это уже из другой епархии. Звонарева сказала Фазилю: «Труп Диты у тебя на огороде. И лучше ему там оставаться, чтобы правда не вылезла наружу. Но если тело найдут, как ты отмоешься от обвинений в убийстве?»

— Странно, что Каримов испугался, — вновь ринулась я в бой. — Он мог великолепно отбить подачу, заявив: «Мамуля, вы сами называли Федькину «доченькой»!»

— Сладкая парочка... — вздохнул Чеслав. — В общем, они опять договорились. Поделили заработок Насти, и Фазиль начал разогрев звезды. Зоя Владимировна с продюсером потирали руки, предвкушая большую прибыль от фильма, который начали показывать в кинотеатрах вскоре после гибели Марины-Эдиты... Ты почему притихла?

— Устала, — честно призналась я.

Чеслав посмотрел на часы.

— Езжай домой, даю тебе и Гри два выходных.

Мне удалось скрыть усмешку. Знаю я, во что выльется неслыханная щедрость начальника! Завтра около полудня он позвонит и прикажет:

— Немедленно в офис.

— Молодец, — неожиданно похвалил меня Чеслав, — в тебе открываются новые грани, к умению замечать мелкие детали теперь еще прибавился и талант переговорщика, ты научилась вызывать людей на откровенность. Вот, допустим, соседка Валентины. Раиса в первую же встречу рассказала тебе массу интересного!

— Спасибо, — кивнула я. — Надеюсь, в скором будущем оправдаю ваше доверие, но сейчас я отлично понимаю: мне далеко до Коробкова, Гри и Марты, я делаю много ошибок, слишком увлекаюсь одной версией, не способна мыслить масштабно. Что же касается Раисы... Подруга Валентины не особенно умна, просто по-житейски хитра. Она привлекла мое внимание к обычной табуретке, но промолчала про пижаму и настоящий тайник. То, что она рассказала подробности биографии Вали и Зины, поведала мне о планах соседки получить деньги от Звонаревой, не было откровенностью, Рая пыталась отвлечь меня от мыслей о тайнике. Повторяю: Раиса не обременена умом, зато жадности и пронырливости в ней с избытком. Она тоже хотела шантажировать Зою Владимировну, мечтала уехать из тесной квартирки, не понимала, сколь опасна ученая дама. Я могла ей помешать, вот поэтому Рая и разговорилась. Полагала, что ловко сбила любопытную визитершу со следа, подсунув ей перстень-мишку. Хорошо хоть Раиса не успела связаться с Зоей...

— Все! — резко остановил меня Чеслав. — Иди, Гри давно тебя ждет. Кстати, Марта совсем не такая, какой кажется, думаю, вы можете стать подругами.

На секунду я обозлилась. Ну вот, Карц ухитрилась обаять даже сурового Чеслава! Но потом спокойно ответила:

— Конечно, Марта милая.

— Замечательно, — потер руки Чеслав, — теперь к двум твоим вышеназванным талантам прибавился и третий: умение делать хорошую мину при плохой игре.

Эпилог

— Может, тебе стоит получить права? — спросил Гри, отъезжая от офиса.

— Ой нет, — испугалась я, — не сумею научиться водить машину, буду постоянно бояться ее разбить. Как ты думаешь, что теперь будет с Зоей Владимировной?

Муж выехал на проспект.

— Ничего хорошего. Она ведь убила Марину. Причем не стукнула ее в состоянии аффекта сковородкой по голове, а осуществила предумышленное преступление. В этом случае рассчитывать на снисхождение суда не приходится. Кроме того, Зоя Владимировна, зная о смерти Диты, преспокойно эксплуатировала Федькину. И она молчала об убийстве Маргариты, которое совершила Ляля. Сложи все вместе и получишь большой срок.

— Лялю отправят в клинику?

Гри кивнул:

— Конечно. Девочка явно нездорова. Но я не уверен, что ее можно вылечить. Вероятно, под влиянием лекарств она научится контролировать приступы гнева и злобы, но... Превратиться из злобного хорька в милого кролика невозможно. Хотя, может, я и ошибаюсь. Меня, честно говоря, больше заботит судьба Вени — мальчика отправят в детский дом, а там будет несладко ребенку, который первые годы жизни прожил в семье.

— Может, Настя позаботится о брате? — предположила я.

— Не похоже, — отмел мое предположение Гри. — Судьба Анастасии видится мне такой: два-три года на эстраде, потом замужество. Стю найдет себе богатого любителя юных певуний. Веня девице абсолютно не нужен. И я очень надеюсь, что Фазиль Каримов, несмотря на его деньги и большое количество влиятельных знакомых, не отвертится от наказания. Ведь именно он придумал заменить Эдиту Мариной!

Автомобиль тряхнуло на лежачем полицейском.

— Ой! — вскрикнула я.

— Что случилось? — удивился Гри.

— Ухо, — простонала я, держась за голову, — опять отит разбушевался. Знаешь, мне дали адрес некой матушки Марфы. Говорят, она умеет воспаление заговаривать.

— Заговаривать? — переспросил муж. — Круто! А у врача ты была?

— Была-а-а... — горько протянула я и рассказала о своих несчастьях: — В конце концов, я купила ушной канат, но и он не помог. Чуть легче стало от листочка, который запихнул мне в ухо Веня. А от семейной мази Рындиной так воняло! Помнишь, Марта надо мной издевалась? — спросила я.

Гри припарковал машину у тротуара и растерянно сказал:

— Я думал, вы глупо шутите, Марта постоянно тебя подкалывает, а ты отбиваешься.

— Нет, — заныла я, — в ухе по-настоящему стреляет. А доктор прописала мне лекарства, которые сняли с производства еще в правление Ивана Грозного. Завтра же отправлюсь к матушке Марфе...

Гри включил поворотник и начал разворачиваться.

— Эй, мы куда? — насторожилась я.

— Трудно поверить, что в двадцать первом веке, в столице России, живет женщина, которая сначала совала в больное ухо чеснок и траву, потом зажигала в нем «бикфордов» шнур и в конце концов собралась к бабке, чтобы лечить воспаление заговорами. Мы едем в нормальную больницу, к обычному отоларингологу. Уже давно придуманы всякие капли и таблетки от отита.

Часа через два мы вошли в квартиру.

— Болит? — с явным сочувствием спросил Гри. — Давай-ка сниму с тебя сапоги, сама не наклоняйся...

— Мне хорошо стало, — радостно ответила я, — теперь в ухе не щелкает.

— Сейчас сделаю тебе компресс, и к утру будешь как огурец, — пообещал муж. — Иди в кровать, врач велел пораньше лечь. Ну, не стой, а я пока прогревание приготовлю.

Я чуть не зарыдала от облегчения. Ну за что мне достался такой муж: умный, заботливый, ласковый!

Гри, который уже успел дойти до кухни, вдруг обернулся:

— Ты лучшая, ты самая хорошая жена на свете.

— Нет, — шмыгнула я носом, — я плохо управляюсь с домашним хозяйством, у нас повсюду пыль.

Муж улыбнулся.

— Мне всегда казалось, что женщины, идеально убирающие квартиру, на самом деле обожают не спутника жизни, а свои апартаменты. Знаешь, что такое, на мой взгляд, любовь? Это когда человек говорит тебе: «На улице холодно, если не хочешь получить отит, надень шапку!»

Донцова Д.

Д 67   Микроб без комплексов : роман / Дарья Донцова. — М. : Эксмо, 2009. — 384 с. — (Иронический детектив).

Тане Сергеевой поручили новое, захватывающее дух расследование! Ей нужно доказать, что известная актриса Эдита Звонарева не умерла от воспаления легких, а была убита. И не просто доказать, а вдобавок найти этого неуловимого преступника. Поэтому Таня как заводная носится по городу в поисках улик. Ей еще предстоит отведать сэндвич с плюшевой крысой, узнать, почему мгновенно вянут цветы и кто такой микроб без комплексов...

УДК 82-3
ББК 84(2Рос-Рус)6-4

ISBN 978-5-699-33934-1   © ООО «Издательство «Эксмо», 2009

Оформление серии *В. Щербакова*

Литературно-художественное издание

ИРОНИЧЕСКИЙ ДЕТЕКТИВ

Дарья Донцова

МИКРОБ БЕЗ КОМПЛЕКСОВ

Ответственный редактор *О. Рубис*
Редакторы *И. Шведова, Т. Семенова*
Художественный редактор *В. Щербаков*
Технический редактор *Н. Носова*
Компьютерная верстка *Г. Клочкова*
Корректор *М. Ионова*

Иллюстрация на переплете *В. Остапенко*

ООО «Издательство «Эксмо»
127299, Москва, ул. Клары Цеткин, д. 18/5. Тел. 411-68-86, 956-39-21.
Home page: **www.eksmo.ru**   E-mail: **info@eksmo.ru**

Подписано в печать 13.02.2009.
Формат 84×108 $^1/_{32}$. Гарнитура «Таймс». Печать офсетная.
Бумага тип. Усл. печ. л. 20,16.
Тираж 250 000 (1-й завод — 130 100) экз. Заказ № 6207.

Отпечатано в полном соответствии
с качеством предоставленных диапозитивов
в ОАО «Можайский полиграфический комбинат».
143200, г. Можайск, ул. Мира, 93.

Оптовая торговля книгами «Эксмо»:
ООО «ТД «Эксмо». 142700, Московская обл., Ленинский р-н, г. Видное,
Белокаменное ш., д. 1, многоканальный тел. 411-50-74.
E-mail: **reception@eksmo-sale.ru**

По вопросам приобретения книг «Эксмо»
зарубежными оптовыми покупателями обращаться в ООО «Дип покет»
E-mail: **foreignseller@eksmo-sale.ru**

International Sales:
International wholesale customers should contact «Deep Pocket» Pvt. Ltd. for their orders.
foreignseller@eksmo-sale.ru

По вопросам заказа книг корпоративным клиентам,
в том числе в специальном оформлении,
обращаться по тел. 411-68-59 доб. 2115, 2117, 2118.
E-mail: **vipzakaz@eksmo.ru**

Оптовая торговля бумажно-беловыми
и канцелярскими товарами для школы и офиса «Канц-Эксмо»:
Компания «Канц-Эксмо»: 142702, Московская обл., Ленинский р-н, г. Видное-2,
Белокаменное ш., д. 1, а/я 5. Тел./факс +7 (495) 745-28-87 (многоканальный).
e-mail: **kanc@eksmo-sale.ru**, сайт: **www.kanc-eksmo.ru**

Полный ассортимент книг издательства «Эксмо» для оптовых покупателей:
В Санкт-Петербурге: ООО СЗКО, пр-т Обуховской Обороны, д. 84Е.
Тел. (812) 365-46-03/04.
В Нижнем Новгороде: ООО ТД «Эксмо НН», ул. Маршала Воронова, д. 3.
Тел. (8312) 72-36-70.
В Казани: ООО «НКП Казань», ул. Фрезерная, д. 5. Тел. (843) 570-40-45/46.
В Ростове-на-Дону: ООО «РДЦ-Ростов», пр. Стачки, 243А.
Тел. (863) 220-19-34.
В Самаре: ООО «РДЦ-Самара», пр-т Кирова, д. 75/1, литера «Е».
Тел. (846) 269-66-70.
В Екатеринбурге: ООО «РДЦ-Екатеринбург», ул. Прибалтийская, д. 24а.
Тел. (343) 378-49-45.
В Киеве: ООО «РДЦ Эксмо-Украина», ул. Луговая, д. 9.
Тел./факс: (044) 501-91-19.
Во Львове: ТП ООО «Эксмо-Запад», ул. Бузкова, д. 2.
Тел./факс (032) 245-00-19.
В Симферополе: ООО «Эксмо-Крым», ул. Киевская, д. 153.
Тел./факс (0652) 22-90-03, 54-32-99.
В Казахстане: ТОО «РДЦ-Алматы», ул. Домбровского, д. 3а.
Тел./факс (727) 251-59-90/91. gm.eksmo_almaty@arna.kz

Полный ассортимент продукции издательства «Эксмо»:
В Москве в сети магазинов «Новый книжный»:
Центральный магазин — Москва, Сухаревская пл., 12. Тел. 937-85-81.
Волгоградский пр-т, д. 78, тел. 177-22-11; ул. Братиславская, д. 12. Тел. 346-99-95.
Информация о магазинах «Новый книжный» по тел. 780-58-81.
В Санкт-Петербурге в сети магазинов «Буквоед»:
«Магазин на Невском», д. 13. Тел. (812) 310-22-44.

По вопросам размещения рекламы в книгах издательства «Эксмо»
обращаться в рекламный отдел. Тел. 411-68-74.

Дарья ДОНЦОВА

С момента выхода моей автобиографии прошло три года. И я решила поделиться с читателем тем, что случилось со мной за это время...

В год, когда мне исполнится сто лет, я выпущу еще одну книгу, где расскажу абсолютно все, а пока... Жизнь продолжается, в ней случается всякое, хорошее и плохое, неизменным остается лишь мой девиз: "Что бы ни произошло, никогда не сдавайся!"

www.dontsova.ru
www.eksmo.ru

Дарья Донцова

рекомендует

свою новую **кулинарную книгу**

«Простые
и вкусные
рецепты»

Мастер детективного жанра, одна из самых остроумных писательниц российской литературы продолжает щедро делиться своими неиссякаемыми талантами.

Дарье Донцовой подвластно многое — от лихо закрученной интриги до откровенного разговора с современной женщиной, от веселых приключений домашних животных до секретов изысканной кухни!

ПОПРОБУЙТЕ!

Рецепты и советы от **Дарьи Донцовой** — это легко в приготовлении, изысканно и вкусно.

Готовьте с удовольствием!

с любовью
Дарья Донцова

Дарья Донцова

Кулинарные

КНИГИ ЛЕНТЯЙКИ

ТЕПЕРЬ
В ДОСТУПНОМ КАРМАННОМ
ФОРМАТЕ!

«Кулинарная
книга лентяйки.
**ПАЛЬЧИКИ
ОБЛИЖЕШЬ!**»

«Кулинарная
книга лентяйки.
ВКУСНО и БЫСТРО!»

ПОДАРОК ДЛЯ ВСЕХ ЧИТАТЕЛЕЙ:
новые разделы
«ДИЕТИЧЕСКОЕ ПИТАНИЕ»
и «РЕЦЕПТЫ ЗА 5 МИНУТ»

www.dontsova.ru

www.eksmo.ru

Дарья **Донцова**

Новая кулинарная книга
Дарьи Донцовой –
это веселое, занимательное
чтение и изумительные
рецепты со всего мира!

РЕЦЕП**ТЫ**
к у х о н ь
разных стран мира,
собранные самой
Дарьей Донцовой!